W9-AQH-231

Chronologie de l'histoire mondiale

Dans toutes les existences, on note une date où bifurque la destinée, soit vers une catastrophe, soit vers un succès.

(La Rochefoucauld)

On n'est pas né pour la gloire lorsqu'on ne connaît pas le prix du temps.

(Vauvenargues)

Henri Leblanc-Ginet

Chronologie de l'histoire mondiale

De 3000 av. J.-C. à 2000 de notre ère
les dates des 5 000 événements
qui ont fait l'histoire.

AVANT-PROPOS

Des menhirs à la tour Eiffel, des pharaons aux présidents, de l'âge du fer à l'ère nucléaire, l'histoire de l'humanité est scandée par des événements, plus ou moins importants, mais toujours significatifs, que la mémoire des hommes a retenus pour symboliser l'époque où ils se sont produits : sacre d'un roi, mort d'un artiste, bataille…

Cette chronologie est la somme de ces événements. Elle résume 2000 ans d'histoire de France et 5000 ans d'histoire du monde, ce qui en fait un indispensable complément aux livres d'histoire, qu'il s'agisse de manuels scolaires, de biographies romancées ou de thèses sur notre passé, même récent…

Plus les événements sont anciens, plus ils sont acceptés, moins ils sont contestables ; ce qui n'est pas toujours le cas des événements de l'ère moderne. Le temps, juge suprême, n'ayant pas encore rendu son verdict, nous nous sommes efforcés de ne citer que ce dont la postérité se souviendra, avec d'éventuels risques d'erreur d'appréciation que les contemporains corrigeront d'eux-mêmes, à leur gré.

Cette **Chronologie de l'histoire mondiale** *fait suite au* **Dictionnaire encyclopédique de l'histoire de France** *(même collection) qui déroule un panorama exhaustif de l'histoire de France.*

Ces deux ouvrages peuvent être utilisés en complément l'un de l'autre.

– 4500 à – 3500

● Érection des menhirs et dolmens (mégalithes) en Europe.

– 2800

● Début du calendrier égyptien. ❍ Réunion de la Haute Égypte et de la Basse Égypte par le pharaon Ménès ; Memphis capitale de l'Égypte.

– 2700

● Égypte : mastaba (pyramide) à degrés de Sakkarah. ❍ Construction des pyramides de Khephren, Khéops et Mykérinos.

– 2300

● Inde : culture dravidienne de l'Indus, premiers établissements urbains.

– 2200

● Égypte : décadence de l'Ancien Empire ; début d'une société féodale.

● Mésopotamie : chute de l'empire d'Akkad ; essor de la ville de Lagash.

– 2100

● Égypte : Moyen Empire fondé par les princes de Thèbes en Haute Égypte (XIe dynastie).

– 2060

● Nouvel essor de la civilisation sumérienne.

– 2000

● Invasions de populations nordiques en Mésopotamie.

● Les Hyksos dévastent la Syrie et détruisent l'empire d'Égypte.

– 1990

● Égypte : irrigation du Fayoum ; pyramides en briques.

● Sumer au fait de sa puissance.

– 1950

● Fin de l'apogée de Sumer et d'Akkad. Assauts des Amorites.

– 1729

● Hammourabi fonde l'empire de Babylone, et vainc l'Assyrie. Son code est la base des législations orientales antiques. La langue sumérienne devient la langue savante et l'akkadien la langue vulgaire.

– 1700

● Les Hittites indo-européens créent un empire en Asie Mineure et pillent Babylone. Ils utilisent le cheval et le char de combat et propagent l'usage du fer. ❍ Écriture pictographique. ❍ La culture minoenne à son apogée en Crète. ❍ Arrivée des premiers Indo-Européens en Crète et à Chypre. ❍ Trésor des tombes mycéniennes.

– 1552

● Égypte : les populations se révoltent contre l'occupation des Hyksôs. Création du Nouvel Empire qui choisit Thèbes pour capitale. ❍ Édification à Karnak du temple d'Amon-Râ. ❍ Touthmès III conquiert la Nubie et étend le royaume jusqu'à la première cataracte. ❍ La Syrie s'étend jusqu'à l'Euphrate.

– 1450

● Chine : dynastie Chang ; début de l'histoire chinoise, perfectionnement de l'agriculture et de l'écriture, naissance d'une civilisation urbaine.

– 1400

● La civilisation minoenne à son terme ; destruction des palais crétois.

– 1364

● Égypte : Aménophis IV, époux de Néfertiti, devient Akhenaton et impose le monothéisme solaire qui remplace le culte du dieu Amon (lequel sera rétabli par son successeur, Toutankhamon, dont le tombeau sera découvert en 1922). Il installe sa capitale à Tell el-Amarna.

– 1300

● Grèce : essor de la civilisation grecque archaïque (mycénienne) d'inspiration crétoise. ❍ Constructions monumentales : murs cyclopéens de Mycènes (porte des Lionnes) et de Tyrinthe. Prééminence des rois de Mycènes tel Agamemnon. ❍ Édification de la ville de Troie, et de l'Acropole d'Athènes.

– 1290

● Égypte : victoire de Ramsès II à la bataille de Kadesh contre les Hittites qui veulent s'emparer de la Syrie. ❍ Édification de monuments en Haute Égypte, à Abou Simbel et à Karnak.

– 1200

● Grèce : fin de la civilisation mycénienne et destruction de la cité de Troie. ❍ Installation des Doriens dans le Péloponnèse (Argos, Corinthe, Sparte). ❍ Introduction du culte des dieux de l'Olympe.
❍ Naissance de l'oracle de Delphes et origine des poèmes homériques.
❍ Travail du fer.

– 1146

● Méditerranée : les cités phéniciennes, dont Tyr et Sidon, deviennent des bases du commerce en Méditerranée. ❍ Fondation de colonies, telles Gadès (Cadix), Utique et Carthage.

– 1050

● Chine : le royaume féodal des Tchéou remplace le royaume Chang.

– 1000

● Palestine : guerre contre les Philistins et création d'un royaume d'Israël, dont le premier roi est Saül. ❍ Son successeur David rassemble les douze tribus et triomphe des Philistins ; capitale Jérusalem. ❍ Salomon, fils de David, renforce le royaume qui est partagé après sa mort.

– 900

● Les Phéniciens inventent l'alphabet que perfectionnent les Grecs.
● Les Araméens s'installent en Syrie et les Chaldéens fondent des cités au sud de Babylone.
● Début probable de la composition des poèmes homériques l'*Iliade* et l'*Odyssée*.

– 883

● Assyrie : conquêtes d'Assourbanipal II et de Salmanasar III en Syrie et en Babylonie.

– 850

● Israël et Juda. : temps des prophètes Amos, Isaïe et Osée.
❍ Affirmation du culte monothéiste.

– 800

● Grèce : fixation de l'écriture alphabétique grecque (consonnes et voyelles). ❍ Hésiode écrit *La Théogonie* (première cosmogonie des dieux créateurs du monde) et *Les Travaux et les Jours*.

– 776

● Grèce : création des premières Olympiades mêlant jeux sportifs, théâtre et poésie ; les Jeux olympiques sont célébrés tous les quatre ans, en l'honneur de Zeus à Olympie (Élide). ○ La cité de Sparte se place sous un système oligarchique, aristocratique et militaire qui fait de chaque citoyen un soldat soumis à une discipline rigoureuse.

– 753

● Fondation de Rome par la population d'Albe-la-Longue ; selon la légende, des oiseaux déterminent l'emplacement de la ville qu'édifie Romulus, fils de Mars et de Rhea Silvia, elle-même descendante du Troyen Énée. Romulus est le premier roi de Rome après avoir tué son frère Remus accusé de sacrilège. Romulus organise l'enlèvement des Sabines afin de peupler sa ville.

– 750

● Comptoirs grecs sur tout le pourtour méditerranéen.

– 722

● Prise de la Samarie par Sargon II (Assyrie), et fin du royaume d'Israël, dont la population est exilée en Assyrie. ○ Le roi Assourbanipal, qui porte l'Assyrie à son apogée, conquiert l'Égypte.

– 700

● Gaule : invasion puis établissement des Celtes.

– 683

● Grèce : expansion d'Athènes où la royauté consiste en une magistrature annuelle (archontat) préfigurant la démocratie.

– 650

● Chine : *Hong Fan* (La Grande Règle), premier recueil connu de philosophie chinoise.

● Grèce : deuxième guerre de Messénie sous la direction d'Aristomélès. La classe des marchands lutte contre l'aristocratie terrienne.

– 630

● Assyrie : apogée de l'art assyrien (hauts et bas-reliefs) et progression des Mèdes et des Perses. ○ Les Chaldéens de Babylone et le roi mède Cyaxare chassent les Assyriens.

– 612

● Destruction complète de Ninive.

– 605

● Égypte : le pharaon Néchao II (capitale Saïs, à l'ouest du Delta) triomphe de la Syrie et s'avance jusqu'à l'Euphrate avant d'être battu par Nabuchodonosor. Sur ses ordres, des marins phéniciens réussissent la première circumnavigation de l'Afrique.

– 604

● Essor du nouvel empire chaldéen de Babylone.

– 600

● Naissance de Lao-Tseu, fondateur du taoïsme.

● Gaule : fondation de Phocée (Marseille) par les Grecs d'Ionie.

● Assyrie : naissance du prophète Zarathoustra.

– 594

● Grèce : l'archonte Solon supprime l'esclavage pour dettes et libère les paysans. ○ La population athénienne est divisée en quatre classes dirigées par un *aréopage* tandis que le *Conseil des Quatre Cents* gère la cité.

– 586

● Destruction de Jérusalem par Nabuchodonosor, et captivité à Babylone du peuple d'Israël. ○ Édification dans Babylone du temple de Mardouk, protecteur de la cité. ○ Apogée de l'astrologie chaldéenne.

– 563

● Inde : naissance supposée du Bouddha (autres dates : 536, 480…).

– 551

● Chine : Ts'in Che-Houang-Ti, le premier empereur, rétablit l'unité du pays et commence l'édification de la Grande Muraille afin de protéger la frontière nord contre les Mongols. ○ Naissance supposée de Confucius.

– 550

● Cyrus le Grand fonde l'Empire perse.

● Grèce : Sparte à son apogée.

– 545

● Conquête par les Perses des villes grecques d'Ionie.

– 538

● Cyrus conquiert Babylone.

– 537

● Bellovèse, chef des Gaulois Bituriges, travers les Alpes et fonde la Gaule cisalpine.

– 534

● Grèce : essor de la sculpture archaïque et de la céramique. ○ Naissance de la tragédie à Athènes.
○ Sparte fonde la ligue du Péloponnèse.

– 525

● Conquête de l'Égypte par les Perses.

– 515

● Les Juifs regagnent Jérusalem et reconstruisent le temple de Salomon.

– 514

● Établissement de la démocratie à Athènes qui devient la principale puissance en Grèce.

– 512

● Expédition de Darius qui parvient jusqu'au Danube et établit la puissance perse en Europe. ○ L'apogée perse décroît avec les guerres perdues contre les Grecs sous Darius et Xerxès.

– 510

● Rome devient une République et consacre à Jupiter un temple sur la colline du Capitole.

– 500

● Grèce. Révolte des cités grecques d'Ionie contre la domination perse. ○ Présentation des premières tragédies d'Eschyle.

– 494

Grèce. Victoire navale perse dans l'île de Milet dont la cité est détruite.

– 492

● Perse : le général Mardonios traverse la Thrace et arrive jusqu'en Macédoine mais sa flotte est dispersée près du mont Athos.

– 490

● Les Perses sont battus par les Athéniens à Marathon.

– 485

● Perse : mort de Darius Ier à qui succède Xerxès.

● Grèce : Thémistocle fait construire une flotte afin de pouvoir mener une guerre offensive sur mer et défensive sur terre.

– 483

● Inde : mort supposée du Gautama Bouddha dont la religion va s'étendre sur l'ensemble de l'Asie (autre date suggérée : 400).

– 480

● Grèce : mort glorieuse du roi spartiate Léonidas et de ses 300 guerriers au défilé des Thermopyles. ❍ Xerxès incendie Athènes vide de ses habitants. ❍ La flotte grecque remporte la victoire de Salamine qui oblige Xerxès à rebrousser chemin. ❍ L'armée perse restée en Grèce est battue à Platées par les Grecs coalisés sous les ordres de Pausanias.

– 461

● Grèce : fin de l'alliance de Sparte et Athènes. ❍ Périclès fait construire les longs murs afin de protéger Athènes.

– 448

● Grèce : apogée du siècle de Périclès avec la construction du Parthénon (Acropole) pour lequel Phidias sculpte la statue de la déesse Athéna, patronne de la cité. ❍ Athènes centre intellectuel, politique et culturel du monde, avec les œuvres des historiens Hérodote et Thucydide, des philosophes Anaxagore, Protagoras et Socrate, des dramaturges Sophocle, Euripide et Aristophane.

– 431

● Grèce : début de la guerre du Péloponnèse (jusqu'à – 404), causée par la rivalité entre Sparte et des villes alliées (Thèbes et Delphes) et Athènes. ❍ Périclès préconise une guerre de résistance à l'abri des remparts réputés imprenables.

– 429

● Grèce : pendant la guerre du Péloponnèse, la peste anéantit une partie de la population, dont Périclès, remplacé par le démagogue Cléon, qui abandonne la sage politique de son prédécesseur.

– 404

● Grèce : Athènes capitule et ses vainqueurs détruisent les Longs Murs protecteurs édifiés par Périclès. Ils abolissent la démocratie qu'ils remplacent par la dictature des Trente Tyrans. Ceux-ci instaurent un régime de terreur que renverse Thrasybule au profit de la démocratie.

– 400

● Grèce : début de la guerre entre Sparte et les Perses au sujet de la liberté des cités d'Ionie.

– 399

● Grèce : à Athènes, Socrate est accusé injustement de corrompre la jeunesse et condamné à boire la ciguë. ❍ Son disciple Platon, fondateur de l'Académie (École philosophique), conçoit un État idéal, avec des citoyens responsables, but suprême des gouvernants.

– 394

● Grèce : victoire navale de l'Athénien Conon allié au Perse Pharnabazos à Cnide sur la flotte de Sparte. ❍ Athènes relève ses ruines et reconstruit les Longs Murs.

– 388

● Rome : les Gaulois de Brennus partis de la Gaule cisalpine parviennent jusqu'à Rome. Ils brûlent la ville, mais échouent dans leur assaut nocturne du Capitole, où les cris des oies sacrées donnent l'alerte.

– 382

● Grèce : prise de Thèbes (Cadmée) par les guerriers spartiates (libérée en – 379 par Pélopidas avec l'aide d'Athènes).

– 359

● Grèce : Philippe de Macédoine domine Athènes affaiblie par les guerres.

– 340

● Capoue et la Campanie sont annexées par Rome ; paix avec les Gaulois.

– 338

● Grèce : Philippe de Macédoine défait les Athéniens et les Thébains à Chéronée. Il est nommé généralissime des troupes grecques mais est assassiné en Macédoine. ❍ Rome intervient dans les conflits entre cités hellènes, ce qui met fin à l'indépendance grecque.

– 336

● Grèce : Alexandre, fils de Philippe de Macédoine et élève d'Aristote, consolide la supériorité macédonienne en détruisant Thèbes révoltée.

– 334

● Grèce : guerre contre la Perse ; Alexandre vient à bout de la flotte perse en détruisant ses bases.

– 333

● Perse : Alexandre le Grand remporte une victoire totale sur Darius III en Cilicie.

– 332

● Alexandre le Grand prend Tyr, occupe l'Égypte et fonde la ville d'Alexandrie. ❍ L'oracle du temple d'Amon le déclare dieu vivant.

– 331

● Alexandre le Grand triomphe à Gaugamélès (proche de Ninive) et incendie le palais de Xerxès (Persépolis) en représailles de l'incendie d'Athènes provoqué par les Perses en – 480.

– 330

● Fin de l'Empire perse après sa conquête par Alexandre le Grand.

– 324

● Alexandre le Grand se dirige vers l'Indus et revient à travers le Béloutchistan. Il obtient des États grecs son admission parmi les dieux.

– 323

● Grèce : Alexandre le Grand meurt à 33 ans sans avoir pu terminer sa conquête du monde.

– 322

● Grèce : suicide de Démosthène, après l'échec d'une révolte contre les Macédoniens. ❍ Après la mort d'Alexandre le Grand, ses généraux et les colons grecs poursuivent l'hellénisation des pays du Levant, de l'Asie et de l'Inde.

– 301

● L'empire d'Alexandre est divisé en de nombreux États dont le plus important est le royaume d'Égypte placé sous l'autorité de Ptolémée Ier qui fait d'Alexandrie sa capitale, et un centre commercial essentiel. Le musée et la bibliothèque d'Alexandrie attirent les mathématiciens Apolonius et Euclide, le géographe Ératosthène, l'astronome Aristarque de Samos. ❍ Athènes reste le centre des écoles de philosophie avec les académiciens, les péripatéticiens d'Aristote, les épicuriens et les stoïciens disciples de Zénon.

– 264

● Rome et Carthage, qui se disputent le commerce en Méditerranée, entrent en conflit. Cette première guerre punique, qui se déroule surtout en Sicile, donne lieu à plusieurs batailles navales.

– 241

● Fin de la première guerre punique. La Sicile, sans Syracuse, devient province romaine. ❍ Répression par Carthage de la révolte de ses mercenaires (dont de nombreux Gaulois) qu'elle ne peut plus payer, tant est lourd le tribut à verser aux Romains.

– 240

● La Sardaigne et la Corse deviennent province romaine.

– 236

● Hamilcar de Carthage conquiert l'Espagne ; Hasdrubal poursuit son œuvre en fondant la Nouvelle Carthage (Carthagène).

– 229

● Les armées romaines envahissent la plaine du Pô (Gaule cisalpine).

– 220

● Hasdrubal assassiné, Hannibal devient chef de l'armée d'Espagne. Il assiège la ville de Sagonte (Valence) alliée aux Romains.

– 218

● Début de la deuxième guerre punique.

– 217

● Hannibal traverse les Pyrénées et les Alpes avec des éléphants et entre en Italie. ❍ Allié aux Gaulois de l'Italie du Nord, Hannibal remporte les victoires du Tessin (*novembre*) et de la Trébie (*décembre*).

– 216

● Hannibal à Cannes anéantit 70 000 soldats romains ; l'Italie du Sud, Capoue, Syracuse et le roi Philippe V de Macédoine s'allient avec lui tandis que Rome refuse de négocier.

– 212

● Les Romains s'emparent de Syracuse (dernier bastion carthaginois en Sicile), après un siège de trois ans au cours duquel s'illustre le mathématicien Archimède (assassiné par un légionnaire). Sur la péninsule, les Romains assiègent Capoue où Hannibal s'est retiré.

– 211

● Prise et destruction de Capoue. ❍ Les deux frères Scipion, généraux romains, portent la guerre en Espagne et en Afrique.

– 202

● *Octobre* : victoire définitive de Scipion l'Africain sur Hannibal (qui a abandonné l'Italie l'année précédente) à Zama (environs de Carthage).

– 201

● Carthage demande la paix et cède l'Espagne à Rome. Fuite d'Hannibal.

– 197

● Grèce : défaite de Philippe V de Macédoine, ancien allié d'Hannibal, en Thessalie. ❍ Les États grecs sont proclamés indépendants par Rome.

– 180

● Gaule : début de la pénétration des Romains en Gaule transalpine.

– 166

● Chine : début des incursions des Huns.

– 149

● Troisième guerre punique : Marcus Porcius Caton encourage la guerre contre Carthage qui est détruite par les armées romaines sous les ordres de Publius Scipion Emilien (le nouvel Africain).

– 148

● La Macédoine devient province romaine.

– 146

● À la suite d'une révolte, les Romains détruisent Corinthe : la Grèce devient province romaine.

– 133

● Scipion détruit Numance et met fin aux guerres civiles en Espagne.

– 125

● Création par les Romains de la Gaule transalpine (dite la *province*, d'où Provence, ou la *Narbonnaise*) dont la capitale sera Narbonne.

– 121

● Rome : Tiberius Gracchus tente de soulager la misère des paysans par des réformes qui provoquent la révolution.

– 113

● Les armées romaines sont battues par les Cimbres et Teutons, peuplades germaniques venues du Jutland, puis par Jugurtha, roi des Numides.

– 111

● Les troupes chinoises s'installent au Tonkin.

– 107

● Gaule. Défaites des armées romaines en Narbonnaise face aux Volsques Tectosages et aux Tigurins Helvétiques.

– 105

● Gaule : défaite de l'armée romaine à Orange face aux Cimbres et aux Teutons. ○ Gaius Marius réforme l'armée et enrôle des mercenaires.

– 102

● Gaule : Marius bat les Teutons à Aix-en-Provence et les Cimbres à Verceil. ○ Révoltes en Narbonnaise contre les excès des troupes romaines.

– 100

● Gaule : civilisation celte dite La Tène III.

● Des tribus belges envahissent le sud de l'Angleterre (dite Bretagne).

– 88

● Début de la première guerre civile (jusqu'en – 82) entre les partisans de Marius et ceux de Sylla, son ancien lieutenant, appelé à lutter contre Mithridate IV et à mater une révolte en Grèce. Pendant son absence, Marius persécute ses partisans.

– 86

● *13 janvier* : mort de Marius ; Cinna se désigne consul à sa place (il est assassiné en – 83 par les partisans de Sylla).

– 82

● Fin de la guerre civile; Sylla s'empare du pouvoir à Rome après avoir éliminé les partisans de Marius. Il a conquis Athènes, avant de la piller, et repoussé d'Europe les troupes de Mithridate. Il se fait nommer dictateur à vie; sa répression fait plus de 10000 victimes.

– 78

● Rome: mort de Sylla, qui a abdiqué l'année précédente.

– 74

● Rome: nouvelle guerre contre Mithridate. (jusqu'en – 64).

○ Le consul Licinius Lucullus mène une campagne victorieuse jusque dans le Pont et en Arménie.

– 73

● Le gladiateur Spartacus prend la tête d'une révolte d'esclaves et ravage l'Italie. La rébellion est anéantie par Marcus Crassus. Rome pour l'exemple, en – 71, crucifie 6000 esclaves le long de la via Appia.

– 67

● Rome: Pompée reçoit (jusqu'en – 63) le commandement suprême en Méditerranée; il chasse les pirates des côtes et poursuit la guerre jusqu'au Caucase contre Mithridate qui se suicide; son royaume du Bosphore (Crimée) est divisé en deux provinces romaines (le Pont et la Syrie). À ces deux provinces s'ajoutent la Bithynie et la Cilicie.

– 60

● Rome: Pompée, César et Crassus forment un triumvirat. Consul, César soutient Pompée (qui épouse Julia, la fille unique de César).

– 59

● Les Helvètes pénètrent en Gaule.

– 58

● Début de la guerre des Gaules. Jules César, nommé proconsul, repousse les Helvètes en Suisse et les Suèves de l'autre côté du Rhin.

– 57

● César mate les Belges, occupe la côte nord et fait une incursion en (Grande) Bretagne.

– 56

● Jules César conquiert l'Armorique et l'Aquitaine.

– 52

● Révolte générale des Gaulois qui se regroupent sous les ordres de Vercingétorix, vainqueur à Gergovie mais vaincu à Alésia.

– 50

● Gaule : Uxellodunum, dernier bastion de la résistance gauloise, est conquise par les Romains. Fin de la guerre des Gaules.

– 49

● Rome : début de la deuxième guerre civile ; Pompée refuse à César un second consulat. ○ Jules César fait le siège de Marseille (qui s'est ralliée à Pompée) et en annexe les colonies. ○ Il franchit le Rubicon avec ses troupes et chasse Pompée de Rome.

– 48

● À la bataille de Pharsale (Thessalie), César bat Pompée, qui s'enfuit en Égypte où il est assassiné.

– 47

● Jules César couronne Cléopâtre reine d'Égypte et brise une révolte à Alexandrie dont la bibliothèque est incendiée.

– 46

● Les derniers partisans de Pompée sont anéantis en Afrique (Thapsus). Caton se suicide à Utique. ○ Jules César triomphe et devient dictateur, *imperator* et grand pontife à vie. ○ Il met en place le calendrier julien amenant une année bissextile tous les quatre ans.

– 44

● Rome : le *15 mars*, Jules César est assassiné par des conjurés républicains (dont Brutus) qui lui reprochent de vouloir instaurer la royauté. ○ Marc Antoine chasse de Rome ses meurtriers et tente de s'emparer du pouvoir en formant un second triumvirat avec Octave, neveu et successeur désigné de César, et Lépide.

– 43

● Fondation de la ville de Lugdunum (Lyon), métropole des Gaules.

– 42

● Rome : Antoine et Octave anéantissent les armées des républicains Brutus et Cassius qui se suicident. ○ Octave continue la guerre en Italie et Antoine parvient victorieusement jusqu'en Égypte.

– 36

● Rome : le général Marcus Agrippa, allié d'Octave, conquiert la Corse, la Sicile et la Sardaigne, tandis que Lépide abandonne l'Afrique à Octave. ❍ Antoine répudie Octavie (demi-sœur d'Octave, qu'il a épousée quatre ans auparavant) pour tenter de constituer avec Cléopâtre, depuis l'Égypte, un grand royaume d'Orient.

– 32

● Rome déclare la guerre à l'Égypte.

– 31

● Rome : victoire navale d'Octave à Actium (Acarnanie) sur l'armée d'Antoine et de Cléopâtre qui s'enfuient à Alexandrie où ils se suicident. L'Égypte devient province romaine.

– 30

● Rome : Octave ajoute Auguste (sacré) à son nom et devient grand pontife et empereur au pouvoir absolu. ❍ Sous son règne s'instaure la *Pax romana* (Paix romaine), et la culture romaine atteint son apogée avec Horace, Virgile, Tibulle, Properce, Ovide, Tite-Live, Vitruve… Rome est au faite de sa puissance et de sa gloire.

– 19

● Rome : mort de Virgile, qui a commencé à écrire l'*Énéide* en – 29.

– 16

● L'empereur Auguste organise la Gaule en trois grandes provinces (Aquitaine, Celtique et Belgique). ❍ Tibère et Drusus (beaux-fils d'Auguste) repoussent les Germains et ajoutent la Rhétie (Bavière et Tyrol) et la Norique (Autriche) aux provinces romaines.

– 16

● Gaule : construction de la Maison carrée de Nîmes.

– 5

● Jérusalem : naissance supposée de Jésus-Christ à Bethléem.

– 4

● Jérusalem : mort d'Hérode le Grand, roi des Juifs, responsable dans les Évangiles du massacre des Innocents. Son royaume est partagé entre ses cinq fils.

1

● Début théorique de l'ère chrétienne.
❍ Ovide commence à écrire les *Métamorphoses*.

6

● Rome : Auguste, après la mort de ses petits-enfants, désigne Tibère pour lui succéder ; Tibère achève de conquérir la Germanie jusqu'à l'Elbe.

9

● Germanie : trois légions romaines commandées par Varus sont massacrées dans la forêt de Teutoburg ; les Germains reprennent leurs territoires jusqu'au Rhin. Tibère fortifie la frontière rhénane.

14

● Rome : mort d'Auguste et avènement de Tibère.

16

● Les astrologues sont pourchassés et bannis de Rome.

18

● Mort d'Ovide à Tomes (Roumanie) où il était exilé.

21

● Gaule : écrasement de la révolte des Trévires, Éduens, Sequanes, Turons et Aulerques de Sacrovir et Florus contre Rome et sa fiscalité.

25

● Gaule : construction de l'amphithéâtre d'Arles.

26

● Retiré en Campanie puis à Capri, Tibère, las du pouvoir et de ses intrigues, est remplacé à Rome par Séjan, son ministre. ❍ Époque marquée par les complots, trahisons et exécutions.

27

● Jérusalem : martyre de saint Jean-Baptiste, décapité sur ordre d'Hérode Antipas à la demande de sa belle-fille Salomé.

30

● Jérusalem : crucifixion de Jésus.

37

● Mort de Tibère ; règne de l'empereur Caligula, despote sanguinaire (assassiné en 41 par un tribun de sa garde prétorienne).

40

● Asie : les populations du Tonkin se révoltent contre la Chine.

41

● Rome : règne de l'empereur Claude ; homme timide et faible, il se laisse gouverner par ses épouses, Messaline, qu'il fait assassiner par ses affranchis, et Agrippine, qui lui fait adopter son fils Néron, qu'elle a eu de son premier mari, avant de l'empoisonner.

43

● Rome : les troupes romaines conquièrent la (Grande) Bretagne.

48

● Jérusalem : concile des Apôtres qui approuve l'évangélisation dans le monde. Voyages de Paul en Asie Mineure et en Grèce.

● Rome : les Gaulois sont admis pour la première au Sénat de Rome.

50

● Gaule : construction du pont du Gard.

● L'empereur Claude exile les Juifs qui résident à Rome.

54

● Rome : assassinat de Claude puis avènement de Néron, fils d'Agrippine. Conseillé par le philosophe Sénèque, le début du règne de Néron est paisible jusqu'à ce qu'il empoisonne son beau-frère Britannicus, en 55, puis fasse assassiner sa mère Agrippine en 59.

60

● Gaule : construction des arènes de Nîmes.

61

Rome : emprisonnement et martyre de saint Paul.

64

● Grand incendie de Rome dont l'origine est attribuée aux chrétiens que Néron persécute dans l'ensemble de l'Empire. ○ Martyre à Rome de saint Pierre, premier pape, mort sur une croix, la tête en bas.

65

● Début probable de la rédaction des Évangiles de Marc, Matthieu, Luc et Jean (jusqu'en 85).

● Rome : après un complot, Néron contraint le philosophe Sénèque et le poète Lucain au suicide. ○ Révoltes en Gaule et en Espagne.

66

● Révolte de la Judée.

68

● Rome : Néron, est acculé au suicide après la rébellion de ses généraux (dont le Gaulois Vindex), las de sa cruauté et de ses débauches.

68-69

● Après la mort de Néron, quatre empereurs se disputent le pouvoir. Galba, assassiné et remplacé par Otton, lui-même poussé au suicide par Vitellius, massacré par la foule. Vespasien, élu empereur par les légions romaines d'Orient (il mène alors la guerre contre la Judée) lui succède. Gigantesque incendie du Capitole. ○ L'empereur Vespasien entreprend de rétablir l'ordre dans l'Empire et ordonne la construction du Colisée.

70

● La destruction de Jérusalem par Titus, fils de Vespasien, marque le début de Diaspora (dispersion) juive. L'historien juif Flavius Josèphe, rapporte ces événements dans *La Guerre juive*.

● Gaule : révolte, avec l'appui des Germains d'outre-Rhin, du Batave Civilis (Belgique) et du Lingon (région de Langres) Sabinus, qui se proclame empereur des Gaulois ; l'insurrection est vite réprimée, la plupart des peuples gaulois préférant rester dans le giron de Rome plutôt que de faire alliance avec les Germains, leurs ennemis héréditaires.

71

● L'empereur Vespasien réorganise l'armée romaine.

79

● Titus succède comme empereur à Vespasien, son père. ○ Éruption du Vésuve et destruction de Pompéi et d'Herculanum ; le naturaliste Pline l'Ancien trouve la mort alors qu'il observait l'éruption.

81

● L'empereur Titus meurt de la peste ; avènement de l'empereur Domitien, son frère cadet. Domitien se veut maître et dieu et persécute les chrétiens qui refusent sa divinité, de même que les philosophes (parmi lesquels le stoïcien Épictète) qu'il fait expulser d'Italie.

92

● Gaule : Domitien réglemente la culture des vignes parce qu'elles concurrencent trop les vins italiens (il faudra attendre Probus, empereur de 276 à 282, pour que des vignes soient replantées en Gaule).

95

● Persécution contre les chrétiens ordonnée par Domitien. ○ Dans l'île de Patmos, rédaction de l'*Apocalypse* attribuée à saint Jean.

96

● L'empereur Domitien est assassiné par l'un de ses affranchis. Le sénat désigne pour lui succéder Nerva, connu pour son équité

98

● L'empereur Trajan succède à Nerva, qui l'avait adopté, et ajoute à l'Empire la Roumanie (Dacie), l'Arménie, la Mésopotamie et l'Arabie.
○ Sous son règne, la littérature latine est en plein essor avec Pline le Jeune, Suétone, Tacite, Juvénal tandis que l'historien Plutarque donne un nouvel élan à la littérature grecque.

100

● Chine : invention du papier.

115

● Jérusalem : révolte des Juifs.
● Révolte en (Grande) Bretagne, et massacre de la garnison romaine d'York. Évacuation, par les Romains, de la Calédonie (Écosse).

117

● L'empereur Trajan meurt pendant une bataille contre les Parthes en Cilicie. ○ Avènement de l'empereur Hadrien le Pacifique, fils adoptif de Trajan. ○ Le royaume de Jérusalem devient colonie romaine.
○ Bâtisseur, Hadrien fait entreprendre la construction du “mur d'Hadrien” entre l'Angleterre et l'Écosse, et l'édification à Rome du Panthéon et du mausolée d'Hadrien (le château Saint-Ange).

120

● Gaule : construction du théâtre d'Orange.
● Rome : Suètone rédige les *Vies des douze Césars*.

138

● Succédant à Hadrien, l'empereur Antonin le Pieux exerce un règne pacifique sous lequel se manifeste la renaissance grecque avec le médecin Galien, l'orateur Aristide, l'écrivain satirique Lucien, l'astronome Ptolémée, les historiens Arrien et Appien et le géographe Pausanias.

140

● Affirmation du dogme chrétien s'opposant au gnosticisme oriental et au montanisme (attente du jugement dernier dans l'ascétisme).

● Inde : le bouddhisme se répand ; épanouissement de l'art gréco-bouddhique du Gandhara.

● Les Romains implantent de nombreux comptoirs commerciaux dans le Sud de l'Inde.

155

● Jérusalem : nouvelle révolte des Juifs.

160

● Chine : arrivée des premiers missionnaires bouddhistes en Chine.

161

● Avènement de l'empereur Marc-Aurèle, philosophe stoïcien.

166

● Martyre de Justin à Rome.

● Première invasion des Germains en Italie.

● Épidémie de peste, rapportée par les armées d'Orient, dans tout l'Occident, où elle va durer vingt ans.

177

● Christianisme en Gaule : procès et persécution de quarante-huit chrétiens à Lyon, dont sainte Blandine.

● Espagne : invasions berbères repoussées par les légions romaines.

180

● L'empereur Commode succède à son père Marc-Aurèle, mort de la peste lors d'une expédition sur le Danube ; il se signale par sa cruauté et sa mégalomanie. ❍ Début de la décadence romaine.

188

● Irénée, évêque de Lyon, s'élève contre les gnostiques.

189

● Chine : fin de la dynastie de Han et division du royaume.

193

● Rome : avènement de l'empereur Septime Sévère après l'assassinat de Commode par sa maîtresse ; il dissout la garde prétorienne.

196

● Gaule : révolte des légions menées par Clodius Albinus, gouverneur de Bretagne qui rallie à sa cause une partie de l'armée du Rhin et la garnison de Lyon et se proclame empereur.

197

● Bataille de Lyon (*16 février*) entre les troupes de Septime Sévère et celles de Claudius Albinus qui, vaincu, se suicide. Ses partisans sont massacrés, Lyon ravagée.

● L'empereur Septime Sévère triomphe des Parthes : prise de Ctésiphon.

200

● Chrétienté : essor de l'école chrétienne d'Alexandrie, avec Origène et Clément d'Alexandrie.

211

● Mort de l'empereur Septime Sévère à Eburacum (York) alors qu'il luttait depuis trois ans contre les Calédoniens (Écossais). Son fils Caracalla lui succède à la tête de l'Empire.

212

● L'empereur Caracalla accorde le titre de citoyen romain à tous les hommes libres de l'Empire et entreprend une réforme monétaire.

217

● Assassinat de Caracalla par Macrin, qui se fait nommer empereur et signe avec les Parthes une paix contestée par l'armée.

● Empire perse : naissance supposée de Mani (mort en 277), prophète du manichéisme, religion du bien et du mal qui sera à la base, avec le christianisme, de l'hérésie cathare, au Moyen Âge.

218

● Héliogabale est proclamé empereur par l'armée à la place de Macrin, tué par ses soldats alors qu'il tentait de les fuir. Il tente d'imposer le culte solaire du dieu Baal dont il se prétend grand prêtre.

220

● Chine : la dynastie des Hans est détrônée au profit des Wei.
○ La Chine est divisée en trois royaumes ; fondation du royaume Chou

222

● L'empereur Héliogabale assassiné par sa garde. Son cousin Sévère Alexandre lui succède, et tente (en vain) d'imposer son autorité à l'armée.

226

● Perse : Ardachir 1er (Artaxerxès) chasse Artaban V et fonde le royaume perse des Sassanides qu'il étend jusqu'à l'Indus.

235

● Assassinat à Mayence, d'où il tente d'arrêter les invasions germaines au nord de l'Empire, de l'empereur Sévère Alexandre et de sa mère, qui avait rang de ministre. Les militaires rebelles nomment empereur leur général Maximin le Thrace, un ancien berger.

238

● Assassinat de l'empereur Maximin le Thrace par ses soldats, qui ne supportent plus sa sévérité ○ Il s'ensuit une guerre civile au cours de laquelle le Sénat élit deux empereurs assassinés par l'armée, tandis que les colons romains d'Afrique en désignent deux autres, dont l'un est poussé au suicide et l'autre tué lors d'une bataille. ○ Gordien III, 13 ans, devient empereur.

244

● Assassinat de Gordien III, en campagne contre les Perses, par ses soldats. Philippe l'Arabe, fils d'un seigneur jordanien, empereur.

249

● L'empereur Philippe l'Arabe est vaincu et tué par Dèce, général d'origine illyrienne (Balkans) que ses soldats proclament empereur.

250

● L'empereur Dèce, qui veut rétablir le culte romain traditionnel, organise la première persécution générale des chrétiens. Exécution, à Toulouse, de saint Saturnien.
● Nouvelle épidémie de peste, venue d'Égypte, dans l'Empire romain.

251

● L'empereur Dèce meurt lors d'une bataille contre les Goths. Nouvelle guerre civile. Gallus est nommé empereur par l'armée.

253

- Les Goths, qui viennent de ravager le littoral d'Asie Mineure, sont battus dans les Balkans par Émilien, qui est proclamé empereur par ses soldats ; il tue l'empereur Gallus lors d'une bataille, mais est assassiné par les mêmes soldats qui l'ont porté au pouvoir et qui lui préfèrent Valérien. Lequel prend en charge l'empire d'Orient, et confie l'empire d'Occident à son fils Gallien.
- Les Alamans et les Francs commencent à envahir la Gaule, profitant du retrait des légions romaines le long du Rhin.

257

- Nouvelles persécutions des chrétiens, auxquels l'empereur Valérien interdit, sous peine de mort, de se réunir sur les tombes de leurs morts.

260

- L'empereur Valérien, prisonnier du roi des Perses Sapor Ier, meurt en captivité. L'empereur Gallien (son fils) lui succède et réunifie les deux empires sous son autorité. Il bat les Alamans parvenus jusqu'en Italie, et les Goths dans les Balkans.
- Gaule : Postumus (mort en 268), commandant des armées romaines en Gaule, repousse les Francs, s'affranchit de la tutelle de Rome et se proclame empereur de la Gaule, de la Bretagne et de l'Espagne.
- Rome : le philosophe Plotin, fondateur du néoplatonisme, ouvre à Rome une école philosophique que fréquente l'empereur Gallien.

263

- Chine : le royaume Chou Han est détruit par les Sseu-ma Tchao. Fondation de la dynastie chinoise Tsin par les Wei.

268

- Assassinat de l'empereur Gallien par des légionnaires illyriens qui mettent à sa place l'un des leurs, Claude II le Gothique.
- Victorinus succède à Postumus comme empereur de la Gaule. Il est assassiné en 269 ; Tétricus, sénateur d'Aquitaine, prend sa succession.

269

- L'empereur Claude II le Gothique bat les Goths à Nissa en Serbie.
- Gaule : des bandes de pillards appelés *Bagaudes* ravagent la Gaule (jusqu'à ce que Maximilien les écrase en 286).

270

● L'empereur Claude II meurt de la peste sur les rives du Danube. L'empereur Aurélien, général de cavalerie, lui succède.

274

● L'empire des Gaules se rallie à l'empereur Aurélien après la bataille de Châlons-sur-Marne qui voit la défaite de Tétricus (qu'Aurélien réintègre dans ses fonctions de sénateur). Les Francs et Alamans envahissent de nouveau la Gaule, qu'ils traversent jusqu'aux Pyrénées.

275

● L'empereur Aurélien ordonne la construction de remparts autour de Rome, appelés “mur d'Aurélien”, chasse les Alamans d'Italie, renforce la frontière du Danube et détrône la reine Zénobie de Palmyre (Syrie). ❍ Assassinat d'Aurélien. Le Sénat nomme Tacite empereur à sa place. Il bat les Goths et meurt peu après dans des circonstances mystérieuses.

276

● Probus, officier illyrien de cavalerie commandant de l'armée d'Orient, est proclamé empereur. Ses armées triomphent en Gaule des Francs et des Alamans, des Burgondes et des Vandales. Il accepte dans les rangs de la légion romaine des volontaires germains.

282

● L'empereur Probus est assassiné par ses légionnaires qui lui reprochent de les obliger à se livrer à des travaux de terrassement, sur les frontières, indignes de leur condition de soldats. ❍ Trois empereurs se succèdent alors en deux ans.

284

● Dioclétien désigné empereur par ses soldats. Il instaure une tétrarchie pour gouverner l'Empire. Elle est constituée de deux régents, Dioclétien et Maximien (qui a la Gaule en charge) et de deux corégents, Constance Chlore et Galère qui seront leurs successeurs. Il divise l'Empire en quatre préfectures, douze diocèses et cent une provinces.

285

● L'anachorète Antoine fonde l'érémitisme chrétien en Égypte.

297

● L'empereur Dioclétien divise la Gaule en deux diocèses autour de deux capitales : Trèves et Vienne.

303

● L'empereur Dioclétien entame une dernière et très violente persécution contre les chrétiens.

305

● Rome : l'empereur Dioclétien abdique pour raisons de santé et se retire à Spalato (Split) où il meurt en 313. Constance Chlore et Galère deviennent empereurs, mais leurs fils respectifs, Constantin et Maxime, sont écartés au profit d'autres héritiers.

● Naissance d'Ermanic, futur roi des Ostrogoths, fondateur d'un vaste empire correspondant à la Russie.

312

● Constantin Ier le Grand, fils de Constance Chlore, désigné empereur par l'armée de Bretagne, après s'être débarrassé de ses rivaux, affronte son ultime concurrent Maxime, fils de Galère, à la bataille du pont Milvius, sur le Tibre (28 octobre). Avant le combat, où Maxime est battu et tué, une croix serait apparue à Constantin dans le ciel…

313

● L'empereur Constantin signe un édit de tolérance qui autorise toutes les religions et met un terme aux persécutions anti chrétiennes.

314

● Au synode d'Arles, l'hérésie de Donat (pour qui la qualité des sacrements à celle de ceux qui les administrent) est condamnée. Demeuré vivace, notamment en Afrique du Nord, le donatisme sera combattu par saint Augustin.

315

● Rome : construction de l'arc de Constantin. ❍ Début de la construction de la basilique du Latran.

318

● Annexion par les armées des Huns de la partie nord de la Chine.

320

● Saint Pacôme fonde en Égypte le premier monastère.

● Amérique : début de l'ancien Empire maya (jusqu'au VIIe siècle) ; fondation des villes Tikal, Uaxactun, Copan, Palenque, Tonina, Oxkintok, Quiriguà et Etzna.

● Inde : début du grand empire de la dynastie des Goupta qui verra l'essor et l'apogée de la littérature sanskrite.

324

● Constantin le Grand devient le seul empereur après avoir renversé et fait étrangler Licinius, empereur d'Orient, son beau-frère. Souverain de droit divin, il exerce un pouvoir absolu. Le christianisme, qu'il protège, est en plein essor.

325

● Début de la construction de la première église de Saint-Pierre de Rome, édifiée sur la tombe de Pierre. ❍ Constantin préside le premier concile œcuménique de Nicée qui condamne l'hérésie d'Arius (qui remet en cause la sainte Trinité et la divinité du Christ).

330

● Fondation de Constantinople, nouvelle capitale de l'empire d'Orient édifiée à l'emplacement de l'ancienne Byzance par Constantin.

335

● Le bouddhisme est officiellement reconnu en Chine.

337

● Mort de Constantin le Grand, converti au christianisme pendant son agonie. Ses trois fils se partagent l'Empire : Constantin II règne à Trèves, Constant Ier dans les Balkans et Constance II à Antioche.

349 :

● Les Huns sont chassés de la Chine du Nord.

350

● La fête de la nativité du Christ est déplacée au 25 décembre, jour attribué à Rome à la naissance du dieu solaire Mithra.

354

● Naissance de saint Augustin à Tagaste (Afrique du Nord).

357

● Gaule : victoire du césar Julien, neveu de Constantin Ier, sur les Alamans près de Strasbourg. ❍ La frontière du Rhin résiste aux assauts des envahisseurs. Il autorise l'installation des Francs Saliens sur les bords de la Meuse, et fait de Lutèce (Paris) sa capitale.

360

● Julien proclamé empereur par ses troupes. Constance II, empereur d'Orient, s'y oppose mais meurt (361) alors qu'il partait en expédition contre lui.

361

● Rome : l'empereur Julien, dit Julien l'Apostat pour avoir renier le christianisme dans lequel il a été élevé, tente en vain de restaurer les anciennes religions sur la base du néoplatonisme.

363

● L'empereur Julien bat le roi des Perses mais, blessé lors de la bataille, il meurt des suites de sa blessure. ❍ Le général Jovien lui succède. Il rétablit le christianisme.

364

● Mort subite, après huit mois de règne, de l'empereur Jovien.
L'empereur Valentinien Ier lui succède en Occident. Son frère Valens gouverne l'empire d'Orient.

370

● Début du monachisme occidental sous l'impulsion de saint Martin de Tours qui fonde le monastère de Marmoutier.

● Les Huns reprennent leur domination sur le nord de la Chine.

374

Mélanie l'Ancienne, une Romaine, fonde le premier monastère de femmes, à Jérusalem, sur le mont des Oliviers.

375

● Ministère des docteurs et Pères de l'Église appelés Cappadociens, notamment Basile de Césarée (mort en 379), Grégoire de Nysse (mort en 394) et Grégoire de Nazianze (mort en 390).

● En raison de l'expansion de l'Empire chinois, les Huns chassés commencent à déferler à l'ouest. Ils défont successivement les Alains sur la Volga et le Danube, les Hérules, les Gépides, les Ostrogoths installés dans la plaine russe et une partie des Wisigoths ; ils pénètrent dans l'Empire romain et s'installent peu à peu dans l'actuelle Hongrie. Leur territoire s'étend du bas Danube au Caucase.

● Gratien succède à son père, mort d'apoplexie lors d'une campagne sur le Danube, comme empereur d'Occident.

378

● L'empereur Gratien désigne le pape Damase comme maître suprême des métropolites d'Italie.

● L'empereur d'Orient Valens meurt à Andrinople (Turquie) au cours d'une bataille perdue contre les Goths. ○ Théodose Ier le Grand, choisi par Gratien comme empereur d'Orient, signe un traité de paix avec les Goths qui s'installent en Thrace dont ils défendront la frontière.

381

● Deuxième concile œcuménique à Constantinople, qui établit le christianisme comme religion officielle de l'État. Le concile prononce le dogme de La Trinité. L'empereur Théodose ferme les temples, interdit les cultes des anciennes religions, les offrandes et les sacrifices.

383

● L'empereur d'Occident Gratien est assassiné à Lyon par un soldat de Maxime, qui se fait proclamer empereur. Théodose Ier le bat et le tue.

385

● L'hérésiarque Priscillien, accusé de magie, est exécuté à Trêves. Condamné préalablement par deux conciles (Saragosse et Bordeaux), il est le premier hérétique exécuté par le pouvoir religieux séculier.

389

● Destruction du Sérapéion, temple du taureau Apis à d'Alexandrie, grand lieu de pèlerinage grec et romain.

390

● Excommunié par saint Ambroise pour avoir ordonné le massacre de sept mille habitants de Salonique, l'empereur d'Orient Théodose s'humilie devant lui ; pour la première fois le pouvoir impérial est dominé par celui de l'Église.

393

● Grèce : dernière célébration des Jeux olympiques, fête païenne.

394

● Valentinien II, nommé empereur d'Occident par Théodose Ier en 392, est assassiné par son ministre le Franc Arbogast, qui est à son tour battu par Théodose et acculé au suicide.

395

● Mort de Théodose le Grand qui a partagé l'Empire entre ses fils Arcadius (Orient), et Honorius (Occident). Leurs règnes marquent, sur l'Europe, la fin de l'Antiquité, et le début du haut Moyen Âge.

● Alaric, roi des Wisigoths, ravage la Grèce.

397

● Jean Chrysostome d'Antioche devient patriarche de Constantinople.

400

● Saint Jérôme rédige la version latine de la Bible dite la *Vulgate* (390-405).

401

● Alaric, roi des Wisigoths, envahit l'Italie avec des peuplades germaniques qui sont battues par le Vandale Stilicon, ministre de l'empereur romain d'Occident Honorius.

406

● Jusqu'à 409, invasion des Vandales et Suèves à travers la Gaule jusqu'en Espagne où ces peuples germaniques s'installent en tant que fédérés de l'Empire. ❍ Les Burgondes occupent le Mein et le Rhin aux environs de Worms. ❍ Les Francs saliens s'installent au nord de la Belgique où ils implantent leur langue et leur civilisation. ❍ Des Francs ripuaires pénètrent dans le Luxembourg. ❍ Les armées romaines ayant été rappelées de Bretagne pour défendre la Gaule, l'Angleterre est envahie par les Saxons, les Pictes et les Scotts.

410

● Empire romain: le roi des Wisigoths Alaric et ses guerriers pillent Rome avant de repartir à la conquête de la Sicile et de l'Afrique. Alaric meurt à Cosenza (Calabre). Son frère Alauf lui succède.

414

● Alauf, roi des Wisigoths, enlève et épouse la sœur de l'empereur d'Occident Honorius.

418

● Chrétienté: condamnation du pélagianisme (qui conteste la théorie du péché originel et de la grâce).

● Création par le roi Wallia d'un royaume wisigoth en Gaule du Sud et en Espagne, dont la capitale est Toulouse.

426

● Saint Augustin termine la rédaction de la *Cité de Dieu* (*Civitate Dei*).

429

● Les Wisigoths repoussent les Vandales d'Espagne vers l'Afrique.

430

● Mort de saint Augustin, évêque d'Hippone, en Afrique du Nord, alors que les Vandales attaquent la ville.

431

● Troisième concile d'Éphèse. Nestorius est chassé de Constantinople tandis que le christianisme nestorien (qui sépare, en Jésus-Christ, l'homme et le Dieu) atteint l'Orient, et ira jusqu'en Chine.
● Les Bretons, Celtes venus des îles Britanniques, s'installent en Armorique, désignée la Petite Bretagne.

432

● Saint Patrick, né à Cumberland (Grande-Bretagne), est envoyé en mission en Irlande où il fonde de nombreux monastères.

437

● Révolte de Bagaudes en Gaule.

440

● Le pape Léon Ier le Grand fait reconnaître la suprématie pontificale par tous les évêques.

443

● Gaule : une partie du peuple des Burgondes s'installe en Savoie.

445

● Par édit impérial, l'évêque de Rome est reconnu autorité suprême de l'Église.

449

● Les Angles entament la conquête de l'Angleterre, suivis par les Saxons et les Jutes. Le Kent, le Sussex et une partie de la côte sud sont les premiers territoires occupés (jusqu'en 500).

451

● À Chalcédoine, quatrième concile œcuménique.

● Attila, chef des Huns et des Ostrogoths, Hérules, Rugiens et Gépides, envahit l'empire d'Occident et la Gaule. Il est battu par la coalition de Romains, Wisigoths et Burgondes du général romain Aetius aux champs Catalauniques (situés entre Châlons-en-Champagne et Troyes).

452

● Attila pénètre en Italie où il détruit Aquilée, en Vénétie. ❍ Le pape Léon Ier parvient à expulser les Huns d'Attila hors d'Italie. L'Église devient alors la protectrice de l'ordre public et le refuge de la culture antique en voie de disparition.

453

● Mort d'Attila. Fin de la suprématie des Huns, qui retournent au-delà du Dniepr, tandis que les Ostrogoths s'installent près du Danube.

455

● Le pape Léon Ier sauve Rome de l'incendie provoqué par le chef des Vandales Genséric, mais il ne peut empêcher le pillage de la ville.

● Les Alamans s'installent en Alsace.

458

Childéric Ier, roi des Francs Saliens.

461

● Le pape Gélase Ier oppose l'autorité spirituelle de l'Église à la puissance temporelle, selon un principe qui sera la base de la diarchie (double pouvoir) médiévale.

463

● Les Burgondes envahissent la vallée du Rhône et s'y installent.

466

● Création (jusqu'en 484) en Espagne d'un royaume wisigoth indépendant avec Tolède pour capitale. ❍ Rédaction du code d'Euric (du nom du roi qui le fait établir), la plus ancienne codification germanique.

● Childéric Ier, roi des Francs Saliens, s'allie à Ægidius, gouverneur romain du centre de la Gaule pour bloquer l'expansion des Wisigoths, qui cherchent à s'implanter au nord de la Loire. Il repousse aussi à l'est une offensive saxonne.

476

● Fin de l'empire romain d'Occident. ○ Romulus Augustulus, dernier et 82e empereur romain d'Occident, est déposé par Odoacre, général des mercenaires germains au service de Rome.

477

● Le roi des Wisigoths Euric conquiert la Provence.

480

● Gondebaud roi des Burgondes.

481

● Nord de la Gaule : Clovis Ier roi des Francs Saliens de Tournai succède à son père Childéric Ier, et rejette l'autorité du dernier gouverneur romain (Syagrius).

484

● Alaric II roi des Wisigoths.

486

● Clovis bat Syagrius, dernier représentant de l'Empire romain, et s'empare de son royaume de Soissons, puis, sans combat, de Paris. Syagrius, qui s'est réfugié chez le roi des Wisigoths, Alaric II, est remis par ce dernier à Clovis qui le fait exécuter.

489

● Chassant Odoacre, (qu'il fera assassiner en 493), Théodoric le Grand crée le royaume ostrogoth d'Italie (capitale Ravenne) et recherche une alliance entre Romains et Barbares. ○ L'expansionnisme du Franc Clovis contrarie la coalition des États germaniques de la Méditerranée.

493

● Clovis épouse une princesse Burgonde, nièce du roi Gondebaud, Clotilde. Trois de leurs fils survivront : Clodomir, Childebert et Clotaire. Clovis a déjà un fils d'un autre lit, Thierry.

496

● Roi des Francs victorieux à Tolbiac (aujourd'hui Zulpich en Allemagne), Clovis se convertit au christianisme et reçoit le baptême à Reims (la date est contestée : 499 ou 506 ?), puis assure sa domination sur le Rhin moyen et supérieur d'où il chasse les Alamans.

500

● Bataille de l'Ouche: Clovis bat les Burgondes.

● Les Coréens introduisent l'écriture chinoise au Japon.

502

● Prise de Verdun par Clovis.

506

● Gaule: présentation du bréviaire d'Alaric, recueil de lois romaines en vigueur chez les Wisigoths.

● Les Ostrogoths occupent la Provence (jusqu'en 536).

507

● Clovis bat les Wisigoths à Vouillé, où il tue leur roi Alaric II. ❍ Les Francs occupent l'Aquitaine sous la conduite de Thierry, fils aîné de Clovis. La frontière du royaume, de la Loire, passe à la Garonne.

❍ Clovis fait de Paris sa capitale, et fait rédiger la loi salique.

● La Septimanie (entre Rhône, Pyrénées et Massif central) reste sous l'autorité des Wisigoths.

509

● Clovis est reconnu comme roi par les Francs Ripuaires après avoir annexé leur territoire, des deux côtés du Rhin.

510

● Les Huns envahissent l'Inde.

● Code de la loi salique en Gaule.

511

● Clovis convoque (*11 juillet*), un concile à Orléans, qui renforce l'autorité épiscopale dans l'Église franque unifiée, et consacre l'alliance entre le trône et l'autel chez les rois Francs. ❍ Mort de Clovis à Paris (*27 novembre*). Ses quatre fils se partagent le royaume, conformément à la coutume franque, mais gardent une politique extérieure et religieuse commune.: Thierry Ier roi de Metz, de Reims (Austrasie); Clodomir roi d'Orléans; Childebert Ier roi de Paris; Clotaire Ier roi de Soissons (Neustrie).

● La Grande-Bretagne se divise en sept royaumes indépendants.

515

● Premières incursions vikings en Austrasie.

520

● L'empereur Keïta-Tennô achève l'unification du royaume japonais.

523

● Clodomir, roi d'Orléans, bat et fait prisonnier Sigismond, roi de Bourgogne. Il le fait jeter dans un puits avec sa femme et ses enfants.

524

● Clodomir est tué par le roi burgonde Gondemar. Pour s'emparer de son royaume, ses frères Clotaire (qui, bien que déjà marié, a épousé la veuve) et Childebert assassinent deux de leurs neveux. Un troisième, Clodoald, réussit à s'échapper grâce à des serviteurs. Caché dans un monastère, sanctifié à sa mort, il fondera une abbaye qui portera son nom : saint Cloud.

● Inde : les envahisseurs Huns sont chassés.

526

● Mort de Théodoric le Grand, roi des ostrogoths ; son royaume italien s'effondre aussitôt.

527

● Mort de l'empereur Justin Ier ; son neveu Justinien Ier lui succède. Il va amener l'empire d'Orient, dit byzantin, à son apogée, et tenter, avec l'impératrice Théodora, de reconstituer l'Empire romain.

529

● Benoît de Nursie, au mont Cassin, développe le monachisme et établit une Règle (écrite vers 540) d'après celle de saint Augustin, qui sera la base des ordres franciscains et bénédictins.

529

● L'empereur Justinien ferme l'école néoplatonicienne d'Athènes.

530

● Thierry Ier (roi d'Austrasie) soumet la Thuringe.

● Childebert (roi de Paris) repousse une invasion de Wisigoths d'Espagne et annexe par les armes le royaume burgonde.

534

● Mort de Thierry Ier, fils de Clovis. Son fils Thibert Ier fait de Metz la capitale de l'Austrasie.

● Un des fils de Clotaire se révolte contre son père, qui a fait brûler vifs son fils, sa femme et ses enfants, ainsi que sa mère, qui a été sa première épouse.
● L'empereur Justinien et le général Bélisaire anéantissent le royaume des Vandales. ○ L'empereur Justinien publie le Code justinien.

535
● Empire d'Orient : le général Bélisaire entame la guerre contre les Ostrogoths (que terminera son successeur Narsés en 553) et s'empare de la Dalmatie et de la Sicile.

536
● Childebert Ier et Clotaire Ier enlèvent la Provence aux Ostrogoths. Thibert Ier roi d'Austrasie, qui a aidé ses oncles à conquérir la Bourgogne (dont il acquiert une partie) ravage l'Italie.

539
● Thibert Ier roi d'Austrasie, bat en Italie le roi des Ostrogoths et l'empereur Justinien. Il annexe Marseille et une partie de la Provence.

540
● L'Égypte se convertit à la religion orthodoxe.
● Les armées perses détruisent la ville d'Antioche.

541
● L'est de l'Empire byzantin est annexé par les Perses.

542
● Childebert Ier (roi de Paris) poursuit et bat les Wisigoths à Pampelune, avant d'échouer devant Saragosse. Il rapporte d'Espagne un morceau de la "vraie croix".
● Les Vandales prennent Bordeaux.
● Les armées byzantines échouent devant Florence.

543
● Europe de l'Ouest : grande épidémie de peste.

548
● Le royaume franc domine l'Ouest de l'Europe et s'étend jusqu'au Danube où il concurrence l'empire d'Orient. En France, sa puissance et son influence marquent en profondeur les populations et les territoires

situés au nord de la Loire, alors que les institutions romaines restent prépondérantes dans le sud du pays. ❍ Mort de Clotilde, veuve de Clovis (3 juin). ❍ Thibert Ier, roi d'Austrasie, meurt d'une chute de cheval alors qu'il se préparait à attaquer, depuis l'Italie, l'empire romain d'Orient. Son fils Théodebald, bien que dégénéré, lui succède.

552

● L'empereur Justinien anéantit le royaume des Ostrogoths et soumet l'Afrique et l'Italie qu'il annexe comme provinces byzantines.
● Le bouddhisme s'implante au Japon.
● Les Turcs chassent le peuple Jeou-Jan de Mongolie et constituent un empire turc d'Asie centrale.

553

● Cinquième concile œcuménique à Constantinople.
● Les Francs et les Alamans envahissent l'Italie du Nord.

555

● Mort de Théodebald, roi d'Austrasie. Son grand-oncle Clotaire Ier, fils de Clovis, roi de Soissons, annexe ses territoires.

558

● Mort de Childebert ; Clotaire, dernier fils survivant de Clovis, hérite du royaume de Paris et reconstitue l'unité du royaume franc en soumettant la Bavière et les Saxons. ❍ Après lui ses quatre fils (Gontran, Sigebert, Caribert et Chilpéric) diviseront le royaume en quatre États distincts : l'Austrasie (Reims et Metz), la Neustrie (Paris et Soissons), l'Aquitaine (Bordeaux) et la Bourgogne (Orléans).

561

● Mort de Clotaire, qui a eu six épouses. Le royaume est partagé entre ses quatre fils Caribert (Paris), Gontran (Orléans), Chilpéric (Soissons) et Sigebert (Metz).

562

● Les Japonais sont chassés de Corée

563

● Inauguration par l'empereur Justinien de l'église Sainte-Sophie de Constantinople.

567

● À la mort de Caribert, qui, malgré ses quatre épouses, n'a eu qu'une fille, le royaume franc est divisé en trois royaumes : la Neustrie (Chilpéric, qui épouse la sœur de Brunehaut, Galswinthe, fille aînée du roi des Wisigoths – elle sera étranglée afin que Frédégonde, ancienne servante, puisse épouser Chilpéric), l'Austrasie (Sigebert, qui épouse Brunehaut, fille du roi des Wisigoths) et la Bourgogne (Gontran).

568

● D'origine germanique, mais installés en Pannonie, les Lombards, conduits par Alboïn conquièrent l'Italie du Nord et la plaine du Pô et fondent un État avec Pavie pour capitale.

● L'Empire byzantin s'écroule, mais se maintient à Ravenne et Carthage.

● La papauté s'impose comme une force politique incontournable.

569

● Les Lombards tentent d'envahir la Gaule.

570

● Naissance supposée à La Mecque du prophète Mahomet fondateur, après la révélation qu'il reçut de l'islam.

575

● Sigebert vainqueur de son frère Chilpéric à Vitry, est assassiné sur l'ordre de Frédégonde, reine de Neustrie. Childebert II, sous la tutelle de Brunehaut, lui succède à la tête de l'Austrasie.

579

● Les Bretons s'installent à Rennes et à Vannes.

● Les Gascons investissent le territoire de l'Aquitaine.

580

● Les Slaves envahissent la Macédoine et Thrace.

581

● Frédégonde fait assassiner son ancienne maîtresse Audovère, la première épouse (répudiée en 567) de Chilpéric, ainsi que leurs deux enfants.

582

● Mort de l'empereur byzantin Tibère II ; son successeur Maurice s'allie aux Francs.

584

● Chilpéric (roi de Neustrie) est assassiné sur ordre de Frédégonde, son épouse ; elle assure la régence pour leur fils Clotaire II (âgé de 4 mois).

587

● À Andelot, traité ramenant la paix entre les rois francs.
● Les Gascons s'installent en Aquitaine.

589

● L'empereur de Chine Yang-Thien reconstitue l'unité des trois royaumes.

590

● Saint Colomban et des moines irlandais fondent un monastère à Luxeuil. ❍ Débuts du chant grégorien. ❍ Premier moine (bénédictin) à devenir pape, Grégoire Ier le Grand contribue au prestige de la papauté et encourage un grand mouvement d'évangélisation.

592

● Mort du roi Gontran sans héritier mâle ; son royaume de Bourgogne est annexé par son neveu Childebert II (Austrasie).

594

● Mort de l'évêque Grégoire de Tours, auteur de la première histoire de France.

595

● Mort de Childebert II. Son royaume d'Austrasie est partagé entre ses deux fils Thibert II (Austrasie) et Thierry II (Bourgogne). Brunehaut, leur grand-mère, prend le pouvoir en Austrasie.

597

● Mort de Frédégonde, reine de Neustrie.
❍ Sa rivale Brunehaut domine le royaume franc.

604

● Bataille d'Étampes remportée par les Austrasiens sur les Neustriens de Clotaire II, qui voulait reprendre des territoires perdus lors d'une bataille précédente (Dormelles, en 600). ❍ L'alliance entre le royaume de Bourgogne et l'Austrasie est rompue.

612

Brunehaut, grand-mère de Thibert, roi d'Austrasie, et de Thierry, roi de Bourgogne, soutient le second contre le premier. Thibert est vaincu à Toul par son frère. Brunehaut le fait tonsurer, enfermer dans un monastère puis, craignant qu'il ne cherche à se venger, le fait assassiner avec sa famille. L'Austrasie et la Bourgogne sont réunies par Thierry, mais il meurt un an après.

613

● Clotaire II, fils de Frédégonde, après avoir annexé la Bourgogne et l'Austrasie, fait pendant trois jours supplicier Brunehaut (livrée à son ennemi par ses sujets austrasiens) qui a 70 ans. Après avoir été torturée, elle est attachée par les pieds à un cheval qui, lancé au galop, lui brise les membres. Tous les descendants de Brunehaut sont mis à mort. Clotaire II peut alors régner sans partage.
● Début de l'apostolat de Mahomet.

614

● Clotaire II installe le régime féodal en publiant un édit selon lequel seuls les comtes, propriétaires des terres de leurs comtés, seront chargés de l'administration générale. C'est la première reconnaissance du pouvoir des maires du palais : il en nomme trois, pour l'Austrasie, la Bourgogne et la Neustrie (l'Austrasie, notamment la région Meuse Moselle-Rhin est alors la plus puissante de la Gaule).
● Le concile de Paris décide que les évêques ne seront jugés que par leurs pairs.

615

● Pépin de Landen, dit l'Ancien, devient maire du palais d'Austrasie.
● Mort de saint Colomban le Jeune, fondateur des monastères de Bobbio (Italie) et de Luxeuil (Bourgogne).

616

● Les armées chinoises se révoltent contre leur empereur Yang-Ti.

618

● Chine : début de la dynastie Tang (jusqu'en 907). La culture chinoise confucianiste bénéficie de la découverte de l'imprimerie xylographique. Peinture, poésie, porcelaine sont à leur apogée. ○ L'armée repousse les invasions mongoles.

620

● La Règle bénédictine est adoptée dans les monastères.

622

● *6 juillet*: Islam. Fuite de Mahomet de La Mecque, sa ville natale, et an I de l'Hégire (calendrier musulman).

623

● Dagobert, fils de Clotaire II, nommé roi d'Austrasie par son père.

625

● Fondation par Dagobert de l'abbaye de Saint-Denis.

627

● Victoire d'Héraclius Ier, empereur d'Orient, sur l'Empire perse dont la frontière est délimitée par les rives de l'Euphrate.

629

● Mort de Clotaire II. Dagobert, déjà roi d'Austrasie, devient roi de Neustrie et de Bourgogne alors que son frère, Caribert II, gouverne l'Aquitaine. Dagobert, qui concentre entre ses mains un pouvoir que son père partageait avec les nobles et l'Église, est assisté par son trésorier, l'évêque de Noyon (saint) Éloi, et par (saint) Ouen, évêque de Rouen. Il engage une campagne contre les Frisons. Soumission (momentanée) de l'Armorique.

630

● Les Chinois détruisent l'État turc de Mongolie.

● Le bouddhisme s'implante au Tibet.

● Mort de saint Gall, moine irlandais compagnon de saint Colomban, fondateur d'un ermitage au nord-est de la Suisse (lac de Constance).

● La Mecque (avec la Kaaba) devient le centre religieux de l'islam.

632

● Mort de Caribert; son frère Dagobert devient roi de l'ensemble des Francs. L'année précédente, il a répudié son épouse pour épouser sa servante Nanthilde.

● Mort du prophète Mahomet.

633 / 650

● Islam : conquête de la Syrie, de la Palestine, de la Mésopotamie et de la Perse ; le christianisme recule, en proportion, en Orient. ❍ L'empereur Constantin IV repousse l'avancée de l'islam à Constantinople.

637

● Le roi Dagobert obtient la soumission des Bretons.

639

● Mort du roi Dagobert Ier (enterré à Saint-Denis, qui sera, jusqu'à la Révolution, la nécropole des souverains français). Sigebert III, le fils qu'il a eu de Nanthilde, âgé de 9 ans, hérite de l'Austrasie, de l'Aquitaine et de la Provence. Clovis II, âgé de 6 ans, hérite de la Neustrie et de la Bourgogne, avec l'accord des comtes. ❍ Début de l'époque des *Rois fainéants*. Les maires du palais gouvernent à leur place. La Bourgogne, la Neustrie et l'Austrasie vont, à travers eux, lutter pour la suprématie du royaume franc.

646

● Fondation de l'abbaye bénédictine de Saint-Benoît-sur-Loire.

651

● Tai-tsong, empereur de Chine, s'empare de l'Asie centrale.

654

● Fondation de l'abbaye de Jumièges (Normandie) par saint Philibert.

656

● Mort de Sigebert III, roi d'Austrasie ; Grimoald, maire du palais, impose son fils Childebert pour roi, et fait exiler Dagobert II, héritier légitime, dans un monastère en Irlande.

657

● Mort de Clovis II, roi de Neustrie-Bourgogne. Clotaire III, son jeune fils, lui succède, mais le pouvoir est exercé par Ébroïn, maire du palais, malgré l'opposition, menée par saint Léger, des comtes et des évêques.

660

● Japon : *11 février*, date légendaire de la prise du pouvoir du premier empereur Jimmu Tennô.

● Les Chinois envahissent la Corée.

661

● Islam : assassinat d'Ali et début du califat des Omayyades (jusqu'en 750) qui tentent en vain de conquérir Constantinople (de 674 à 678), mais prennent Samarkand et Boukhara, puis la région de l'Indus.

662

● Childéric II, neveu de Sigebert III, devient roi d'Austrasie. Grimoald et son fils Childebert, qui avait usurpé le trône, sont exécutés par les nobles ; on leur reproche d'avoir commis un sacrilège en s'attaquant la lignée mérovingienne.

670

● Les Tibétains chassent les Chinois du Tarim et s'assurent la domination du Turkestan oriental.

● Royaume franc : progressivement, le parchemin remplace le papyrus dans les actes et documents officiels.

673

● Ébroïn, maire du palais de Neustrie, place sur le trône Thierry III, frère de Childéric II, et tente de restaurer l'autorité royale. Les nobles se révoltent et emprisonnent dans l'abbaye de Luxeuil Ébroïn et "son" roi. Le trône de Neustrie revient alors au roi d'Austrasie Childéric II.

675

● Childéric II, seul roi des Francs, est assassiné par un de ses comtes qu'il avait humilié.

● L'Aquitaine du duc Eudes devient une principauté indépendante.

● Ébroïn, ancien maire du palais de Neustrie, s'échappe de son monastère.

676

Dagobert II est rappelé d'Irlande (où il a été exilé par Grimoald) pour occuper le trône d'Austrasie.

677

● Ébroïn revient au pouvoir et fait condamner par les évêques, qu'il terrorise, son adversaire (saint) Léger, évêque d'Autun (où il le fait supplicier et exécuter). Reprise de la guerre entre la Neustrie et l'Austrasie. ● La dynastie Sinra au pouvoir en Corée (jusqu'en 1905).

679

● Assassinat de Dagobert II. Un neveu de Grimoald, Pépin de Herstal, reste seul au pouvoir en Austrasie.

680

● Ouverture du sixième concile œcuménique à Constantinople qui condamne le monothélisme.

● L'empire d'Orient reconnaît l'occupation lombarde en Italie.

683

● Ébroïn, maire du palais et Neustrie et ennemi de Pépin de Herstal, maire du palais d'Austrasie, est assassiné par un Franc qu'il avait dépossédé de ses territoires.

684

● Les Turcs envahissent la Chine (ils seront repoussés en 687).

687

● Après sa victoire à Tertry sur la Neustrie, Pépin de Herstal, maire du palais d'Austrasie, réunit les trois royaumes francs, qu'il dirige en laissant l'apparence du pouvoir à Thierry III.

● Jérusalem : début de la construction de la mosquée d'Omar.

689

● Pépin de Herstal bat les Frisons.

● Le moine anglais (saint) Willibrord évangélise les Frisons et fonde l'évêché d'Utrecht.

● L'empereur de Constantinople Justinien II bat les Slaves en Macédoine.

691

● Royaume franc : mort de Thierry III et début du règne de Clovis IV (qui a 9 ans). Pépin de Herstal gouverne à sa place.

● Jérusalem : fin de la construction de la mosquée d'Omar.

692

● Chine : l'impératrice Wou Tsô-t'ien reprend le Tarim aux Tibétains.

695

● Mort, à 13 ans, de Clovis IV. Son frère Childebert III, 12 ans, lui succède. Pépin de Herstal garde encore le pouvoir.

698

● Les armées arabes prennent Carthage aux Byzantins.

700

● Les Alamans se déclarent indépendants du royaume franc et refusent de parler latin.

● Début du morcellement de l'Inde, où les brahmanes, en s'opposant au bouddhisme et à l'islam, instaurent l'hindouisme.

701

● Japon : rédaction du code de Mommu Tennô, appelé le *Grand Trésor*. L'empereur est déclaré propriétaire de toutes les terres du Japon.

708

● Fondation de l'abbaye de Saint-Michel.

710

● Rodéric (Rodrigue) est sacré roi des Wisigoths d'Espagne.

711

● Mort de Childebert III. Son fils Dagobert III, 12 ans, lui succède. Pépin de Herstal est toujours le maître du royaume.

● Espagne : les envahisseurs arabes vainqueurs des Wisigoths à la bataille de Xeres de la Frontera. Rodéric, dernier roi wisigoth, meurt au combat. L'Espagne est occupée jusqu'aux Pyrénées.

712

● Chine : début du règne de Hiuan tsong (jusqu'en 756) qui marque l'apogée de la puissance de la dynastie des T'ang. La Chine domine l'Asie centrale jusqu'au Ferghana (Ouzbékistan).

714

● Mort de Pépin de Herstal, qui a décrété la charge de maire du palais héréditaire. Plectrude, sa veuve, tente de gouverner en tant que régente jusqu'à la mort, cette même année, de Dagobert III. ○ La Neustrie, qui a des velléités d'indépendance, se révolte et veut imposer son roi, fils de Childéric II, tandis que les Saxons menacent l'Austrasie.

715

● Incursions militaires tibétaines contre l'Inde ; alliance avec les Arabes pour la possession du Ferghana (Ouzbékistan) contre la Chine ; édification de la forteresse royale de Lhassa.

716

● Charles Martel, bâtard de Pépin de Herstal, s'échappe de la prison où la veuve de son père l'avait fait enfermer ; il devient duc d'Austrasie, met un terme aux révoltes et installe sur le trône Clotaire IV.

718

● Mort de Clotaire I ; Chilpéric II roi sous la tutelle de Charles Martel.
● Les Arabes maîtres du sud de l'Espagne.
● Défaite décisive des troupes arabes devant Constantinople, qui met un terme à l'expansion arabe en Europe de l'Est.

719

● Charles Martel soumet les Neustriens et s'empare des biens de l'Église.
● Dans le sud de la Gaule, des incursions arabes ravagent le territoire.
● Le moine anglais (saint) Boniface Winfrid est envoyé par le pape Grégoire III pour évangéliser les Germains.

721

● Eudes, duc d'Aquitaine, inflige devant Toulouse une première défaite aux Arabes qui ont tenté de s'introduire en Gaule.
● Mort de Chilpéric III. Thierry IV monte sur le trône. Charles Martel, qui l'y a installé, garde le pouvoir.

722

● En Espagne du Nord, restée chrétienne, se fondent les royaumes d'Asturies-Leon, de Castille, de Navarre et d'Aragon. Le reste de la péninsule est occupé par les Arabes.

725

● Les Arabes s'emparent de la Septimanie et de Carcassonne.
● Le pape Grégoire II refuse de payer l'impôt à l'empereur byzantin.

728

● Charles Martel soumet la Bavière.
● L'émir Abd-al-Rhâman entre en Gascogne et la ravage, brûlant les églises de Bordeaux et écrasant les troupes du duc d'Aquitaine qui tente d'arrêter l'invasion.

730

● Charles Martel bat les Alamans.
● L'empereur de Byzance Léon II interdit le culte des images.

732

● *25 octobre* : bataille de Poitiers, contre les Arabes d'Abd-al-Rhâman. Charles Martel remporte la bataille, qui met un terme à l'expansion arabe en Europe de l'Ouest, martelant sans coup férir l'ennemi, d'où son surnom, qui efface sa bâtardise. Pour lui, la bataille de Poitiers est aussi le moyen de se débarrasser du duc Eudes et de mettre fin à l'indépendance de l'Aquitaine.

736

● Les Tibétains occupent une partie de la Chine.

737

● Mort de Thierry IV. Charles Martel laisse vacant le trône mérovingien.

739

● À la demande du pape, Charles Martel bat les Lombards de l'Italie du Nord, puis arrête une nouvelle offensive arabe en Provence.

● Les Arabes occupent Narbonne.

● Espagne : le chrétien Alphonse Ier est sacré roi des Asturies.

741

● Mort de Charles Martel. Ses deux fils, Carloman et Pépin, réduisent une révolte des nobles.

743

● Avènement du dernier roi mérovingien Childéric III, appelé au trône par Pépin et Carloman (afin d'apaiser les nobles), qu'il laisse régner à sa place. Les deux maires du palais doivent mater des révoltes en Germanie et en Aquitaine.

● Synode de Lestinnes pour tenter de réformer de l'Église franque.

744

● Le synode de Soissons entérine les avantages accordés à l'Église par Pépin (terres, dîmes…), qui trouvera désormais, auprès des évêques, des alliés de poids pour assurer sa dynastie. ❍ Boniface fonde le monastère de Fulda (Allemagne) et meurt martyrisé.

747

● Pépin III le Bref devient le seul maire du palais après le retrait de son frère Carloman, devenu moine.

749

● Les Lombards repartent en guerre contre Rome.
● Les armées chinoises repoussent les Tibétains hors du territoire chinois.
● Islam : les Abbassides renversent les Ommeyades.

750

● Islam : califat des Abbassides qui font de Bagdad leur résidence.
○ La renaissance perse amène la symbiose arabo-perse.

751

● Childéric III est déposé par Pépin le Bref qui le fait enfermer dans une abbaye. Pépin le Bref (ainsi nommé à cause de sa petite taille) se fait élire roi des Francs et sacrer par les évêques.
● La défaite chinoise à la bataille du Talas contre les Arabes alliés aux Turcs provoque la conversion à l'islam d'une partie de l'Asie centrale.

752

● Pépin le Bref combat les Lombards en Italie à la demande du pape.

754

● Mort à l'abbaye de Saint-Bertin (Normandie) de Childéric III, le dernier des Mérovingiens.
● Sacre de Pépin le Bref par le pape Étienne II en l'abbaye de Saint-Denis (Pépin avait déjà été sacré à Reims) qui confirme sa mainmise sur le trône des Francs en affirmant que la couronne doit être donnée à celui qui exerce effectivement le pouvoir.
● Reconquête de la Septimanie sur les Arabes.

756

● Expédition militaire victorieuse de Pépin contre les Lombards auxquels il enlève Rome et Ravenne, villes qu'il donne au pape, et qui seront les bases des États pontificaux. Débute ainsi une longue alliance entre royaume franc et la papauté.
● L'Espagne envahie passe sous l'autorité des califes de Damas

759

● Les Arabes chassés de Narbonne par Pépin quittent la Gaule.

760

● L'empereur byzantin Constantin V et ses armées tentent, en vain, d'envahir l'Italie.

763

● Début de la guerre entre la Chine et le Tibet.

768

● Pépin soumet l'Aquitaine. Au retour de la campagne, malade, il s'arrête à Tours pour prier saint Martin. ❍ *24 septembre*, mort de Pépin le Bref. Il a partagé son royaume entre ses deux fils : Charles (Aquitaine, Neustrie, Austrasie et Bavière) et Carloman (Septimanie – région de Narbonne –, Provence, Toulousain, Centre, Bourgogne, Paris).

770

● Discorde entre les deux frères. Charles, pour mater une révolte en Aquitaine, demande l'aide de Carloman, qui refuse. Autre motif, la question lombarde : Carloman est partisan de Didier, roi des Lombards, qui veut reprendre ses terres données au pape par Pépin, Charles soutient le pape. Didier, afin de se concilier les deux frères, leur donne à chacun en mariage l'une de ses filles.

771

● *4 décembre* : mort prématurée de Carloman. ❍ Charlemagne annexe ses territoires aux siens et renforce son royaume en y associant les tribus germaniques. Les frontières sont ainsi sous la protection d'une ceinture de marches. Il fait enfermer ses neveux dans un monastère.
❍ La veuve de Carloman se réfugie chez son père, roi des Lombards.

772

● Victorieux des Saxons menés par Widukind, Charlemagne les incorpore de force dans son royaume et les christianise afin d'éviter la formation d'une confédération des Germains du Nord.

774

● Sur la demande du pape, menacé par les Lombards, Charlemagne intervient en Italie, bat Didier, roi des Lombards, et coiffe sa couronne.
● Apparition des chiffres arabes en Occident.

778

● Naissance de Louis Ier le Pieux, troisième fils de Charlemagne, et son successeur, futur empereur.
● *15 août* : bataille de Roncevaux. Charlemagne est battu et son "neveu", Roland, meurt dans le combat.

779

● Royaume franc : versement de la dîme obligatoire. Charlemagne institue le denier d'argent comme seule monnaie légale et nomme des *missi dominici* afin de contrôler la bonne administration du royaume.

781

● Charlemagne désigne son fils Pépin roi des Lombards et son fils Louis (3 ans) roi d'Aquitaine, à laquelle il accorde une semi-autonomie. Il institue les *plaids généraux*, rassemblement consultatif (en mai) des aristocrates et des évêques. Cette assemblée prendra progressivement du pouvoir au point d'imposer ses décisions aux derniers carolingiens. Parallèlement, Charlemagne institue les *échevins*, notables élus par une partie du peuple chargés d'assister les comtes lorsqu'ils rendent la justice.

783

● Tibet : traité signé avec la Chine reconnaissant la supériorité militaire des Tibétains.

● L'empire byzantin signe un traité de paix avec les musulmans.

785

● Charlemagne fait définitivement la conquête de la Saxe (4500 prisonniers décapités). ❍ Baptême de Widukind, chef des Saxons.

786

● Haroun al-Rachid prend le pouvoir en Irak après avoir fait assassiner son frère. Il amène l'islam à son apogée mais à sa mort (809) ses conquêtes seront morcelées.

● Charlemagne soumet la Bretagne.

787

● Révoltes en Istrie et en Vénétie contre l'Empire byzantin.

788

● Charlemagne annexe la Bavière.

789

● Charlemagne fixe les pouvoirs de l'Église dans le royaume. Il combat l'analphabétisme grâce à des écoles monastiques. Évêchés et monastères devront avoir une école où l'on enseignera la grammaire, le calcul et la musique. Les enfants devront être baptisés avant d'avoir 1 an.

● Espagne : construction de la mosquée de Cordoue.

791

● Charlemagne bat les Avars (descendants des Huns) en Hongrie. Il s'empare d'un important butin.

793

● L'Angleterre subit la première attaque des Normands.
● Le nord de la Saxe se révolte contre l'annexion de Charlemagne.

794

● Japon : la ville de Heian (Kyoto) devient la capitale du pays.

795

● Création de la marche d'Espagne et assistance aux petits royaumes chrétiens des Asturies et d'Aragon.

798

● La Corse est ravagée par les Arabes.
● Les chrétiens espagnols se révoltent et s'emparent de Lisbonne.
● La Chine et les Arabes s'allient contre les Tibétains.

799

● Charlemagne rattache toute la Germanie à son royaume.

800

● *25 décembre* : Charlemagne est sacré empereur des Romains à Rome, ce que l'empereur d'Orient, à Byzance, considère comme une provocation, bien qu'il soit incapable d'assurer la protection du pape Léon III, à l'inverse de Charlemagne à qui le pape donne l'étendard et les clefs du Vatican.
● Les Normands envahissent les côtes de la Manche.

801

● Louis le Pieux, fils de Charlemagne, reprend Barcelone aux Arabes.

805

Le capitulaire (ordonnance royale) de Thionville définit les obligations militaires des hommes libres.

806

● Charlemagne partage son empire entre ses fils Charles, Pépin et Louis.

808

● Fondation de la marche (frontière) du Nord contre les Danois.

810

● Pépin annexe la Vénétie.
● Les Sarrasins s'installent en Sardaigne et en Corse.
● Tibet : traité de paix avec les Arabes après de nombreuses expéditions militaires.

811

● Après la mort de Pépin (810) et Charles (811), Louis (dit le Pieux, ou le Débonnaire, ou le Faible) devient seul héritier de Charlemagne.

812

● Malgré son couronnement officiel, Byzance considère que Charlemagne usurpe le titre d'empereur d'Occident. Cette situation est régularisée avec le traité d'Aix-la-Chapelle par lequel Byzance reconnaît l'empire d'Occident. ❍ L'empire de Charlemagne, qui assure le protectorat des États pontificaux, est divisé en comtés. Chacun d'eux est soumis aux inspections des *missi dominici*.

813

● *Septembre* : troisième fils de Charlemagne, Louis est couronné et associé au gouvernement de l'Empire.
● Le concile de Tours décide que les prêches se feront en langue vulgaire et non plus en latin.
● Les armées bulgares qui assiègent Constantinople sont repoussées.

814

● *28 janvier* : Charlemagne meurt d'une pleurésie. Louis le Pieux lui succède à 36 ans et s'entoure de conseillers ecclésiastiques.

816

● *Octobre* : Louis Ier est sacré par le pape Étienne IV à Reims.

817

● *Juillet* : Louis Ier confirme l'indivisibilité de l'empire et proclame son fils aîné Lothaire comme seul héritier. Cette nomination est approuvée par une assemblée des Grands. Ses deux autres fils (Louis le Germanique et Pépin d'Aquitaine) deviennent rois subordonnés.

818

● Louis Le Pieux réprime un soulèvement en Bretagne.

❍ Bernard d'Italie, neveu de Charlemagne, conteste le partage de Louis le Pieux. Lequel mate sa révolte, et lui fait crever les yeux. Bernard en meurt. Louis, devant l'indignation que sa cruauté a provoquée, devra, en 822, faire amende publique.

820

● Première incursion normande à l'embouchure de la Seine.

821

● Benoît d'Aniane procède à une grande réforme monastique et généralise la Règle dite de saint Benoît, ou *Règle bénédictine*.

822

● Tibet : accords de paix conclus avec la Chine des T'ang et larges progrès du bouddhisme.

● Les armées slaves assiègent sans succès Constantinople.

823

● *13 juin* : naissance de Charles (dit le Chauve), quatrième fils de Louis le Débonnaire, né de son second mariage avec Judith de Bavière.

● Les Norvègiens envahissent l'Irlande.

● 824

● Incursion normande sur l'île de Noirmoutier.

825

● Angleterre : les sept États chrétiens anglo-saxons se réunissent pour la première fois sous l'autorité du roi Egbert de Wessex. ❍ Les Normands envahissent le pays jusqu'à une ligne Londres-Liverpool.

● Les musulmans s'emparent de la Crète.

828

● Une incursion arabe saccage Arles.

829

● Louis Ier, sous l'influence de Judith, remet en cause la désignation de Lothaire comme son successeur (817), au profit de Charles, l'enfant né de son second mariage, ce qui provoque une insurrection des nobles et de ses trois fils aînés, Lothaire, Louis et Pépin.

830

● Louis le Pieux est déposé, relégué à Compiègne (pendant un an), tandis que Judith, son épouse, est enfermée au monastère de Poitiers par ses beaux-fils.

831

● Les musulmans s'emparent de Palerme en Sicile.

832

● Ses fils ne parvenant pas à s'entendre, Louis revient sur le trône.

833

● Au Lügenfeld (Colmar), les fils de Louis le Pieux, Lothaire, Louis et Pépin, se révoltent contre leur père, s'en emparent par traîtrise, le déposent, l'enferment dans un monastère, puis se combattent entre eux.

834

● *1er mars*: restauration de Louis Ier par les évêques, inquiets des guerres de succession qui déchirent l'empire, Clotaire ayant refusé de partager le pouvoir avec ses frères.

● Les Normands multiplient les incursions sur les côtes françaises.

836

● Tibet: assassinat du roi et soulèvement de l'aristocratie.

838

● Mort de Pépin d'Aquitaine, fils de Louis le Pieux. Charles le Chauve, fils de Judith et de Louis le Pieux, celui par lequel la rébellion est arrivée, hérite de l'Aquitaine, qui s'ajoute aux possessions que sa mère, deux ans auparavant, lui avait fait octroyer: Frise, territoire entre la Seine et la Meuse, Neustrie, nord de la Bourgogne, et Bretagne.

● Les Arabes pillent Marseille.

840

● *20 juin*: mort près de Mayence de Louis le Pieux, revenu malade (ou blessé) d'une expédition punitive contre son fils Louis le Germanique. Lothaire lui succède et devient empereur d'Occident. Après dix ans de guerre civile commence une guerre de succession entre Lothaire d'un côté, Louis et Charles de l'autre.

● Mer du Nord: les Normands s'aventurent à l'intérieur des terres.

● Les Sarrasins pénètrent en Provence et dans le sud-est.

841

- *25 juin*: bataille de Fontenoy-en-Puisaye: les troupes de Charles le Chauve, roi de France, et de son frère Louis le Germanique écrasent celles de Lothaire, leur frère aîné.
- Les Vikings prennent Rouen.

842

- *14 février*: serment de Strasbourg entre Charles le Chauve et Louis le Germanique. Premier document de langue française, il est rédigé dans un mélange de haut français et de haut allemand.
- Les Vikings pillent la Normandie et s'emparent de Nantes.
- Les Arabes saccagent Arles.

843

- *Août*: traité de Verdun, qui met fin à la guerre entre Lothaire, Louis et Charles. Le territoire de Charles (France actuelle excepté la Provence, le Dauphiné, la Franche-Comté et l'Alsace-Lorraine) prend le nom de *Francie occidentale* (ou France). Lothaire garde la dignité impériale et la *Francie médiane* (qui deviendra la Lotharingie: Bourgogne, Provence et Italie). Louis le Germanique reçoit la *Francie orientale* (Germanie, devenue Allemagne). Cette répartition établit le partage de l'Empire franc en deux blocs, l'un de culture romane et l'autre de culture germanique. La frontière fixée par le partage de Verdun restera pendant tout le Moyen Âge la limite entre la France et l'Allemagne. C'en est fini de la Gaule.
- Incursions normandes à Toulouse.

844

- Louis II le Germanique combat à la fois les Francs de l'Ouest, les Normands et les Slaves.

845

- Le Viking Ragnard Lodbrock prend Paris le jour de Pâques. Charles le Chauve lui remet 7000 livres d'argent pour négocier son départ.
- *22 novembre*: le duc Nominoë remporte une éclatante victoire sur Charles le Chauve près de Redon, qui amène l'indépendance politique de la Bretagne l'année suivante.
- Chine: l'empereur ordonne la fermeture des couvents bouddhistes.

846

● Les sarrasins attaquent Rome et s'emparent de Bénévent.

847

● Capitulaire de Charles le Chauve ordonnant aux hommes libres de se choisir un seigneur.

● L'empereur de Chine rouvre des couvents bouddhistes.

850

● Les Normands s'installent aux embouchures de la Seine et de la Loire.

851

● Charles le Chauve reconnaît Erispoë, fils de Nominoë, comme roi de Bretagne et lui cède les comtés de Retz, Nantes et Rennes.

852

● Pour assurer son autorité en Aquitaine, contestée par son neveu Pépin II, Charles le Chauve le capture, et nomme roi d'Aquitaine son fils, Charles l'Enfant, 8 ans.

855

● *29 septembre*: en Lotharingie, mort de Lothaire et division de son domaine entre ses fils Louis II (empereur), Lothaire II et Charles.

856

● Invasion massive des Normands en France et nouveaux pillages de Paris (jusqu'en 861).

858

● Louis le Germanique envahit le France à l'appel de Pépin II, qui s'est évadé et veut retrouver son trône d'Aquitaine. Mais les évêques soutiennent Charles le Chauve, et Louis doit se replier.

859

● Bourgogne: Girard de Vienne fonde le monastère de Vézelay.

860

● Normands de l'Ouest et Varègues de l'Est attaquent Constantinople.

862

● Premières invasions hongroises à l'est de la Germanie.

863

● Mort de Charles, fils de Lothaire et roi de Provence. Son royaume est partagé entre ses frères, Lothaire II et Louis II.

864

● Le comte Robert le Fort (ancêtre des Capétiens), qui a participé à la défense de Tours contre les Vikings en 853, reçoit l'Anjou de Charles le Chauve, avec lequel il vient de se réconcilier (il avait pris le parti de Louis le Germanique, et l'avait sans doute aidé dans son invasion). Il mène une guerre efficace contre les Vikings sur ses terres et mate une révolte de Louis le Bègue, alors roi du Maine, fils de Charles le Chauve.

● Pépin II fomente une nouvelle révolte en Aquitaine, son ancien duché, avec Charles l'Enfant qui prend les armes contre son père. Charles le Chauve obtient la soumission de son fils et emprisonne Pépin II, qui meurt un an plus tard dans sa geôle.

866

● Robert le Fort met en déroute l'armée viking à la bataille de Brissarthe (Anjou), mais trouve la mort dans l'affrontement.

● La Northumbrie et l'Est de l'Angleterre sont envahies par les Danois que repousse victorieusement Alfred le Grand, roi de Wessex, en 878.

869

● *Septembre* : après la mort de Lothaire II (8 août), Charles le Chauve se fait couronner roi de Lorraine.

870

● Par le traité de Meersen, Louis le Germanique et Charles le Chauve se partagent la Francie médiane. À l'empereur Louis II le Germanique revient la moitié est de la Lotharingie, avec Aix et Metz.

872

● Harald le Chevelu organise l'unification de la Norvège.

875

● *12 avril* : mort de l'empereur Louis II le Germanique.

○ *25 décembre* : Charles le Chauve est couronné empereur d'Occident après s'être emparé de la Provence, suite au décès de Louis II, roi d'Italie, et empereur en titre.

876

● *28 août*: mort de Louis le Germanique. ❍ Son frère Charles le Chauve tente d'annexer ses territoires, mais il est battu le 8 octobre sur le Rhin par Louis le Jeune, fils de Louis le Germanique.

877

● Charles le Chauve cède devant les grands féodaux et accepte que la dignité comtale devienne héréditaire. ❍ *6 octobre*: mort de Charles le Chauve à Aussois, au pied du mont Cenis, au retour d'une expédition militaire en Italie, où il s'est porté au secours du pape attaqué par les Arabes. ❍ Son fils, le chétif Louis II le Bègue, seul survivant, lui succède et est sacré à Compiègne le 8 décembre.

878

● Charles le Gros, fils de Louis le Germanique, est choisi comme empereur plutôt que Louis le Bègue, qui manque de prestance et d'autorité.

879

● *10 avril*: mort à Compiègne du roi Louis II le Bègue après deux ans de règne, alors qu'il prépare une expédition contre les seigneurs de Septimanie qui contestent son autorité. Ses fils Louis III (qui prend la Neustrie et la Francie) et Carloman se partagent le royaume. ❍ *17 septembre*: naissance de Charles le Simple, fils posthume de Louis II le Bègue. ❍ *15 octobre*: Boson, frère de la seconde épouse de Louis II le Bègue, se proclame, avec l'appui du clergé, roi de Bourgogne et de Provence. Louis III, nouveau roi de France, doit céder la Lotharingie occidentale à Louis le Jeune, roi de Germanie.

881

● Victoire de Louis III sur les Vikings à Saucourt-en-Vimeu.

● Germanie: Charles le Gros reçoit la couronne impériale à Rome.

882

● *4 août*: mort de Louis III, roi de France. Son frère Carloman, déjà maître de la Bourgogne et de l'Aquitaine, lui succède.

884

● *12 décembre*: mort de Carloman, sans descendance, lors d'une chasse. Charles le Gros, déjà empereur, réunit les royaumes de Francie et de Ger-

manie, et est désigné tuteur de Charles II le Simple, qui n'a que 5 ans, et qui, né après la mort de Louis le Bègue, n'a pas reçu d'héritage.
● L'Empire byzantin et les Turcs de nouveau en guerre.

885

● Les Vikings assiègent Paris défendu par le comte Eudes, fils de Robert le Fort. Charles le Gros accorde aux Normands, avec un important tribut, le droit de piller la Bourgogne.
● Le royaume d'Arménie s'allie à l'Empire byzantin pour occuper les villes du sud de l'Italie. Avec le soutien du pape Étienne V, les armées arméniennes repoussent l'invasion des armées musulmanes.

887

● Royaume franc: Arnoul de Carinthie, roi des Francs de l'Est, repousse les Normands à Louvain puis, allié des Magyars, triomphe du duc Svatopluk de Moravie. Il est ensuite couronné empereur.
● *Novembre*: jugé incapable de défendre le royaume, Charles II le Gros, empereur d'Occident et roi de France, est déposé à Tribur par une assemblée de dignitaires de l'empire. Déjà obèse et épileptique, il vient de subir une trépanation pour une tumeur au cerveau! C'est le dernier roi de France à porter le titre d'empereur.

888

● *13 janvier*: mort de Charles II le Gros. ○ *février*: le comte Eudes, fils de Robert le Fort, qui s'est illustré dans la défense de Paris contre les Normands, est élu par les féodaux roi de France. ○ *24 juin*: le roi Eudes remporte la victoire sur les Normands à la bataille de Montfaucon-en-Argonne.
● Japon: début du règne de l'empereur Ouda Tennô.

890

● *6 juin*: Louis, fils de Boson, est sacré roi de Provence.
● Les Sarrasins s'installent en Provence à la Garde-Freinet.

893

● *28 janvier*: Charles III le Simple, 13 ans, fils de Louis II le Bègue, est couronné roi par l'archevêque de Reims, défenseur de la lignée carolingienne. Eudes le met en fuite avec ses partisans sans pour autant parvenir à l'écraser.

894

● Richard le Justicier fonde le duché de Bourgogne.

● Japon : rupture avec la Chine et début de l'essor du Japon qui vit un âge d'or littéraire et artistique.

895

● Lotharingie : Arnoul de Carinthie ne parvient pas à imposer son fils Zwentibold à la tête d'une Lotharingie unifiée qui comprend alors huit grands comtés : Ardenne, Brabant, Condroz, Hainaut, Hesbaye, Lomme (Namur), Luihgau (Limbourg) et Masau (Looz).

897

● Accord entre Eudes et Charles III le Simple, qui héritera de la couronne à la mort d'Eudes.

898

● *1er janvier* : mort du roi Eudes. Charles le Simple (au sens latin de *loyal*), comme convenu, prend le pouvoir. ❍ *28 décembre* : Charles III bat les Vikings qui évacuent la Bourgogne.

900

● La Bavière est envahie par les Hongrois.

● Les Turcs de la région de Karlouk se convertissent à l'islam.

903

● Les Vikings échouent devant Tours.

907

● Chine : Tchou Wen assassine l'empereur précédent et fonde la dynastie des Leang.

910

● Fondation, en Bourgogne, de l'abbaye bénédictine de Cluny, qui sera un important centre culturel dans l'Europe du Moyen Âge et qui donnera 1 500 abbayes clunisiennes moins de deux siècles plus tard.

911

● Défaite des Normands à Chartres et signature d'un traité à Saint-Clair-sur-Epte : Charles III le Simple leur cède la Basse-Seine que ceux-ci contrôlent depuis 896, et confère à leur chef, Rollon, le titre de duc (de Normandie).

● À la mort de Louis IV l'Enfant, dernier roi carolingien de Germanie, la Lorraine se soumet à Charles III le Simple.

912

● Les musulmans fatimides envahissent l'Égypte.

914

● La Germanie connaît ses premières révoltes féodales sous le règne du roi Conrad Ier.

915

● Les Hongrois (d'où le mot *ogre*) pillent l'Alsace, la Lorraine et la Bourgogne.

918

● Flandre : le comte Arnoul Ier annexe l'Artois (Arras), l'Ostrevent (Douai) et le Ponthieu (Montreuil).

● L'empereur allemand Conrad Ier meurt, Henri l'Oiseleur lui succède.

919

● Les Normands pillent la Bretagne.

920

● Charles III le Simple, qui revendique la couronne de Germanie, s'empare de la Lotharingie et s'y installe, sous la pression des nobles qui conspirent contre lui.

922

● *30 juin* : Robert Ier, frère d'Eudes, est élu roi de France et sacré à Reims, après que les nobles, révoltés contre l'autorité de Charles III le Simple, ont voté sa déchéance. ○ *Septembre* : Richard, duc de Bourgogne, meurt ; son fils Raoul lui succède.

923

● *15 juin* : bataille de Soissons entre Charles le Simple, roi de France déposé, et Robert, son rival. Robert est tué mais son fils, Hugues le Grand, arrache la victoire. Charles le Simple, trahi par le comte de Vermandois chez lequel il s'est réfugié, est fait prisonnier. Sa troisième épouse s'exile en Angleterre avec leur fils, futur Louis IV d'Outre-Mer (elle épousera d'ailleurs le comte de Vermandois, geôlier de son premier mari). ○ *13 juillet* : Raoul, duc de Bourgogne, gendre de Robert Ier, est sacré roi de France à Soissons.

925

- Les Sarrasins pillent Fréjus.
- Les Hongrois, passés par l'Italie, pillent la vallée du Rhône.

929

- *7 octobre*: mort en prison, à Péronne, de Charles III le Simple.
- Espagne: Abderrahman (omeyyade) fonde un royaume indépendant, qui deviendra le califat de Cordoue, et régnera sur toute la péninsule.

933

- Le duché de Normandie annexe la région d'Avranches et le Cotentin.

936

- *15 janvier*: mort de Raoul, roi de France, sans descendance. Avènement de Louis IV d'Outre-Mer, fils de Charles III le Simple, sacré roi à Laon le 20 juin. Hugues le Grand l'a rappelé de son exil anglais.

942

- Otton Ier roi de Germanie, profitant de la guerre entre le roi de France et Hugues le Grand, reprend à Louis IV la Lotharingie (Lorraine). L'annexion est entérinée par le traité d'Attigny. Le roi de Bourgogne devient le vassal du roi de Germanie.

948

- *Juin* : grand synode des évêques de Francie et de Germanie à Ingelheim ; Louis IV y fait condamner Hugues le Grand, qui ne cesse de lui disputer le pouvoir, pour attentat contre la personne royale.

950

- Les Hongrois sont repoussés de Bavière.
- L'émir de Sicile envahit une partie de l'Italie du Sud.
- Première version du recueil arabe des contes *Les Mille et Une Nuits.*

951

- Campagne d'Otton Ier en Italie où il se fait couronner roi des Lombards à Pavie et se marie avec Adélaïde, veuve du roi Lothaire d'Italie.

952

- Désordres en Bretagne: les seigneurs refusent l'autorité de leurs rois.

953

- Hugues le Grand et le roi Louis IV signent une paix définitive.

954

● *10 septembre* : mort accidentelle (chute de cheval) de Louis IV d'Outre-Mer, roi de France, après dix-huit ans de règne.

○ *12 novembre* : sacre à Reims de Lothaire, 13 ans, son fils et successeur. Hugues le Grand lui a laissé la couronne pour recevoir, en contrepartie, la Bourgogne et l'Aquitaine.

955

● Germanie : victoire d'Augsbourg sur les Magyars qui s'installent dans l'actuelle Hongrie et se convertissent au christianisme.

● Chine : persécution des bouddhistes.

956

● Mort de Hugues le Grand, revenant de mater une révolte en Aquitaine. Son fils aîné, Hugues Capet, hérite du duché de France et du comté de Paris. Ses deux autres fils se partagent la Bourgogne.

● Épidémie de peste en Occident.

959

● Germanie : archevêque de Cologne et duc de Lotharingie, Brunon partage son duché en deux territoires nommés *Haute-Lotharingie* (Lorraine) et *Basse-Lotharingie* (aussi appelée Lothier, puis Brabant).

960

● Chine : établissement de la dynastie des Song.

962

● Allemagne et Italie : afin de protéger le pape Jean XII, Otton Ier le Grand, roi d'Allemagne, fait une seconde expédition en Italie où il est couronné empereur romain. Ainsi naît le Saint Empire Romain germanique ; la papauté reconnaîtra (jusqu'en 1250) aux rois allemands le droit d'être couronnés empereurs par le pape.

968

● Allemagne : création de l'archevêché de Magdebourg qui devient un centre d'évangélisation pour les Slaves du Nord.

● Les Annamites se révoltent contre la Chine et deviennent indépendants.

969

● Une seconde épidémie de peste, après celle de 956, ravage l'Europe.

971

● Chine : édition du *Tripitaka* (*Les Trois Corbeilles*), canon bouddhique traitant, en cinq mille volumes, de la discipline monastique, de la doctrine et de la vie de Bouddha.

973

● Hongrie : fondation de l'évêché de Prague.

● Allemagne : mort de l'empereur Otton Ier le Grand, empereur du Saint Empire Romain germanique. Son fils Otton II lui succède.

● Provence : la Garde-Freinet est reprise aux Sarrasins.

● La Palestine se révolte et s'émancipe de la tutelle de Byzance.

976

● Empire byzantin : Basile II, dit "le tueur de Bulgares", devient empereur et redonne sa puissance et son éclat à l'Empire.

978

● Lothaire tente de reconquérir la Lotharingie. Othon II d'Allemagne réplique en assiégeant Paris. Hugues Capet dirige la résistance de la ville avant de la libérer.

979

● *8 juin* : le roi de France Lothaire associe au trône son fils Louis, 11 ans, et le fait sacrer. Il régnera sous le nom de Louis V le Fainéant.

980

● Lothaire, par le traité de Margut-sur-Chiers (Ardennes), cède la Lorraine à Othon II d'Allemagne.

● Angleterre : nombreuses incursions danoises malgré la reconquête du territoire par Ethelred II, fils d'Edgar le Pacifique.

● Russie : (saint) Vladimir Ier, prince de Kiev, entreprend de christianiser la Russie.

983

● Allemagne, Italie : Othon II, empereur d'Allemagne, est battu au cap Colonne par les Sarrasins qui envahissent Sicile et Italie du Sud. Les Slaves christianisés en profitent pour se soulever entre l'Elbe et l'Oder et ramènent les frontières établies par Otton Ier jusqu'à l'Eider et l'Elbe.

985

● Le roi de France Lothaire s'empare de Verdun.

986

● *2 mars*: mort, sans doute empoisonné par sa femme Emma, de Lothaire, roi de France; son fils Louis V, dit le Fainéant, 18 ans, lui succède.

987

● *21 mai*: mort de Louis V (chute de cheval), dernier Carolingien, après seulement quinze mois d'un règne dominé par Emma, sa mère.
○ *3 juillet*: sacre de Hugues Capet. Il a été choisi pour roi contre Charles Ier de Lorraine, frère de Lothaire et cousin par alliance de l'empereur d'Allemagne Otton II. ○ *30 décembre*: Hugues Capet fait élire et sacrer son fils Robert, né de son mariage avec Adélaïde de Poitiers, fille du duc d'Aquitaine, et de race carolingienne, afin de l'associer au trône de France.
● Amérique: nouvel Empire Maya (culture toltéco-maya) et essor de Tula et de la civilisation toltèque (jusqu'en 1697).

988

● Les armées fatimides, déjà implantées en Égypte, annexent la Syrie.

991

● *17 avril*: Le concile de Saint-Basle-de-Very dépose l'archevêque de Reims, Arnoult, qui a remis la ville à Charles de Lorraine, candidat malheureux au trône de France, pour le remplacer par Gerbert (moine originaire du centre de la France, qui deviendra pape en 999, sous le nom de Sylvestre II). Protestations du pape en exercice, qui dénonce ce premier abus de pouvoir capétien contre Rome. Ainsi débute une longue opposition entre les papes et les rois de France, les seconds voulant rester "maîtres chez eux"…
● Les Danois reprennent leurs invasions en Angleterre.

992

● L'empereur byzantin Basile II signe un accord commercial avec les Vénitiens.

994

● Espagne: Sanche le Grand devient roi de Navarre.

995

● Le Tsar bulgare Samuel annexe la Serbie.
● L'empereur byzantin Basile II enlève la Syrie aux musulmans fatimides.

996

● *24 octobre* : mort de Hugues Capet. ❍ Avènement de Robert II le Pieux, 26 ans. Le nouveau roi est un lettré, qui a étudié la théologie, doué de sens politique. Mais il a eu le tort, pour l'Église, dont il est pourtant un fervent défenseur, de répudier sa première femme Rosala (fille du roi d'Italie, veuve du comte de Flandre, épousée en 988) pour convoler avec Berthe de Bourgogne, sa maîtresse (en 989). Il faut préciser que lors de son premier mariage, Robert a 18 ans, et son épouse en a déjà plus de 50 ! Il garde la dot, comme il gardera la Bourgogne, dot de Berthe, sa seconde épouse, déjà mère de cinq enfants. Robert II le Pieux donne un aspect religieux à la dignité royale.

997

● Le Cheik Al-Mançour détruit Saint-Jacques-de-Compostelle, lieu de pèlerinage.
● Les Romains se révoltent contre l'empereur Otton III.

999

● Le pape, soutenu par l'empereur d'Allemagne, excommunie Robert II à cause de son mariage avec Berthe de Bourgogne, sa lointaine cousine.
● Otton III reprend Rome et la déclare capitale de l'Empire germanique.

1000

● Suède : découverte du Labrador par Leiv Ericson. ❍ La Suède et le Danemark annexent et se partagent la Norvège.
● L'Islande devient chrétienne (après elle suivront la Norvège avec saint Olaf, et la Suède).
● L'empereur byzantin Basile II annexe toute la partie danubienne de la Bulgarie.
● Les Turcs tentent de conquérir la Russie.
● Espagne : Sancho le Vieux, roi de Navarre, s'empare de la Castille et redistribue les terres (jusqu'en 1035).

1002

● Henri II succède à son cousin Otton III comme empereur germanique. Avec le pape Sylvestre II, il cherche à accroître l'emprise de l'Église (il sera canonisé, ainsi que sa femme Cunégonde).
● France : Robert II le Pieux fait valoir ses droits sur la Bourgogne après la mort de son duc.
● Les Polonais tentent des incursions en Germanie.

1003

● Robert II répudie Berthe, pour obéir au pape Sylvestre II (l'évêque Gerbert, son ancien précepteur) et épouser Constance d'Arles, fille du comte de Toulouse (et de Provence), plus jeune que les précédentes épouses, mais aussi plus turbulente, et plus intrigante.

● Les Sarrasins pillent Pise.

● Allemagne : l'empereur Henri II lance une expédition contre la Pologne, et obtient la signature d'une trêve.

1008

● Naissance de Henri Ier, futur roi, second fils de Robert le Pieux, roi de France, et de Constance.

1009

● Les Normands s'implantent en Italie du Sud.

1010

● Robert II, qui n'en peut plus de Constance, demande au pape l'autorisation de se remarier avec Berthe, mais le pape refuse.

● Les Anglais se révoltent contre les Normands mais sont battus.

1014

● Les Sarrasins sont chassés de la Corse.

1016

● France : Robert II annexe la Bourgogne (et fait de Dijon sa capitale), et les comtés de Dreux et Melun (1015), tout en ne cessant de lutter contre les féodaux.

● Angleterre : domination danoise avec Knut le Grand. ❍ Le roi Knut II le Grand christianise le Danemark et Waldemar Ier le Grand étend son royaume dans le bassin de la Baltique (jusqu'en 1035). France : le concile de Verdun-sur-le-Doubs oblige les seigneurs à respecter la *paix de Dieu* lorsqu'elle est décrétée (il leur est interdit de se battre entre eux à certaines périodes).

1017

● Robert II fait couronner son fils aîné Hugues, entré en rébellion contre son père avec l'appui de sa mère Constance, parce qu'il n'a pas encore reçu de terres (il mourra en 1025, avant son père). ❍ Le comté de Sens est rajouté à la couronne.

1018

● La Bulgarie est entièrement conquise par l'empereur Basile II.

1020

● France : le concile d'Orléans réaffirme la *paix de Dieu* (renouvelée en 1023 à Beauvais et en 1041 en Provence). ❍ Définition de la vassalité et des liens vassaliques (jusqu'en 1050).

1022

● Apparition des premiers hérétiques cathares à Orléans et dans le Midi.

1024

● Orléans : premier bûcher contre les hérétiques, des bogomiles (ou bougres) sont brûlés. À noter que le clergé s'est opposé à ces exécutions, qui ont lieu en présence du roi et de la reine. Constance, avant son supplice, crève l'œil de l'un des condamnés : c'est son confesseur !

● Début de la construction de l'abbaye du Mont-Saint-Michel.

● Allemagne : avènement de Conrad II le Salique, roi de Germanie et duc de Franconie. Successeur de Henry II, il crée la dynastie salienne. Deux campagnes en Italie, où il affermit son autorité avec l'aide des petits vassaux (début de l'hérédité des fiefs).

1027

● Naissance à Falaise de Guillaume de Normandie, dit le Bâtard, futur Guillaume le Conquérant, fils naturel d'Arlette, fille d'un tanneur de Falaise, et du duc Robert, dit Robert le Diable et qui, pour régner sur la Normandie, a empoisonné son frère, titulaire de la couronne ducale.

● Henri Ier est couronné roi de France malgré l'opposition de Constance, qui veut favoriser son plus jeune fils Robert (futur duc de Bourgogne).

● Le roi de Navarre (Espagne) et le duc de Gascogne s'allient contre l'émir de Saragosse.

● L'empereur byzantin Constantin VIII décède ; Romain III lui succède.

1031

● *20 juillet* : mort de Robert II le Pieux. Avènement de Henri Ier de France (qui a épousé la fille du grand duc de Kiev). Il vend des évêchés et autres dignités ecclésiastiques ; il entre aussitôt en conflit avec son frère Robert, soutenu par les Grands, et qui recevra le duché de Bourgogne l'année suivante (1032).

● Espagne : fin du califat de Cordoue.
● Les Turcs seldjoukides entreprennent d'envahir l'Asie Mineure.

1033
● Allemagne : Conrad II le Salique, roi de Germanie, réunit le royaume de Bourgogne et d'Arles à l'Empire germanique.

1034
● Mort de la reine Constance.

1035
● Le comte du Hainaut, Baudouin IV, prend Valenciennes, Walcheren, la région des Quatre-Métiers et la marche d'Ename (Alost), formant une Flandre impériale rivale de la Flandre placée sous l'autorité du roi de France.
● Guillaume II le Bâtard duc de Normandie ; son père, Robert le Diable, est mort à son retour de croisade, où il était allé expier ses nombreuses fautes et crimes. Guillaume, qui a 8 ans, devra conquérir son trône contre les féodaux normands.
● Le Danois Cnut meurt sans succession légitime : fin de l'empire du Danemark.

1037
● Espagne : le roi chrétien Ferdinand Ier de Navarre, dit le Juste, annexe le Leon à la Castille puis se distingue dans la lutte contre la puissance des Maures, la *Reconquista* (Reconquête).
● La Norvège reprend son indépendance contre le Danemark.
● Mort d'Avicenne, médecin et philosophe arabe.

1039
● Allemagne : l'empereur Henri III amène l'Empire à son apogée. Les ducs des pays voisins lui rendent hommage. Protecteur de la papauté, il refuse trois papes et approuve la nomination de cinq papes allemands qui monteront successivement sur le trône de saint Pierre (jusqu'en 1058). ❍ Dans le même temps, plusieurs pays deviennent des fiefs allemands : la Hongrie, la Pologne et la Bohême.

1042
● Édouard III le Confesseur roi d'Angleterre.

1045

● Fin de la “grande famine”, et de l’épidémie de “mal des ardents” due à l’ergot du seigle (champignon parasite qui empoisonne le grain) qui, pendant deux ans, a ravagé la France.

1047

● Le duc de Normandie, Guillaume, demande l’aide du roi de France, dont il est le filleul, pour réduire une révolte de vassaux, et prête hommage au roi. Leurs deux armées écrasent celle de Gui de Brionne, duc de Bourgogne, et des féodaux normands à la bataille de Val-des-Dunes.

1051

● Flandre : Baudouin VI comte de Hainaut épouse Richilde de Hainaut, ce qui réunit le comté du Hainaut et la Flandre.

● Le roi Henri Ier épouse Anne de Kiev, fille du grand-duc de Russie ; il est veuf de Mathilde, fille de l’empereur d’Allemagne, morte un an après leur mariage (1043). ● Édouard le Confesseur, roi d’Angleterre, promet sa succession à Guillaume, duc de Normandie.

1052

● France : naissance de Philippe Ier, fils de Henri Ier, roi de France, et d’Anne de Kiev.

1053

● Robert Guiscard, seigneur normand, bat l’armée pontificale en l’Italie, à Civitella.

1054

● L’Église de Rome rompt avec l’Église d’Orient. Ce schisme sépare les cultures grecque et latine, et divise l’Europe entière.

● À la bataille de Mortemer, Henri Ier roi de France, qui a voulu envahir la Normandie, est battu par Guillaume le Conquérant.

1055

● Le comté de Sens est rattaché à la couronne de France.

● Le califat de Bagdad passe sous l’autorité turque des Seldjoukides ; les Almoravides règnent sur l’islam occidental.

1056

● Allemagne : avènement de l’empereur Henri IV ; début du conflit des investitures (pape et empereur se disputant la nomination des évêques).

● Michel VI devient empereur de Byzance; il est le dernier de la dynastie macédonienne.

1057

● Nouvelle famine, qui dure neuf ans.

1059

● *23 mai*: fils du roi de France Henri 1er, le prince Philippe est sacré et associé au trône.

1060

● *4 août*: mort de Henri Ier. Philippe Ier, son fils, 8 ans, lui succède. Son oncle, Baudoin V comte de Flandre, assure la régence jusqu'à ses 14 ans.
● Les Normands de Roger Guiscard envahissent la Sicile.

1062

● Philippe Ier regroupe les feudataires inquiets de la puissance normande. Progrès de l'autorité royale et extension du domaine royal qui s'accroît de plusieurs territoires (Bourges et Corbie).

1063

● Guillaume de Normandie annexe le Maine.

1066

● *6 janvier*: Angleterre, mort d'Édouard le confesseur. Harold, comte de Wessex, s'empare de la couronne. ○ *14 octobre*: Guillaume le Conquérant, duc de Normandie, remporte la victoire d'Hastings sur le roi anglo-saxon Harold II, et conquiert l'Angleterre dont il est couronné roi le 25 décembre. Il y instaure le régime de l'État féodal normand mais laisse le pays divisé en comtés. Robert, le fils de Guillaume, hérite de la Normandie.

1068

● Philippe Ier, roi de France, annexe le Gâtinais et le Vermandois.

1071

● Italie: Robert Guiscard chasse les Byzantins de l'Italie du Sud en prenant la ville de Bari, puis s'empare de Palerme.
● Bataille du mont Cassel: le roi de France Philippe Ier est battu par le comte de Flandre Robert le Frison (qui vient recueillir son héritage flamand), soutenu par l'empereur germanique.
● Angleterre: construction de la cathédrale de Canterbury (jusqu'en 1495)

● Défaite des Byzantins devant les Turcs à Mantzikert. L'Asie Mineure passe sous l'autorité turque.

1074

● France : le domaine royal s'accroît du Vexin français.

1075

● Le pape Grégoire VII maintient le célibat des prêtres, condamne la simonie et interdit l'investiture des ecclésiastiques par des laïcs.

● Les Turcs seldjoukides s'emparent de Jérusalem ; leur refus de laisser entrer des pèlerins chrétiens dans la ville sainte sera à l'origine de la première croisade (1096-1099).

● L'empereur Henri IV mate une révolte saxonne.

1076

● Synode de Worms des évêques allemands : l'empereur Henri IV accuse le pape Grégoire VII d'indignité. Il est aussitôt excommunié.

1077

● L'empereur Henri IV doit s'humilier et faire amende honorable au pape à Canossa, où il reçoit l'absolution, afin d'éviter une alliance entre le pape et les princes allemands, qui aurait entraîné sa déposition.

1081

● L'empereur d'Allemagne Henri IV, à nouveau excommunié, assiège le pape au château Saint-Ange où ses vassaux normands le libèrent et l'aide à fuir. ○ Henri IV désigne un antipape, Clément III.

● Byzance : Alexis Ier, premier de la dynastie des Comnènes, devient empereur et scelle une alliance avec Venise. ○ Ses troupes sont battues à Durazzo par celles du Normand Robert Guiscard.

1084

● Saint Bruno fonde, près de Grenoble, l'ordre des Chartreux.

● Le pape Grégoire VII, chassé de Rome par l'empereur Henri IV, fait appel à Robert Guiscard, lequel s'empare de Rome, qu'il pille et dont il vend les habitants comme esclaves.

1087

● *9 septembre* : mort de Guillaume le Conquérant, alors qu'il tente de reconquérir le Vexin français, annexé par Philippe Ier. Son second fils Guillaume le Roux, qu'il a désigné, lui succède.

1088

● Italie : à la mort de Grégoire VII, élection d'Urbain II, pape français, qui, soutenu par les Normands, chasse d'Italie l'empereur Henri IV.

● Le Duc de Normandie, Robert II Courtecuisse (Courtheuse), fils aîné de Guillaume le Conquérant, soutenu par le roi de France, se révolte contre son frère roi d'Angleterre, qui profitera de sa participation à la première croisade pour s'emparer de la Normandie.

1090

● Naissance à Fontaines (Bourgogne) de (saint) Bernard de Clairvaux, cofondateur de l'ordre du Temple, premier abbé de Clairvaux (1115).

● Les Normands de Robert Guiscard enlèvent Malte aux Maures.

1094

● Espagne : Rodrigue Diaz de Vivar, surnommé *le Cid* (le seigneur) prend Valence aux Sarrasins.

● Le pape Urbain II excommunie le roi Philippe Ier pour avoir répudié sa première épouse et s'être remarié ensuite avec l'épouse de l'un de ses vassaux, Bertrade de Montfort. L'affaire matrimoniale est un prétexte : le pape répond aux exactions dont le roi de France s'est rendu coupable contre les biens de l'Église (Philippe Ier renoncera à Bertrade en 1097, mais le pape, après avoir levé l'excommunication, l'imposera à nouveau, jusqu'à ce que le roi fasse amende honorable, en 1104).

1095

● *Novembre* : France, pendant le concile de Clermont, le pape Urbain II prêche la première croisade pour la reconquête des Lieux saints.

1096

● Croisade : Godefroi de Bouillon, duc de Basse-Lotharingie, Robert de Normandie, Raymond de Saint-Gilles, Bohémond de Tarente et Hugues de Vermandois, frère de Philippe Ier, roi de France, partent pour la croisade tandis que la croisade populaire menée par Pierre l'Ermite et Gautier Sans Avoir se met en marche de son côté. Elle sera massacrée en Anatolie par les Turcs.

1098

● Le moine Robert (de Molesme) fonde l'ordre de Cîteaux (Bourgogne).

● L'armée croisée prend Antioche et y fonde une principauté.

1099

● Prise de Jérusalem par les croisés. Godefroi de Bouillon, roi de Jérusalem repousse les musulmans à la bataille d'Ascalon (août).

1100

● France : Philippe Ier associe son fils (Louis VI) au trône. ❍ Des villes acquièrent des chartes communales pour s'émanciper des tutelles seigneuriales. ❍ Composition de la *Chanson de Roland.*

● Royaume de Jérusalem : Baudouin Ier, frère de Godefroi de Bouillon qui vient de mourir et les chevaliers fondent le royaume de Jérusalem et fortifient les principautés conquises, notamment Tripoli, Édesse et Antioche. ❍ Pour la protection de ce royaume et des croisés naîtront les grands ordres religieux de chevalerie, Templiers, Hospitaliers et Teutoniques. ❍ Des établissements commerciaux sont créés en Syrie et en Palestine.

● Islam : apogée de la culture musulmane, scientifique, littéraire et religieuse (Avicenne et Averroès).

1101

● Fondation de l'abbaye bénédictine de Fontevrault, comprenant un couvent d'hommes et un couvent de femmes, mais placée sous l'autorité d'une femme (il en sera ainsi jusqu'à la Révolution).

1105

● France : excommunié par le pape Urbain II, le roi Philippe reçoit l'absolution du pape Pascal II.

1106

● Allemagne : déposé par son fils Henri V un an plus tôt, l'empereur Henri IV meurt à Liège. Après son avènement, Henri V met un terme à la querelle des Investitures par le concordat de Worms.

1108

● *29 juillet* : mort à Melun de Philippe Ier. Son fils Louis VI le Gros, 28 ans, lui succède. Son surnom est dû à un embonpoint qui ne l'empêche ni d'être actif ni de se révéler efficace.

1110

● Louis VI obtient la soumission de son demi-frère Philippe de Montlhéry (fils de Bertrade), et d'autres seigneurs d'Île-de-France.

1111

● France : révolte, afin d'obtenir la liberté communale, des bourgeois de Laon contre l'évêque Gaudry.

1114

● France : extension dans le Sud de la religion cathare.

1115

● Louis VI épouse Adélaïde de Savoie, réputée pour sa laideur, mais dont il aura huit enfants. ○ Le philosophe Pierre Abélard enseigne à Paris. ○ Saint Bernard devient abbé de Clairvaux.

● Mort de Mathilde de Toscane : ses États deviennent domaine papal.

1118

● *27 décembre* : à Jérusalem, fondation de l'ordre du Temple par Hugues de Payns, seigneur bourguignon, et huit chevaliers.

1119

● Condamnation par le concile de Toulouse de la religion cathare considérée comme hérétique.

1124

● Louis VI prend l'oriflamme à Saint-Denis et mobilise ses vassaux, y compris les ecclésiastiques et les milices communales, pour répondre à la déclaration de guerre de l'empereur germanique Henri V qui s'est allié avec Henri Ier d'Angleterre pour tenter d'envahir la France. Devant l'ampleur de cette mobilisation, Henri V renonce aux hostilités.

1125

● L'empereur Lothaire de Saxe chasse d'Italie les Normands de Roger II, neveu de Robert Guiscard, fondateur du royaume des Deux-Siciles.

1128

● Officialisation de l'ordre du Temple au concile de Troyes.

1129

● Le moine Suger, bâtisseur de Saint-Denis, premier conseiller du roi.

1131

● *25 octobre* : après la mort de son fils aîné Philippe, le roi Louis VI le Gros fait sacrer à Reims Louis, son second fils (futur Louis VII).

● Foulques V d'Anjou roi de Jérusalem.

1134

● Bernard de Clairvaux envoyé du pape à Toulouse afin d'y observer l'hérésie cathare : "Il n'y a pas meilleurs chrétiens que les cathares", dit-il, mais la raison d'Église est la plus forte, et il les combattra.

● Naissance de Chrétien de Troyes, auteur de romans en vers sur les chevaliers de la Table ronde.

1137

● *1er août* : mort de Louis VI, inhumé à Saint-Denis. Avènement de Louis VII qui vient d'épouser (27 juillet) Aliénor, héritière du duché d'Aquitaine, qu'elle apporte en dot, ayant perdu son père au début de l'année, lors d'un pèlerinage à Compostelle. ❍ Des révoltes communales pour les libertés éclatent à Poitiers et Orléans, rapidement étouffées par Louis VII.

● Espagne : par le mariage de la fille de Ramire II à Béranger de Barcelone, le royaume d'Aragon s'accroît de la Catalogne.

1142

● Louis VII, qui n'a pas les qualités diplomatiques de son père, a refusé l'archevêché de Bourges à Pierre de La Châtre, candidat du pape, et a été excommunié. Pierre de La Châtre s'étant réfugié chez le comte Thibaud de Champagne, Louis VII envahit la Champagne et brûle Vitry (depuis Vitry-le-Brûlé) et son église, où la population, qui s'y était réfugiée, périt dans les flammes. Louis VII, afin d'expier ce crime, participera à la croisade prêchée par Bernard de Clairvaux.

1146

● France : à Vézelay (saint) Bernard soulève l'enthousiasme populaire en prêchant la deuxième croisade décidée par le pape Eugène III pour libérer Édesse. ❍ Y participent le roi de France et l'empereur Conrad III d'Allemagne, qui ne s'entendront pas.

1147

● *12 mai* : départ de Paris de Louis VII et d'Aliénor d'Aquitaine pour la croisade, qui arrive à Constantinople le 4 octobre ; elle échouera devant Damas l'année suivante. Suger régent du royaume.

● Islam occidental : les Almohades remplacent les Almoravides.

1149

● *Novembre*: retour en France de Louis VII et d'Aliénor, qui, depuis la Terre sainte, n'ont pas voyagé sur le même bateau. La croisade est un échec militaire, et la discorde, déjà latente, entre les époux royaux a éclaté à Antioche où Raymond, oncle d'Aliénor, aurait séduit sa nièce.

1151

● *13 janvier*: mort de Suger, conseiller de Louis VI et de Louis VII.

1152

● *21 mars*: sans héritier mâle, et Suger n'étant plus là pour lui éviter une grave erreur politique, Louis VII répudie Aliénor d'Aquitaine qui reprend sa dot et épouse en mai Henri Plantagenêt, duc d'Anjou, duc de Normandie et futur roi d'Angleterre.

● Allemagne: avènement de Frédéric Ier Barberousse, neveu et successeur de Conrad III.

1153

● Mort à l'abbaye de Clairvaux de (saint) Bernard.

1154

● Henri II Plantagenêt roi d'Angleterre; il possède en France l'Anjou, le Maine, la Touraine, la Normandie, la Bretagne, le Poitou, la Guyenne et la Gascogne. Il tente de briser la puissance de l'Église catholique d'Angleterre et entrera en lutte contre Thomas Becket., son ancien conseiller qu'il a nommé chancelier.

● Le roi de France Louis VII, au retour d'un pèlerinage à Saint-Jacques-de-Compostelle, épouse Constance de Castille, dont il aura une fille (il en a eu deux d'Aliénor).

1155

● *10 juin*: Louis VII décrète une paix de dix ans à l'intérieur du royaume de France.

● Empire mongol: naissance de Temudjin, futur Gengis Khan.

1156

● *Février*: Henri II Plantagenêt fait hommage à Louis VII pour les fiefs qu'il tient de lui en France.

● L'Autriche devient un duché autonome.

1157

● Allemagne : campagne victorieuse de Frédéric Ier Barberousse en Pologne et renforcement de la puissance impériale.

1160

● Italie : suite au refus de Frédéric Ier Barberousse de reconnaître le pape Alexandre III, un schisme se produit dans l'Église, qui divise l'Europe jusqu'en 1177. France, Angleterre, Sicile et Lombardie soutiennent Alexandre III contre l'empereur Frédéric.

● *13 novembre* : devenu veuf, le roi de France Louis VII épouse Adèle de Champagne en troisièmes noces.

1163

● Construction de la cathédrale Notre-Dame de Paris (achevée en 1320).

● Condamnation, au concile de Tours, du catharisme.

1165

● *21 août* : naissance à Mantes de Philippe II Auguste, fils de Louis VII.

1167

● Premières batailles (jusqu'en 1172) entre les armées de Louis VII de France et d'Henri II d'Angleterre pour la possession du Vexin.

● Grande assemblée cathare à Saint-Félix-de-Caraman en Lauragais.

1168

● Amérique, empire aztèque : destruction de Tula et invasion des centres urbains (Texcoco).

● À la demande de Marie de Champagne, Chrétien de Troyes compose *Lancelot, ou le Chevalier à la charrette*.

1170

● *29 décembre* : Angleterre, assassinat dans sa cathédrale de Cantorbery de Thomas Becket par des chevaliers aux ordres d'Henri II.

1173

● À Lyon, Valdès fonde la secte des Pauvres de Lyon, aussi appelés vaudois. Ils seront persécutés en 1209, lors d'une croisade.

1177

● Réconciliation entre le pape et l'empereur d'Allemagne (qui a plusieurs fois envahi l'Italie pour mater des révoltes) à Venise.

● Paix de Saint-Rémy-sur-Avre entre la France et l'Angleterre.

1179

● *1er novembre*: sacre de Philippe II Auguste, du vivant de son père, qui ne peut y assister. Le sacre était prévu au mois d'août mais Philippe, à la suite d'une chevauchée en forêt, a été retrouvé dans un état de semi-inconscience. Afin qu'il en guérisse, son père, Louis VII, fait un pèlerinage sur le tombeau de Thomas Becket, à Cantorbery. Philippe recouvre la santé mais son père est victime d'une hémiplégie.

1180

● *28 avril*: mariage de Philippe II Auguste avec Isabelle de Hainaut, qui apporte l'Artois à la couronne de France. ❍ *18 septembre*: mort de Louis VII. Avènement de Philippe Auguste. Sous son règne s'élèveront les cathédrales gothiques Saint-Étienne de Bourges, Notre-Dame de Reims, Notre-Dame de Paris et Notre-Dame de Chartres, tandis que débutera la croisade contre les albigeois.

● Guerre entre l'empereur d'Allemagne et Henri II le Lion, duc de Bavière, qui perd son duché et se réfugie en Angleterre.

● Japon: guerre civile et féodale (jusqu'en 1185); Minamoto Yorimoto fonde à Kamakura le régime militaire des shoguns. ❍ La pensée et la pratique zen influencent la vie artistique et la morale du pays.

1181

● Coalition des comtes de Champagne, de Bourgogne et de Flandre contre Philippe Auguste. Après de multiples escarmouches, cette ligue féodale cessera par le traité d'Amiens, en juillet 1185.

● Italie: François d'Assise (saint) crée l'Ordre des Frères mineurs.

1182

● *Avril*: Philippe Auguste expulse les Juifs du domaine royal et confisque leurs biens.

● Canut VI, roi du Danemark, refuse de prêter serment à l'empereur d'Allemagne dont il annexe les territoires limitrophes aux siens.

1183

● Saladin et ses troupes turques s'emparent d'Alep.

1184

● Empire germanique à son apogée.

● Le concile de Latran déclare hérétique la secte des vaudois.

1185

● Philippe Auguste enlève au comte Philippe d'Alsace Amiens, le Vermandois, le Valois et l'Artois. Traité de Boves (près d'Amiens) avec la Champagne et la Flandre.

1187

● Sultan d'Égypte, Saladin reprend Jérusalem aux croisés après les batailles de Tibériade et du Hattin, où il écrase les armées chrétiennes renforcées par les Templiers et les Hospitaliers.

● Philippe Auguste s'allie à Richard Cœur de Lion contre son père le roi d'Angleterre, Henri II Plantagenêt. ❍ *3 septembre*: naissance à Paris de Louis VIII, roi de France en 1223.

1188

● Philippe Auguste enlève le Berry et l'Auvergne au roi d'Angleterre.

1189

● Troisième croisade prêchée à Gisors par Guillaume de Tyr. Richard Cœur de Lion, roi d'Angleterre à la mort de son père à Chinon (1189) entreprend la troisième croisade avec Philippe Auguste et l'empereur germanique Frédéric Barberousse.

● Construction des remparts de Paris.

1190

● *15 mars*: mort de la reine Isabelle de Hainaut, épouse de Philippe Auguste. ❍ *24 juin*: Philippe Auguste par ordonnance règle la gestion du royaume durant son absence pour la croisade. ❍ *4 juillet*: Philippe Auguste et Richard Cœur de Lion se réunissent à Vézelay. Le roi d'Angleterre embarque à Marseille, le roi de France embarque à Gênes. Les deux flottes se retrouveront à Messine.

● Frédéric Barberousse se noie lors du passage d'une rivière, en Cilicie. Son fils Henri VI, époux de Constance de Sicile, qui lui apporte la couronne de ce royaume, lui succède comme empereur d'Allemagne.

1191

● Richard Cœur de Lion prend Chypre et la vend aux Templiers.

● Couronnement impérial de Henri VI d'Allemagne.

● Après la prise de Saint-Jean-d'Acre (août), conflit entre Richard et Philippe Auguste. Le premier demeure en Terre sainte, le second rentre en France, annexe le Vexin normand, et pousse Jean sans Terre (frère

de Richard Cœur de Lion) à s'emparer de la couronne d'Angleterre.
● Richard Cœur de Lion bat Saladin à Arsuf (septembre), et signe une trêve avec lui avant de retourner en Angleterre (octobre).
● Jérusalem reste aux mains de Saladin, qui en laisse toutefois l'accès libre aux pèlerins.

1192

● Après avoir fait naufrage, Richard Cœur de Lion est captif de l'empereur Henri VI d'Allemagne, qui réclame une forte rançon.

1193

● Mort de Saladin, sultan d'Égypte et de Syrie.
● *14 août*: Philippe Auguste se remarie avec Ingeborg de Danemark (qu'il répudie le 5 novembre).

1194

● Le comte de Flandre et de Hainaut Baudouin IX devient empereur latin d'Orient sous le nom de Baudouin Ier.
● Mort de Henri VI, empereur d'Allemagne, roi des Deux-Siciles. À cette occasion, le pape Innocent III affirme la suprématie du pouvoir pontifical sur celui des rois.
● Sitôt la libération de Richard Cœur de Lion, roi d'Angleterre, la guerre reprend contre Philippe Auguste qui tente en vain de conquérir la Normandie. ○ Création par Philippe Auguste d'un impôt de guerre.

1196

● Philippe Auguste se remarie avec Agnès de Méran.
● Richard Cœur de Lion construit Château-Gaillard pour protéger la Normandie.

1198

● France: les Juifs sont autorisés à revenir dans le domaine royal.
● Philippe de Souabe, le plus jeune fils de Barberousse (soutenu par la France), est contesté comme empereur par le pape Innocent III au profit de Frédéric, fils de l'empereur Henri VI, roi de Sicile (qui n'a que 3 ans, et dont les tuteurs, des moines, promettent de ne pas intégrer les Deux-Siciles à l'Empire).
● Le pape Innocent III prêche la croisade contre les cathares.
● Empire mongol: Temudjin, victorieux des Merkit, reçoit le titre de Gengis Khan.

1199

● Le pape jette l'interdit sur le royaume de France après le remariage du roi ; Philippe Auguste doit se séparer d'Agnès de Méran et reprend à la cour Ingeborg de Danemark. ❍ Philippe Auguste encourage la création des communes (Saintes, Poitiers, La Rochelle…).

● *6 avril* : mort de Richard Cœur de Lion au siège de Châlus (Limousin) ; venu assiéger le château fort d'un vassal révolté (et croyant qu'il renferme un trésor), il est blessé par une flèche et meurt de la gangrène. Jean sans Terre son frère lui succède.

1200

● *22 mai* : paix du Goulet ; le Berry passe de l'Angleterre à la France.

1201

● Début de la construction de la cathédrale de Rouen.

● Jean sans Terre se fait confisquer par Philippe Auguste la Normandie, l'Anjou, la Touraine et une partie du Poitou pour félonie (il a enlevé et épousé la fiancée de son vassal Hugues de Lusignan).

● Philippe Auguste fait déposer le trésor royal au Temple.

1203

● Philippe Auguste annexe Lille.

1204

● La quatrième croisade (lancée en 1202) est détournée de son but initial par les Vénitiens ; les croisés prennent Constantinople et massacrent la population.

● *Mai* : la forteresse de Château-Gaillard est prise par Philippe Auguste qui conquiert la Normandie.

1206

● Nantes est conquise par Philippe Auguste.

● Empire latin d'Orient : mort Baudouin Ier, empereur latin d'Orient, à qui succède son frère Henry de Hainaut, régent.

● Prédication de Dominique (saint) afin de convertir les cathares.

● Menés par Gengis Khan, les Mongols soumettent de nombreux territoires et leur Empire englobe toute l'Asie, de la Chine à l'Asie Mineure et du Tibet à la Volga. Batou, petit-fils de Gengis Khan, pénètre jusqu'en Russie, Pologne et Silésie.

1208

● *Janvier* : assassinat de Pierre de Castelnau, légat du pape, sur les terres de Raymond de Toulouse et début de la croisade contre les albigeois.

1209

● *Juillet.* : croisade contre les albigeois ; mise à sac de Béziers et massacre de ses habitants ("Dieu reconnaîtra les siens", déclare un moine) par les hommes de Simon de Montfort.

1212

● Espagne : les rois et chevaliers d'Aragon, de Castille et de Navarre remportent à Navas de Tolosa une victoire définitive sur les Arabes ; l'Empire almohade disparaît. Fin de la menace de l'islam sur l'Europe.
● Simon de Montfort bat à Castelnaudary le comte de Toulouse.
● Échec de la Croisade des enfants (majoritairement français et allemands) partie vers la Terre sainte.

1213

● *Septembre* : Simon de Montfort bat à la bataille de Muret le comte de Toulouse et le roi d'Aragon ; il est maître du comté de Toulouse.
● Le pape accorde au roi de France la suzeraineté sur le royaume d'Angleterre. Jean sans Peur, qui a été excommunié, se soumet au pape et reconnaît le roi de France comme suzerain afin d'éviter une opération militaire des Français sur l'Angleterre.

1214

● *25 avril* : naissance à Poissy de Louis IX. ❍ *2 juillet* : le prince héritier Louis écrase l'armée de Jean sans Terre à La Roche-aux-Moines. ❍ *27 juillet* : bataille de Bouvines. Philippe Auguste bat une coalition regroupant les Anglais, les Flamands et les troupes de l'empereur Otton. La Flandre, dont le comte est fait prisonnier, devient française.
● Angleterre : après la défaite de Bouvines, les grands vassaux se révoltent et imposent au roi Jean sans Terre la Grande Charte qui exige la réforme du gouvernement et de la juridiction, et soumet l'autorité royale à l'assemblée du pays.

1215

● Rome : le concile de Latran consacre la suzeraineté pontificale sur l'Angleterre et la Sicile et décrète la centralisation de l'administration pontificale dont le prestige va grandissant dans tout l'Occident.

● Simon de Montfort se fait reconnaître comte de Toulouse.
● Fondation de l'ordre des Dominicains.
● Empire mongol: Gengis Khan s'empare de Pékin, extermine les habitants et détruit une partie de la ville.

1216
● France: le prince héritier Louis (futur Louis VIII) participe à une campagne contre les albigeois.
● *9 octobre*: mort de Jean sans Terre, roi d'Angleterre. ❍ Le prince héritier du trône de France, Louis, débarque en Angleterre et essuie une défaite à Lincoln (20 mai), avant de se replier.

1217
● Cinquième croisade en Terre sainte (jusqu'en 1221).

1218
● *25 juin*: Simon de Montfort est tué pendant le second siège de Toulouse, par une pierre lancée des remparts.

1219
● Les Mongols atteignent le Caucase et la Crimée (jusqu'en 1225).

1122
● Allemagne: l'hégémonie de l'Empire est affaiblie par des révoltes de princes féodaux et par la papauté qui se libère de l'autorité impériale.

1223
● *14 juillet*: mort du roi Philippe II Auguste et avènement de son fils Louis VIII le Lion, sacré à Reims le 6 août. ❍ Louis VIII soumet et rattache la totalité du Poitou et de la Saintonge au royaume de France; les seigneurs du Languedoc se révoltent contre lui.

1226
● Croisade contre les albigeois. Louis VIII prend Avignon et reçoit la soumission du Languedoc. ❍ *8 novembre*: mort du roi Louis VIII d'une dysenterie et avènement de son fils Louis IX (futur Saint Louis) sacré à Reims le 29 novembre. Le royaume est placé sous la régence de sa mère Blanche de Castille (jusqu'en 1236). ❍ Création à Paris d'un tribunal royal permanent (à l'origine du Parlement).
● Allemagne: les chevaliers de l'ordre Teutonique, revenus en Europe, conquièrent la Prusse.

● Vietnam : la dynastie des Trân remplace celle des Ly fondée en 1009.
● Empire mongol : mort de Gengis Khan lors d'une bataille.

1227

● Naissance de Charles Ier d'Anjou, enfant posthume de Louis VIII et de Blanche de Castille. Il sera un remuant comte de Provence, roi de Naples et de Sicile. ❍ Soulèvement des grands vassaux contre Blanche de Castille ; les comtes de Bretagne et de la Marche se soumettent au traité de Vendôme. ❍ Lutte contre les albigeois ; Blanche de Castille annexe le Bas-Languedoc à la couronne.
● Conflit entre Frédéric II empereur d'Allemagne et le pape à propos de l'Italie et de l'hégémonie universelle voulue par la papauté.
● Empire mongol : Gengis Khan mort, l'Empire est partagé entre l'ouest, *khanat de la Horde d'Or* et l'est, *khanat de la Horde Blanche*.

1228

● L'empereur d'Allemagne Frédéric II, excommunié pour n'avoir pas participé à la croisade précédente, reprend Jérusalem par la voie diplomatique puis se fait couronner roi de Jérusalem dans l'église du Saint-Sépulcre malgré l'opposition de la papauté.

1229

● *12 avril* : traité de Paris entre Louis IX et Raymond VII, comte de Toulouse. Le Languedoc est cédé au royaume de France (le frère du roi épouse la fille du comte), lui offrant ainsi un débouché sur la Méditerranée.
● Empire mongol : les successeurs de Gengis Khan agrandissent l'Empire (Chine, Corée, Iran occidental, royaumes de la Volga, Pologne et Russie) et prennent sous protectorat Arménie, Asie Mineure et Géorgie.

1230

● Pierre Ier Mauclerc, duc de Bretagne, conspire contre la régence avec le roi d'Angleterre Henri III, qui fait une expédition en France pour reconquérir ses anciens domaines.
● Averroès, philosophe arabe né en Espagne, mort au Maroc, est traduit en latin.

1231

● L'empereur Frédéric donne une Constitution au royaume d'Italie du Sud, premier État moderne possédant des fonctionnaires salariés. Cette organisation influencera les nouveaux États occidentaux.

1233

● L'Inquisition est officiellement instituée en Languedoc.

1234

● *25 avril*: Louis IX, 20 ans, est déclaré majeur, ce qui met un terme à la régence de Blanche de Castille. ○ *27 mai*: le roi Louis IX se marie avec Marguerite de Provence, 13 ans.

1236

● Espagne: Cordoue prise aux Arabes.

● Allemagne: les chevaliers Porte-Glaive fusionnent avec les chevaliers Teutoniques qui reçoivent de Frédéric II, dont ils sont la milice, les terres qu'ils ont conquises.

1239

● *Février*: Louis IX achète le comté de Mâcon.

1241

● Russie: grande défaite de l'armée germano-polonaise à la bataille de Liegnitz et des Hongrois à Tisza. La mort du chef des Mongols évite l'invasion de l'Occident.

● Hugues de Lusignan, comte de la Marche, et Raymond VII, comte de Toulouse, soutenus par Henri III d'Angleterre, se révoltent contre la couronne de France.

1242

● *Juillet*: Louis IX, à Taillebourg et à Saintes, bat ses féodaux révoltés alliés à Henri III d'Angleterre, débarqué avec des troupes.

1243

● *Janvier*: paix de Lorris signé par le comte de Toulouse, renouvelant le traité de Paris, et confirmant l'implantation capétienne dans le Midi.

1244

● *16 mars*: Montségur, le dernier refuge cathare, tombe après six mois de siège. Ses occupants se jettent dans un bûcher plutôt que de se rendre.

1245

● *30 avril*: naissance à Poissy de Philippe III le Hardi, futur roi de France.

● L'empereur Frédéric II est déposé par le pape au concile de Lyon, ce qui provoque la confusion au sein du royaume d'Allemagne, car Frédéric II, à la fois humaniste et potentat cruel, imprévisible, constamment en conflit avec la papauté et la religion qu'elle représente, refusent cette décision.

1247

● Louis IX fait effectuer des enquêtes sur ses baillis. Il s'en suivra un code qui améliorera l'administration royale.

1248

● *12 juin*: Louis IX prend l'oriflamme à Saint-Denis pour la sixième croisade. La régence du royaume est confiée à Blanche de Castille, à l'abbé de Saint-Denis et à trois évêques. ○ *28 août*: avec sa femme Marguerite de Provence, il embarque à Aigues-Mortes, édifiée pour cette occasion, avec 2500 hommes et 7000 chevaux, en direction de Chypre.

● Espagne: les troupes chrétiennes prennent Séville; les Arabes se maintiennent à Grenade.

1249

● *13 mai*: Louis IX quitte Chypre pour l'Égypte. ○ *5 juin*: Louis IX s'empare de Damiette. ○ 27 *septembre*: mort de Raymond VII, comte de Toulouse; le comte de Poitiers, frère de Louis IX, hérite du comté.

1250

● *8 février*: bataille de Mansourah. Louis IX, fait prisonnier, restitue Damiette en échange de sa libération (6 mai). ○ Les mamelouks ont pris le pouvoir en Égypte.

1251

● France: croisade des pastoureaux.

1252

● *27 novembre*: mort de Blanche de Castille. Louis IX est resté en Syrie, où il tente de renforcer les défenses et de racheter les chrétiens prisonniers esclaves des musulmans.

1253

● Robert de Sorbon, chapelain de Louis IX, fonde un collège, la future Sorbonne. Essor de l'université de Paris où enseigne Thomas d'Aquin.

1254

● *7 septembre*: retour de Louis IX à Paris. ❍ *Décembre*: création de la première police nocturne parisienne, les “Chevaliers du guet”, et ordonnance réorganisant la justice royale.

1255

● Le château de Quéribus, dernier bastion cathare, tombe.

● Les chevaliers de l’ordre Teutonique édifient une forteresse à l’origine de la ville de Köningsberg (Prusse orientale).

1258

● Empire mongol: petit-fils de Gengis-Khan, Houlagou détruit Bagdad, ce qui met un terme au califat des Abbassides dont il tue le dernier calife, Musta’sim. L’unité culturelle méditerranéenne est détruite par les Arabes, tandis que l’Europe occidentale s’élabore.

● *11 mai*: signature du traité de Corbeil avec le royaume d’Aragon, dans lequel Louis IX renonce à la Catalogne tandis que Jacques Ier renonce au Languedoc. ❍ Par ordonnance, Louis IX interdit les guerres privées et les duels judiciaires.

1259

● *12 avril*: par le traité de Paris, Henri III d’Angleterre renonce à la Normandie, l’Anjou, le Maine, la Touraine et le Poitou, conquis par Philippe Auguste, et récupère la Saintonge, l’Agenais, une partie du Limousin, du Quercy et du Périgord; il prête hommage pour la Guyenne.

1260

● Empire mongol: l’armée de Houlagou est défaite en Palestine par les mamelouks égyptiens.

● Chine: Qubilaï Khan se fait proclamer empereur de Chine et transfert la capitale à Pékin. Début de la dynastie des Yuan (jusqu’à 1368).

1262

● France: le fils de Louis IX, le prince héritier Philippe, épouse Isabelle d’Aragon.

1265

● Le frère du roi, Charles d’Anjou, est désigné par le pape comme roi de Sicile. Il conquiert le royaume de Sicile et domine ainsi toute l’Italie (jusqu’en 1285).

1266

● Création d'une nouvelle monnaie royale, l'écu d'or.

1268

● Naissance à Fontainebleau de Philippe IV le Bel.

● Conradin (16 ans), dernier des Hohenstaufen, est battu par Charles d'Anjou à Tagliacozzo, et exécuté à Naples.

1270

● *14 mars* : à Aigues-Mortes, Louis IX embarque pour la huitième croisade. ○ *25 août* : Louis IX, au siège de Tunis, meurt de la peste devant la ville. Avènement de Philippe III le Hardi (25 ans), fils de Louis IX. Charles d'Anjou, son oncle, négocie avec les musulmans. Philippe III est timide, versatile, et doit son surnom de Hardi davantage à sa bravoure au combat qu'à la fermeté de son caractère. ○ *Novembre* : le corps expéditionnaire français quitte les rivages tunisiens.

1271

● *21 mai* : les restes de Louis IX inhumés à Saint-Denis. ○ *12 août* : sacre de Philippe III. ○ *Octobre* : Philippe III annexe le Poitou, l'Auvergne et le comté de Toulouse.

● Chine : voyage de Marco Polo (jusqu'en 1291) qui fournit des renseignements sur cet empire alors peu connu en Europe.

1272

● Angleterre : mort d'Henri III d'Angleterre et avènement d'Édouard Ier qui rend hommage au roi de France Philippe III (l'année suivante) et soumet le pays de Galles à sa couronne.

1273

● Empire germanique : élection de Rodolphe Ier de Habsbourg qui entre en lutte contre Ottokar II Premysl de Bohême (mort à Vienne en 1278) qui s'est emparé de territoires de l'Empire.

1274

● Veuf d'Isabelle d'Aragon (morte, enceinte de son cinquième enfant, d'une chute de cheval, lors du retour de la croisade), Philippe III, roi de France, se remarie avec Marie de Brabant. ○ Il achète le comté de Nemours et cède la moitié du Comtat venaissin au pape.

1279

● Chine : le dernier empereur Song se suicide ; la Chine est en plein essor intellectuel et artistique : apparition du roman populaire et du théâtre, invention de la poudre à canon. Médecine, acupuncture et pharmacie font de grands progrès ; traités de botanique et de zoologie.

1280

● Charles Ier d'Anjou, oncle du roi de France, revendique le trône de Sicile. La Castille et l'Aragon, qui s'y opposent, s'allient contre Philippe III, qui soutient son oncle.

1281

● Turquie : Othman 1er fonde un État unitaire avec les guerriers ottomans (jusqu'en 1326).

1282

● *31 mars* : lors des vêpres siciliennes, le lundi de Pâques, alors que les cloches des églises appellent aux vêpres, les Français sont massacrés par les Siciliens, avec l'appui de Pierre III d'Aragon. Le pape Martin IV jette contre lui l'anathème et le dépossède de toutes ses terres, qu'il donne, en compensation, au fils du roi de France, le futur Philippe le Bel. Charles d'Anjou conserve le royaume de Naples.

1284

● *Octobre* : le prince héritier Philippe (futur Philippe IV) épouse Jeanne de Navarre-Champagne tandis que Philippe III lance la croisade d'Aragon. Champagne et Navarre entrent dans le domaine royal.

1285

● *Mars* : Philippe III organise une expédition contre l'Aragon, afin de conquérir les territoires qui lui ont été octroyés par le pape. ○ *27 juin* : siège de Gérone ; l'armée française victime d'une épidémie de malaria. ○ *Septembre* : l'armée de Philippe III, lui aussi atteint de malaria, se replie. ○ *5 octobre* : mort de Philippe III à Perpignan ; avènement de Philippe IV le Bel, 17 ans, sacré le 6 janvier 1286. (règne marqué par une grande activité des *légistes*, surnom de ses conseillers, dont Pierre Flotte, Enguerrand de Marigny et Guillaume Nogaret, et la consultation des bourgeois, de la noblesse et du clergé pour les questions importantes ; il annexera Chartres, Lyon et la Bigorre au royaume).

1289

● *4 octobre*: naissance à Vincennes de Louis X le Hutin, futur roi.
● Les chrétiens perdent Tripoli, en Terre sainte.

1290

● France: première dévaluation de la monnaie.

1291

● France: traité de Tarascon avec le royaume d'Aragon. La Sicile est attribuée à l'Aragon et le royaume de Naples à la maison d'Anjou.
● Empire germanique: alliance perpétuelle des cantons d'Uri, Schwyz et Unterwald à l'origine de la Confédération helvétique.
● Royaume de Jérusalem: les chrétiens perdent Saint-Jean-d'Acre, leur dernier établissement en Palestine.

1292

● France: le roi Philippe le Bel saisit les biens des Lombards.

1293

● Naissance de Philippe VI de Valois, neveu de Philippe IV et futur roi.

1294

● *19 mai*: Philippe le Bel saisit le duché d'Aquitaine et entame un conflit avec l'Angleterre. ○ Naissance de Philippe V le Long, futur roi de France.
● Chine: mort de Qubilaï Khan et division de l'Empire mongol.
● Mort à Oxford (Angleterre) de Roger Bacon, 80 ans, théologien et philosophe partisan de la science expérimentale.

1295

● *4 octobre*: naissance de Charles IV le Bel, futur roi de France.
○ Philippe le Bel, face à une grave crise financière, prend plusieurs mesures: il prive les Templiers de la garde du trésor royal, transféré au Louvre; il fait frapper des pièces contenant moins d'or (d'où son surnom de *roi faux-monnayeur*); il taxe les biens de l'Église.

1296

● *17 août*: Philippe le Bel réagit contre une bulle papale qui interdit au roi de taxer le clergé sans son autorisation en interdisant les transferts de fonds financiers entre Rome et les évêchés de France.
● Édouard Ier d'Angleterre mène une coalition contre le roi de France; Philippe le Bel conquiert la Guyenne.

1297

● *Février*: le pape Boniface VIII accorde au roi Philippe le Bel le droit d'imposer le clergé en cas de nécessité. ❍ *11 août*: canonisation de saint Louis par Boniface VIII, qui essaie ainsi d'apaiser Philippe le Bel dans l'affaire des taxes du clergé. ❍ *Août*: bataille de Furnes; les troupes du comte de Flandre (qui sera fait prisonnier) sont mises en déroute par l'armée de Philippe le Bel. ❍ *9 octobre*: trêve de Vyve-Saint-Bavon mettant fin à la guerre entre Philippe le Bel opposé au roi d'Angleterre et au comte de Flandre, qui s'est rallié à ce dernier en raison du soutien apporté par le roi de France aux bourgeois flamands révoltés contre son autorité.

1298

● Empire germanique: Albert Ier d'Autriche ne parvient pas à annexer la Bohême.

1299

● *19 juin*: signature du traité de Montreuil-sur-Mer par Philippe le Bel et Édouard Ier d'Angleterre. La fille du roi de France, Isabelle, est fiancée au prince Édouard, futur roi d'Angleterre.

● Venise, battue par les Génois, signe un accord avec les Turcs.

1300

● Philippe le Bel annexe la Flandre à l'occasion d'un conflit avec Guy de Dampierre. Le nouveau siècle va voir le déclin des foires de Champagne qui ont rayonné sur tout l'Occident au XIIIe siècle.

1301

● L'évêque de Pamiers, Saisset, nommé par le pape contre le veto de Philippe le Bel est emprisonné par le roi et condamné pour haute trahison (avec les Anglais), hérésie et simonie: il a refusé de livrer des biens de l'Église à la couronne. Cet acte ravive le conflit avec le pape qui le 5 décembre rappelle la supériorité des juridictions ecclésiastiques.

❍ Par le traité de Bruges, Philippe le Bel annexe le Barrois.

1302

● France: effondrement du système monétaire (jusqu'en 1306).

❍ *10 avril*: réunion, à Paris, des premiers états généraux; Philippe le Bel obtient leur soutien dans sa lutte contre le pape, à propos de l'affaire de Saisset, évêque de Pamiers: il leur a présenté une bulle papale falsifiée. Le pape Boniface VIII ayant réaffirmé la supériorité de l'Église, Philippe le Bel, par la voix de Guillaume de Nogaret, accuse alors le pape des motifs les plus infamants : usurpation, simonie, sodomie… ❍ *18 mai* : lors des matines de Bruges, la Flandre se révolte et la population massacre les Français présents dans la ville. ❍ *11 juillet* : les Français, commandés par Robert II d'Artois, essuient face aux milices flamandes une défaite à Courtrai, dite des « éperons d'or » (Les Flamands suspendent au plafond de l'église les éperons des chevaliers tués ou prisonniers).

1303

● *20 mai* : la France, après la signature du traité de Paris, restitue la Guyenne à l'Angleterre.

● *7 novembre* : en Italie, à Anagni, sa ville natale où il s'est réfugié, le pape Boniface VIII est arrêté par les envoyés de Philippe le Bel conduits par Guillaume de Nogaret, puis délivré peu après par ses partisans. Fortement ébranlé par ces événements (un chevalier romain de la suite française qu'il avait ruiné l'a giflé), il meurt quelques jours plus tard. Cet épisode marque la fin de la puissance universelle de la papauté.

1304

● *18 août* : Philippe le Bel bat l'armée flamande à Mons-en-Pélève.

1305

● *5 juin* : élection du pape Clément V.

● *24 juin* : le comte de Flandre Robert II de Béthune signe à Athis-sur-Orge un traité qui fait perdre à la Flandre Béthune, Lille et Douai, annexées au royaume de France.

1306

● Philippe le Bel, en dévaluant une nouvelle fois la monnaie, provoque des émeutes. Il est contraint de se réfugier pendant deux jours, pour y échapper, dans le donjon du Temple, où les Templiers, milice papale, l'accueillent avec un minimum d'égards. ❍ *22 juillet* : France, confiscation des biens des Juifs qui sont expulsés hors du royaume.

1307

● *13 octobre* : Philippe le Bel s'attaque à l'ordre du Temple. Il confisque les biens des Templiers, les fait torturer afin d'obtenir des aveux qui justifieront leur condamnation pour hérésie par le pape, dont ils dépendent depuis la création de l'ordre.

1308

● Édouard II d'Angleterre épouse Isabelle de France, fille de Philippe le Bel.

● Empire germanique : assassinat d'Albert Ier empereur d'Autriche par son neveu Jean (le Parricide).

1309

● France : la monnaie est dévaluée une nouvelle fois.

● Désordres à Rome : le pape Clément V s'installe dans le domaine pontifical du Comtat venaissin. Cet exil met la papauté sous la dépendance du roi de France. Pendant soixante-treize ans, le siège de la papauté sera en Avignon, et les Italiens feront élire plusieurs antipapes.

1310

● *Mai* : les Templiers de France sont arrêtés et leurs biens saisis.

● L'ordre des Hospitaliers (chevaliers de Saint-Jean) s'installe à Rhodes.

1312

● *3 avril* : suppression de l'ordre du Temple par Clément V qui a annulé en 1311 toutes les décisions de Boniface VIII pouvant nuire au roi de France. ❍ *12 avril* : Lyon est annexée au domaine royal.

1314

● *18 mars* : supplice de Jacques de Molay, grand maître de l'ordre du Temple, qui de son bûcher maudit le pape, le roi et sa descendance. Selon sa prédiction, le pape et le roi mourront avant la fin de l'année, ce qui se vérifie. ❍ *Août* : annexion de la Flandre par Philippe le Bel. ❍ *29 novembre* : mort de Philippe le Bel, victime d'une attaque cérébrale lors d'une chasse. Avènement de Louis X le Hutin, 26 ans, déjà roi de Navarre depuis 1305. La Champagne (qui faisait partie de la dot de la reine mère) est définitivement rattachée à la couronne.

1315

● *24 août* : Louis X le Hutin est sacré à Reims roi de France. ❍ Les Juifs sont autorisés à revenir dans le royaume. ❍ *avril* : mort de la reine Marguerite de Bourgogne, coupable d'adultère, étranglée dans sa prison. Louis X épouse Clémence de Hongrie (19 août). ❍ Institution de la gabelle (impôt sur le sel). ❍ Profitant de l'instabilité caractérielle de Louis X (hutin veut dire querelleur), les nobles lui arrachent des privilèges. Enguerrand de Marigny, grand argentier de Philippe le Bel, est pendu à Montfaucon. ❍ Début d'une grave crise économique et d'une famine (jusqu'en 1317).

● Empire germanique : les Suisses triomphent de Léopold d'Autriche à Morgarten. Cette victoire est à l'origine de l'indépendance des cantons suisses opposés à l'Empire germanique et aux Habsbourg.

1316

● *5 juin* : mort de Louis X le Hutin, dont l'épouse est enceinte de cinq mois. Avènement de Philippe V le Long, 22 ans. D'abord nommé régent du royaume, en attendant la naissance, et l'adolescence, si c'est un garçon, de l'enfant à naître de Louis X. ❍ *15 novembre* : naissance de Jean Ier, fils posthume de Louis X le Hutin. ❍ *19 novembre* : mort de Jean Ier. Philippe V le Long peut régner. Il a écarté Jeanne, la fille de son frère Louis X et de Marguerite de Bourgogne en évoquant la "loi salique". C'est la première fois, dans l'histoire du royaume de France, qu'un roi meurt sans héritier mâle. Il fera confirmer sa décision par les états généraux, plusieurs barons ne voulant pas reconnaître cette transmission du pouvoir réservée aux hommes.

● *7 août* : le pape Jean XXII est élu en Avignon.

1317

● *9 janvier* : couronnement à Reims de Philippe V le Long, ainsi surnommé à cause de sa taille. Il rappelle les *légistes*, ces conseillers de son père écartés par son frère sous la pression des nobles.

1319

● *26 avril* : naissance dans la Sarthe du fils de Philippe VI de Valois, et futur roi de France, Jean II le Bon.

1320

● Croisade des pastoureaux. Des paysans errent sur les routes pour aller reconquérir Jérusalem, pillant, sur leur passage, le Berry, la Saintonge et l'Aquitaine. L'armée royale les extermine.

● Naissance, en Bretagne, de Bertrand Du Guesclin.

1321

● Mesures d'internement contre les lépreux, accusés d'empoisonner les fontaines.

1322

● *3 janvier*: Philippe V le Long, qui n'a que des filles, meurt d'une dysenterie. Avènement de Charles IV le Bel, 28 ans, dernier fils de Philippe le Bel, qui applique à son tour la loi salique. ❍ Il fait annuler son mariage avec Blanche de Bourgogne, qui a été condamnée pour adultère en 1314. ❍ Il demande au roi d'Angleterre de lui prêter hommage ; devant son refus, il annexe la Guyenne.

1323

● Soulèvement en Flandre. Jacques Van Artevelde (assassiné en 1345) prend le pouvoir ; la Flandre devient pro-anglaise.

1324

● La seconde femme de Charles IV le Bel, Marie de Luxembourg, meurt en couches. ❍ Charles IV le Bel annexe la Guyenne anglaise (un traité, en 1327, entérinera cette acquisition).

1325

● Charles IV le Bel épouse Jeanne d'Évreux, dont il aura deux filles.

● Amérique, Empire aztèque : fondation de Mexico-Tenochtitlan par la tribu des Mexica (Aztèques).

1327

● Angleterre : avènement d'Édouard III qui divise le Parlement en Chambre haute et Chambre basse ; les comtés seront dirigés par des shérifs (juges de paix) ; l'anglais est décrété langue nationale.

1328

● *31 janvier*: mort de Charles IV le Bel. Son épouse est enceinte. La régence est confiée à Philippe de Valois, neveu de Philippe le Bel.

❍ *1er avril*: naissance de l'enfant posthume de Charles IV le Bel : c'est une fille. La lignée des Capétiens directs, conformément à la loi salique, s'arrête, et la prédiction de Jacques de Molay, grand maître supplicié du Temple, se vérifie. Trois prétendants peuvent obtenir le trône de France : Philippe de Valois, fils du frère cadet de Philippe le Bel, et cousin des trois derniers rois ; Édouard III, roi d'Angleterre, fils d'Isabelle, fille de Philippe le Bel. Il est le neveu des trois derniers rois, mais, selon une autre interprétation de la loi salique, ne peut revendiquer un trône auquel sa mère n'aurait pas eu droit ; Philippe d'Évreux, roi de Navarre, fils d'un demi-frère de Philippe le Bel et gendre de

Louis X le Hutin, dont il a épousé la fille aînée, Jeanne.
❍ *8 avril*: les barons du royaume, réunis au château de Vincennes, choisissent pour roi de France Philippe VI de Valois, 35 ans, bon chevalier, et qui vient de réussir à assurer une régence difficile. ❍ *29 mai*: couronnement à Reims de Philippe VI de Valois (la dynastie des Valois durera jusqu'en 1498). ❍ *24 août*: bataille de Cassel, où le roi de France met en déroute les Flamands révoltés. ❍ Recensement en France des paroisses et des feux (foyers); nouvelle crise monétaire.

1330

● Roger de Mortimer, gentilhomme anglais, amant de la reine mère Isabelle et soupçonné du meurtre du précédent roi d'Angleterre, est pendu sur ordre d'Édouard III d'Angleterre, qui écarte sa mère de la cour.

1332

● Naissance de Charles le Mauvais, fils de Jeanne de Navarre, qui sera un perpétuel prétendant au trône de France.
● Robert III d'Artois ne parvenant pas à faire reconnaître ses droits (il a été spolié de son comté par sa tante Mahaut, belle-mère du défunt Philippe le Long) passe dans le camp anglais.

1334

● *Décembre*: mort du pape Jean XXII; élection de Benoît XII (Avignon).

1336

● Empire mongol: naissance de Temur-Leng (Tamerlan).

1337

● *24 mai*: Philippe VI, roi de France, confisque, en représailles, le duché de Guyenne au roi d'Angleterre, ce dernier s'étant allié aux Flamands. ❍ *7 octobre*: Édouard III d'Angleterre revendique officiellement la couronne de France car il est le petit-fils de Philippe IV le Bel par sa mère Isabelle, et c'est le début de la guerre de Cent ans.

1338

● *21 janvier*: naissance de Charles V le Sage.
● Révolte des drapiers flamands contre la France, asphyxiés économiquement par l'interdiction d'importer des laines d'Angleterre.

1339

● Édouard III, allié aux Flamands, débarque en France avec ses troupes et assiège Cambrai.

1340

● *24 juin* : victoire d'Édouard III sur la flotte française en Flandre, lors de la bataille de l'Écluse. ○ *25 septembre* : une trêve est signée entre Français et Anglais à Esplechin-sur-Escaut.

● Danemark : règne de Waldemar IV Atterdag (jusqu'en 1375), qui reconstitue le royaume et vend l'Estonie aux chevaliers Teutoniques (1346).

1341

● Mort de Jean III de Bretagne, et guerre de succession (jusqu'en 1365) entre Jean de Montfort, soutenu par les Anglais, et l'épouse de Charles de Blois, soutenue par les Français.

● France : l'impôt de la gabelle est étendu à tout le royaume.

1342

● *Avril/mai* : mort du pape Benoît XII ; élection de Clément VI (Avignon).

1343

● *Août* : le roi Philippe VI réunit les états généraux à Paris afin de pouvoir lever des impôts supplémentaires.

1345

● Les Anglais rompent la trêve en attaquant des villes d'Aquitaine.

1346

● *26 août* : désastre de Crécy pour l'armée française. L'artillerie (anglaise) fait son apparition sur les champs de bataille. ○ Siège de Calais (11 mois). ○ *Septembre* : trêve générale signée entre Philippe VI et Édouard III d'Angleterre pour un an (renouvelée jusqu'en 1351).

1347

● *Mai* : victoire anglaise en Bretagne. ○ *4 août* : reddition de Calais.

● Empire germanique : Charles IV de Luxembourg empereur. Il fonde la première université de l'Empire, à Prague. Annexion de la Silésie.

1348

● Épidémie de peste noire en Europe.

● *9 juin* : le pape Clément V achète Avignon à Jeanne de Naples.

1349

● *30 mars*: le Dauphiné est cédé à la couronne de France. Charles V devient le premier dauphin royal. ❍ La couronne achète aussi Montpellier au roi de Majorque (avril), malgré une mauvaise situation financière. ❍ Nombreuses famines: les paysans, victimes de la *peste noire*, n'ont pu préparer les récoltes.

1350

22 août: mort du roi de France Philippe VI de Valois et avènement de son fils Jean II le Bon qui est sacré le 26 septembre.

1352

● *Décembre*: mort du pape Clément VI; élection d'Innocent VI (Avignon).

1353

● Charles le Mauvais, roi de Navarre, épouse Jeanne, fille du roi de France Jean II le Bon.

● Venise est battue par Gènes à la bataille du Bosphore.

● Le roi d'Angleterre restreint dans son royaume l'autorité papale.

1354

● *5 avril*: Jean II le Bon emprisonne Charles le Mauvais, roi de Navarre, qui vient d'épouser sa fille, et doit, en dot, recevoir le comté d'Angoulême, que Jean le Bon octroie finalement à son conseiller favori. Furieux, Charles le Mauvais le fait tuer !

1355

● *Octobre*: menés par le Prince Noir Édouard, fils d'Édouard III d'Angleterre, les Anglais reprennent la guerre contre la France dans le sud-ouest et dans l'ouest ravagent tout sur leur passage.

1356

● *13 septembre*: bataille de Poitiers (Maupertuis). Ce jour-là fut “morte toute la fleur de la chevalerie française”. Jean le Bon, capturé par le Prince Noir, est prisonnier d'Édouard III pendant quatre ans. Début de la régence du dauphin (futur Charles V) qui réunit les états généraux du 17 octobre au 4 décembre, lesquels tentent d'imposer au dauphin une monarchie parlementaire.

● Empire germanique: la Bulle d'or fixe le mode des élections impériales organisées par le Collège des princes électeurs (archevêques de Trèves, Cologne et Mayence, le comte Palatin du Rhin, le duc de Saxe-

Wittemberg, le marquis de Brandebourg et le roi de Bohême).
● Les Turcs conquièrent la Thrace et s'installent sur le sol européen.

1357

● *3 février*: nouvelle réunion des états généraux. Le dauphin doit renvoyer ses conseillers, sous la pression d'Étienne Marcel, prévôt de Paris. La province refuse de payer les impôts qui ont été votés. ○ Évasion de Charles le Mauvais. ○ *3 mars*: à Bordeaux, signature d'une trêve entre Français et Anglais. ○ Premiers méfaits des routiers (mercenaires) dans le sud de la France.
● Deux inquisiteurs sont assassinés par les vaudois de Provence.

1358

● *22 janvier*: révolte à Paris d'Étienne Marcel. Deux maréchaux conseillers du dauphin sont assassinés sous ses yeux. Il parvient à s'enfuir par la Seine, caché dans une barque. ○ *Mai/juillet*: grande jacquerie, et sa répression. ○ *31 juillet*: assassinat par les Parisiens d'Étienne Marcel parce qu'il voulait faire entrer dans Paris les troupes navarraises et anglaises. ○ *2 août*: le dauphin Charles revient à Paris.

1359

● Signature à Londres d'un traité qui cède à l'Angleterre la moitié de la France et verse une énorme rançon en échange de la libération du roi Jean II le Bon. Les états généraux repoussent cet accord et la guerre reprend aussitôt. Édouard III d'Angleterre, manquant d'appuis en France, n'ose pas venir se faire sacrer à Reims.
● Turquie: création du corps des janissaires, composé d'enfants chrétiens enlevés au cours des guerres et des pèlerinages.

1360

● *8 mai*: par le traité de Brétigny, Édouard III renonce à la couronne de France et reçoit en échange la Guyenne (agrandie des Limousin et Quercy), le Poitou, la Gascogne et Calais sans avoir à prêter hommage au roi de France. ○ *5 décembre*: création d'une nouvelle monnaie, le franc.
● Second Empire mongol sous Timour (Tamerlan) qui impose son hégémonie jusqu'à la Volga.
● Russie: hégémonie des princes de Moscou sur le territoire russe.

1361

● Des bandes de routiers saccagent le Midi de la France.

● La dynastie de Bourgogne s'étant éteinte et le fief étant revenu à la France, Jean II le Bon donne à son fils Philippe II le Hardi le duché de Bourgogne, en récompense de sa conduite héroïque pendant la bataille de Poitiers ("Père, gardez-vous à droite..."); ses successeurs, notamment Jean sans Peur et Charles le Téméraire, s'opposeront au roi de France et mettront sa couronne en péril.

1362

● La France est ravagée par les Grandes Compagnies. ○ Jean II le Bon, rentré en France, cherche comment payer sa rançon. Il marie sa fille à un membre de la famille Visconti, riches banquiers italiens.

1364

● *Janvier*: parce qu'un des otages pris en garantie pour sa libération s'est évadé, le roi Jean le Bon se constitue prisonnier à Londres (où l'attend une duchesse qui lui est chère), laissant à nouveau la régence à son fils Charles. ○ *8 avril*: mort du roi de France Jean II le Bon à Londres et avènement de son fils Charles V le Sage, sacré le *19 mai*.

● À la mort de Charles de Blois, battu et tué à la bataille d'Auray par Jean de Montfort, Bertrand Du Guesclin passe au service du roi de France, et bat les troupes de Charles le Mauvais à Cocherel (16 mai).

1365

● Les Grandes Compagnies partent avec Du Guesclin combattre en Espagne. ○ Charles V le Sage met sur pied une armée régulière permanente, et entreprend de réorganiser les finances du trésor royal.

● Traité de Guérande, et fin de la guerre de succession de Bretagne.

1367

● Fait prisonnier à Najera (Espagne) par le Prince Noir, Du Guesclin est libéré contre rançon.

1368

● *3 décembre*: naissance à Paris de Charles VI.

● Chine: Hong-wou fonde la dynastie des Ming qui durera jusqu'en 1644. Capitale Nankin. Unification de la Chine.

1369

● *13 juin*. France. Philippe II le Hardi, duc de Bourgogne et frère du roi Charles V, épouse l'héritière de Flandre, Marguerite de Maële, qui apporte en dot la Flandre, l'Artois et la Franche-Comté. ❍ *Juin*: reprise de la guerre franco-anglaise ; la France reprend aux Anglais le Quercy, le Périgord et le Rouergue. ❍ *30 novembre* : le roi Charles V confisque l'Aquitaine aux Anglais. Pendant son règne, Charles V agrandit le Louvre qu'il rend habitable pour la famille royale et la Cour, ainsi que le château de Vincennes et la Bastille.

1370

● *Juillet/décembre* : les Anglais dévastent le nord de la France.
❍ *Octobre* : Du Guesclin connétable de France. ❍ *Décembre* : victoire de Du Guesclin sur les Anglais (Le Mans).
● Angleterre : fin de la suzeraineté anglaise sur l'Écosse ; la maison des Stuart entre en guerre contre l'Angleterre.
● *19 décembre* : mort du pape Urbain V ; élection de Grégoire XI.

1372

19 juillet : alliance du duc de Bretagne et d'Édouard III d'Angleterre.
● Du Guesclin reprend le Limousin, l'Aunis, le Poitou et la Saintonge.

1373

● France : épidémie de peste et disette.
● Empire germanique : le Brandebourg et la Basse-Lusace sont annexés à la Bohême qui accroît sa puissance économique avec des ressources agricoles et minières.

1375

● *1er juillet* : nouvelle trêve signée à Bruges entre la France et l'Angleterre, qui ne possède plus en France que Calais et la Guyenne.

1376

● *8 juin* : en Angleterre, mort du Prince Noir.

1377

● *21 juin* : mort du roi d'Angleterre Édouard III et avènement de Richard II qui reprend les hostilités contre la France.
● *17 janvier* : le pape Grégoire XI décide de quitter Avignon et de faire à nouveau de Rome la capitale de la papauté.

1378

● *18 décembre* : Charles V retire le duché de Bretagne au duc Jean IV, allié des Anglais.
● *27 mars* : mort du pape Grégoire XI ; élection (avril/septembre) d'un pape à Rome, Benoît XIII, et de l'autre en Avignon, Clément VII. C'est le début d'un schisme qui divise la chrétienté. La France, la Castille et l'Écosse soutiennent le pape d'Avignon tandis que l'Allemagne et l'Italie sont pour le pape de Rome.

1379

● *13 juillet* : mort de Du Guesclin devenu un héros national. ❍ *3 août* : les Anglais et le duc de Bretagne Jean IV débarquent en France.

1380

● *16 septembre* : mort de Charles V. Son fils Charles VI, 12 ans, lui succède ; tutelle de ses oncles, les ducs d'Orléans, de Berry, d'Anjou et de Bourgogne. ❍ *16 novembre* : tous les impôts directs sont abolis.
● Russie : bataille de Koulikovo gagnée par Dimitri IV, prince de Moscou, sur les Tartares.

1381

● *4 avril* : signature du second traité de Guérande, rétablissant dans son duché Jean IV, du duc de Bretagne.

1382

● Révolte à Paris des maillotins (et tuchins en Languedoc) contre le rétablissement, par les oncles du roi, de taxes supprimées.
❍ *27 novembre* : victoire à Roosebeke des troupes de Philippe II le Hardi, duc de Bourgogne et régent du royaume de France, sur les Flamands révoltés contre son beau-père.

1383

● *Janvier* : le roi de France supprime les libertés municipales de Paris.

1384

● Philippe II de Bourgogne, oncle et régent de Charles VI, hérite du comté de Flandre à la mort de son beau-père. ❍ *14 septembre* : signature d'une trêve entre la France et l'Angleterre à Leulinghem.

1385

● *17 juillet* : mariage de Charles VI et d'Isabeau de Bavière.

1386

● Les Suisses remportent une écrasante victoire sur Léopold d'Autriche (qui y trouve la mort) à Sempach. Cette bataille, puis celle de Naefels (1389) entraînera la reconnaissance de l'indépendance de la confédération des cantons suisses.

1387

● Mort de Charles le Mauvais, roi de Navarre, éternel comploteur contre le trône de France qu'il n'a cessé de revendiquer.

1388

● *3 novembre* : Charles VI, roi de France ayant atteint sa majorité, renvoie ses oncles et entame un règne personnel conseillé par les anciens ministres de son père, les "Marmousets".

1389

● Mariage de Louis, duc d'Orléans, frère du roi de France, avec Valentine Visconti, héritière du Milanais. La revendication du Milanais sera la cause des guerres d'Italie, sous la Renaissance. ○ *18 juin* : signature d'une nouvelle trêve entre Charles VI et Richard II d'Angleterre.

● Balkans : victoire des Turcs sur les Slaves. La Bulgarie devient une province turque tandis que la Serbie doit payer un tribut à la Turquie.

1392

● *Août* : première crise de folie, dans la forêt du Mans, de Charles VI. Le gouvernement est assuré par le frère du roi, Louis, duc d'Orléans, et ses oncles, qui écartent les "Marmousets". L'opposition entre Louis d'Orléans et son oncle Philippe II le Hardi, duc de Bourgogne, va mener à la guerre civile entre armagnacs (partisans du duc d'Orléans) et bourguignons (partisans de leur duc).

1393

● *28 janvier* : lors du bal des Ardents, des courtisans déguisés en "sauvages" (la reine Isabeau apprécie les fêtes à la cour), meurent brûlés vifs après que le feu eut pris accidentellement à leurs costumes enduits de poix. La folie de Charles VI, qui a failli être brûlé lui aussi, s'en trouve aggravée.

1396

● Naissance de Philippe III le Bon, duc de Bourgogne à la mort de son père Jean sans Peur. ❍ *27 octobre* : Charles VI et le roi Richard II d'Angleterre signent une trêve de vingt-huit ans scellée par le mariage d'Isabelle, fille de Charles VI, avec Richard II (trêve confirmée en 1400 et 1403).

● Victoire turque (Nicopolis) sur la croisade de Sigismond roi de Hongrie.

1397

● Par l'Union de Kalmar, les trois royaumes nordiques (Danemark, Suède et Norvège) s'unissent sous une unique couronne. Cette union se maintiendra jusqu'en 1814 pour le Danemark et la Norvège.

1399

● *30 septembre* : en raison de ses abus de pouvoirs répétés, Richard II d'Angleterre est renversé par Henri de Lancastre qui règne dès lors sous le nom d'Henri IV d'Angleterre. C'est le début de la dynastie des Lancastre, une branche cadette des Plantagenêt.

1400

● Angleterre : mort de l'ancien roi Richard II en prison.

● Venceslas roi de Bohême élu empereur germanique.

1402

● Tamerlan, le khan des Mongols, bat le sultan Bayézid (Bajazet) et le fait prisonnier ; il règne sur l'Indus, la Perse et la Syrie. Après la mort de Tamerlan (1405), les Ottomans reprennent leurs territoires.

1403

● *22 février* : naissance à Paris de Charles VII.

1404

● *Janvier* : la France reprend la guerre contre l'Angleterre et va subir plusieurs défaites (1405 et 1406). ● *27 avril* : Jean sans Peur (sa guerre contre les Turcs, en 1396, lui a valu son surnom) devient duc de Bourgogne à la mort de son père Philippe II le Hardi, et s'oppose, comme lui, à Louis d'Orléans, devenu seul régent.

1406

● L'Église de France revendique le rétablissement de ses anciennes libertés (ordonnances royales de 1407).

1407

● *23 novembre* : assassinat du duc Louis d'Orléans, sur l'ordre de Jean sans Peur, duc de Bourgogne. La liaison entre Louis d'Orléans et la reine Isabeau de Bavière était de notoriété publique. Conflit sanglant entre armagnacs et bourguignons. ○ *10 novembre* : la reine Isabeau de Bavière accouche d'un fils nommé Philippe, qui meurt peu de temps après sa naissance.

1409

● *9 mars* : paix de Chartres entre les armagnacs et les bourguignons.

● La couronne de Sicile réunie à celle d'Aragon.

● Concile de Pise ; déposition des deux papes rivaux et élection d'Alexandre V qui amène la présence simultanée de trois papes.

● Chine : transfert de la capitale à Pékin.

1410

● Empire germanique : Sigismond, frère de Venceslas, devient empereur germanique et oriente sa politique vers l'est. Grande victoire des armées polonaises sur les chevaliers Teutoniques à Tannenberg.

● Prague : révolte du théologien Jan Huss contre le catholicisme (excommunié une première fois en 1411).

● Victoire des Turcs à Kossovo.

1412

● *6 janvier* : naissance probable de Jeanne à Domrémy, village de Lorraine ; fille de Jacques d'Arc et d'Isabelle Romée. Domrémy, près de Neufchâteau, est situé dans le duché de Bar, contrôlé par les bourguignons, ○ *18 mai* : signature d'un traité d'alliance entre Henri IV d'Angleterre et les Armagnacs. ○ *22 août* : paix d'Auxerre entre armagnacs et bourguignons.

1413

● *30 janvier/14 février* : les états généraux sont réunis à Paris.

○ Insurrection à Paris des cabochiens, soutenus par Jean sans Peur et les bourguignons. ○ *28 juillet* : nouvelle paix conclue à Pontoise entre les bourguignons et les armagnacs, qui cependant chassent les bourguignons de Paris peu après.

● *Mars* : mort de Henri IV d'Angleterre, et avènement d'Henri V, qui exige à nouveau la couronne de France.

1414

● L'empereur germanique Sigismond prend l'initiative de convoquer le concile de Constance afin de rétablir l'unité de l'Église. Jean XXIII est destitué, Grégoire XII abdique et Benoît XIII est abandonné par ses partisans de Castille et d'Aragon. Au même concile, le théologien réformiste Jan Huss est condamné à être brûlé.

1415

● *23 février*: signature de la paix d'Arras entre les armagnacs et les bourguignons. ○ Le roi d'Angleterre Henri V débarque à Honfleur. ○ *22 septembre*: défaite française à Harfleur. ○ *25 octobre*: la chevalerie française est écrasée à Azincourt.

1417

● *1er août*: en France, Henri V d'Angleterre commence la conquête de la Normandie (jusqu'en 1419).

● *11 novembre*: l'élection du pape Martin V met un terme au schisme de l'Église chrétienne d'Occident.

1418

● *29 mai*: les bourguignons, alliés aux Anglais, devenus maîtres de Paris massacrent les armagnacs. ○ Le dauphin Charles dont la mère, Isabeau de Bavière, s'est ralliée aux bourguignons, s'enfuit à Bourges et se proclame régent le 26 décembre; il installe à Poitiers son gouvernement. ○ Siège et capitulation de Rouen, qui devient anglaise.

1419

● *11 juillet*: signature d'un accord entre le dauphin Charles et Jean sans Peur, duc de Bourgogne, à Pouilly-le-Fort. ○ *10 septembre*: assassinat, à Montereau, de Jean sans Peur par des partisans du dauphin Charles VII; son fils Philippe III le Bon lui succède. ○ *2 décembre*: alliance entre le roi d'Angleterre et le duc de Bourgogne.

1420

● *21 mai*: Philippe le Bon, fils de Jean sans Peur, nouveau chef des bourguignons, et Isabeau de Bavière signent le traité de Troyes; Henri V, roi d'Angleterre, épouse Catherine de Valois, fille de Charles VI et d'Isabeau, et est reconnu héritier du trône de France. Le dauphin Charles est "banni du royaume".

1421

● *22 mars*: première victoire du dauphin Charles sur les Anglais à Baugé. ○ Naissance de Henri VI, fils de Henri V d'Angleterre et de Catherine de France (fille de Charles VI et d'Isabeau de Bavière).

1422

● *31 août*: mort de Henri V d'Angleterre, 36 ans, à Vincennes. Henri VI est proclamé roi de France et d'Angleterre (il sera assassiné par son rival Édouard IV en 1471); le duc de Bedford, oncle du jeune roi, est nommé régent. ○ *21 octobre*: mort du roi de France Charles VI, à 54 ans. Charles VII, 19 ans, se proclame roi de France à Mehun-sur-Yèvre. Reconnu par les régions du Centre, de l'Est et du Midi, il est surnommé ironiquement par ses adversaires le "roi de Bourges". Il a épousé, cette même année, Marie d'Anjou, fille de Yolande d'Aragon, chez laquelle il s'est réfugié.

● L'empereur d'Orient, assiégé par les Turcs à Constantinople, demande en vain le secours du pape.

1423

● *3 juillet*: naissance, à Bourges, où Charles VII s'est installé, de son fils aîné, le futur Louis XI. ○ *30 juillet*: les troupes anglo-bourguignonnes battent Charles VII à Cravant (Yonne).

1424

● *17 août*: défaite devant les Anglais de Charles VII à Verneuil.

1425

● Fondation de l'université de Louvain.

1428

● *Octobre*: siège d'Orléans par les Anglo-Bourguignons.

● Amérique du Sud: Itzacoatl, souverain aztèque, fonde une confédération comprenant Mexico, Texcoco et Tlacopan.

1429

● *Mars*: Jeanne d'Arc rencontre Charles VII à Chinon. ○ *8 mai*: Jeanne d'Arc lève le siège d'Orléans puis remporte la victoire sur les Anglais à Patay le 18 juin. ○ *17 juillet*: Charles VII est sacré roi de France à Reims. ○ *8 septembre*: défaite de Jeanne d'Arc devant Paris et la Charité sur Loire. Charles VII démobilise l'armée royale. Jeanne continue la guerre avec des troupes réduites. ○ *24 décembre*: Charles VII ennoblit la famille d'Arc et exempte d'impôts son village.

1430

● *24 mai* : victorieuse à Compiègne de Philippe le Bon, duc de Bourgogne, qui assiège la ville pour venger l'assassinat de son père Jean sans Peur, Jeanne d'Arc est faite prisonnière par les bourguignons.
❍ *21 novembre* : Jeanne d'Arc est livrée pour 10 000 livres aux Anglais qui l'emmènent à Rouen où elle arrive le 20 décembre.

1431

● *21 février* : ouverture à Rouen du procès de Jeanne d'Arc, dirigé par l'évêque Pierre Cauchon. ❍ *30 mai* : Jeanne d'Arc, condamnée comme hérétique, est brûlée vive à Rouen à l'issue d'un procès inique.
● *16 décembre* : sacre à Notre-Dame de Paris de Henri VI d'Angleterre, 10 ans. ❍ *Décembre* : signature d'une trêve de six ans entre Charles VII et Philippe le Bon, duc de Bourgogne.

1432

● Le duc de Bretagne abandonne le parti anglais et se rallie à Charles VII.

1435

● *21 septembre* : paix d'Arras signée entre Charles VII et Philippe le Bon, duc de Bourgogne, qui abandonne son alliance avec l'Angleterre et reçoit en contrepartie la Picardie, le Boulonnais, Auxerre et le Mâconnais. ❍ Mort, dans l'oubli, d'Isabeau de Bavière à Paris.

1436

● Les Parisiens chassent la garnison anglaise.
● Mariage (imposé par Charles VII) du dauphin Louis avec la princesse écossaise Marguerite Stuart.

1437

● *12 novembre* : Charles VII refait de Paris sa capitale.

1438

● *7 juillet* : la Pragmatique Sanction de Bourges est promulguée par le roi Charles VII afin de limiter le pouvoir de la papauté. Cette ordonnance est la première affirmation du gallicanisme.
● Empire germanique : Albert II d'Autriche, gendre de Sigismond, hérite du trône. Cet avènement consacre la puissance des Habsbourg (qui se maintiendront sur le trône d'Allemagne jusqu'en 1806).
● Tentative d'unité au concile de Florence, entre les Églises d'Orient et d'Occident.

1439

● Jacques Cœur est nommé grand argentier du roi de France, puis conseiller en 1442 ; il établit le principe des impôts permanents.

❍ Anciens mercenaires, les “écorcheurs” ravagent les provinces.

❍ Début de la “Praguerie” : les nobles cherchent à renverser Charles VII et mettent à la tête de leur révolte le dauphin Louis XI.

1440

● *Février à juillet* : les princes se révoltent (Praguerie) contre l’autorité royale. Le traité de Cusset rétablit le calme et Charles VII se réconcilie avec son fils Louis, futur roi Louis XI.

● *26 octobre* : exécution de Gilles de Rais, maréchal de France, compagnon d’armes de Jeanne d’Arc, seigneur vendéen, accusé d’avoir sacrifié des enfants. Le duc de Bretagne s’empare de ses terres.

● Avènement de l’empereur d’Allemagne Frédéric III. Son règne marque l’affaiblissement de l’Empire à l’intérieur et à l’extérieur (perte du Schleswig-Holstein). ● Vassal de la Castille, le comté du Portugal devient un royaume avec Lisbonne pour capitale.

1441

● *Septembre* : Charles VII libère l’Île-de-France des Anglais.

1444

● *28 mai* : signature d’une trêve d’une durée de cinq ans, à Tours, entre la France et l’Angleterre. Les Anglais ne contrôlent plus que la Normandie et la Guyenne. Charles VII occupe la Lorraine.

1445

● Charles VII réorganise l’armée royale, et y intègre les écorcheurs.

1447

● Exil du dauphin Louis à Grenoble.

● Tibet : désignation du premier dalaï-lama.

1448

● *16 mars* : Le Mans repris aux Anglais.

1449

● Trêve franco-anglaise rompue ; *29 octobre* : Rouen reprise aux Anglais.

1450

● *15 avril*: nouvelle victoire française sur les Anglais à Formigny.
● *Juillet-août*: Caen et de Cherbourg reprises aux Anglais. ❍ Ouverture du procès en réhabilitation de Jeanne d'Arc.
● Découverte de l'imprimerie par Jean Gensfleisch de Gutenberg, à Mayence.

1451

● *9 mars*: le dauphin Louis épouse Charlotte de Savoie. ❍ Procès de Jacques Cœur, argentier de Charles VII et banquier des grands du royaume. Grâce à lui, Charles VII a pu reconquérir son royaume. Emprisonné pour malversations, ses biens sont confisqués. ❍ *30 juin*: succès militaires contre les Anglais en Guyenne et Gascogne.

1452

● Dernier couronnement impérial par le pape.

1453

● *29 mai*: Jacques Cœur est condamné à mort; sa peine est commuée en emprisonnement à vie par Charles VII. Jacques Cœur s'étant enfui, il se met au service du pape. ❍ *17 juillet*: victoire française sur les Anglais à Castillon-la-Bataille. ❍ *19 octobre*: capitulation de Bordeaux. La Guyenne revient à la France. Les Anglais ne possèdent plus que Calais sur l'ensemble du territoire français.
● Prise de Constantinople par le sultan Mahomet II malgré la résistance de Constantin XI, dernier empereur de l'empire d'Orient. Les Turcs occupent les Balkans, l'Asie Mineure, la Syrie et l'Égypte.

1455

● Gutenberg imprime une Bible à plusieurs milliers d'exemplaires.

1456

● *Août*: le dauphin Louis, chassé du Dauphiné (qui sera intégré au domaine royal) par les troupes de son père Charles VII se réfugie aux Pays-Bas auprès du duc de Bourgogne.
● *25 novembre*: mort, dans l'île de Chio (Grèce) de Jacques Cœur (né en 1395) à la tête d'une expédition contre les Turcs.
● Belgrade: Jean Hunyadi résiste aux assauts des Turcs de Mehmet II.

1459

● Angleterre : début de la guerre civile dite des Deux-Roses en Angleterre (jusqu'en 1485) entre les partis de la rose rouge (Lancastre) et de la rose blanche (York).

1460

● Création de la première Bourse internationale du commerce à Anvers.
● Le roi Christian Ier de Danemark annexe le Slesvig et le Holstein.

1461

● *22 juillet* : mort du roi de France Charles VII, à 58 ans, amoindri par un ramollissement cérébral, et avènement de son fils Louis XI (38 ans), sacré le 15 août. ❍ *27 novembre* : la Pragmatique Sanction de Bourges est abrogée par le roi Louis XI.
● Angleterre : Édouard VI détrône Henri VI et met fin à la dynastie de la famille des Lancastre.

1462

● *9 mai* : signature à Bayonne d'un traité entre Louis XI et Jean II d'Aragon : l'Aragon cède à la France la Cerdagne et le Roussillon.
❍ *27 juin* : naissance, à Blois, de Louis, fils de Charles d'Orléans (futur Louis XII). ❍ Naissance d'Anne de Beaujeu, fille de Louis XI et de Marguerite de Savoie.
● Russie : Ivan III le Grand conquiert la république de Novgorod et met un terme à la domination mongole.

1463

● Louis XI rachète les villes de la Somme au duc de Bourgogne et annexe le Roussillon.

1465

● *Mars* : les princes se révoltent contre Louis XI : c'est la "Ligue du Bien public". ❍ Vainqueur à Montlhéry au mois de *juillet,* Louis XI cède la Normandie à son frère Charles de Berry. ❍ *Octobre* : signature à Saint-Maur d'un traité par lequel Louis XI restitue les villes de la Somme à Charles le Téméraire.

1466

● Louis XI récupère la Normandie, cédée au duc de Berry (et la fera déclarer partie inaliénable du royaume par les états généraux de 1468).

● Pays-Bas : Charles le Téméraire détruit Dinant.
● Empire germanique : après treize ans de guerre, les chevaliers Teutoniques reconnaissent la suzeraineté polonaise sur la Prusse.

1467

● *15 juin* : mort de Philippe le Bon, duc de Bourgogne, père de Charles le Téméraire.

1468

● *30 juin* : naissance, à Amboise, de Charles VIII, fils de Louis XI et de Charlotte de Savoie. ❍ *Juillet* : signature d'une alliance entre l'Angleterre et la Bourgogne. ❍ *10 septembre* : paix d'Ancenis entre Louis XI et le duc François II de Bretagne. ❍ *14 octobre* : Louis XI prisonnier de Charles le Téméraire à Péronne. Il l'oblige à signer un traité par lequel il cède la Champagne à son frère. ❍ Charles le Téméraire détruit Liège que Louis XI a poussée à la révolte.

1469

● Bourgogne : Charles le Téméraire achète la Haute-Alsace au duc d'Autriche Sigismond de Habsbourg.
● Espagne : Ferdinand II le Catholique, roi d'Aragon, épouse Isabelle de Castille, mariage qui contribue à l'unification de l'Espagne.

1470

● *Novembre* : les états généraux de Tours annulent les accords signés sous la contrainte à Péronne par le roi. Celui-ci occupe la Picardie pour reprendre à Charles le Téméraire les villes dont il s'est emparé.

1471

● Les princes se coalisent de nouveau contre Louis XI.
● Angleterre : Henri VI est assassiné dans sa prison de la tour de Londres.

1472

● *Mai* : mort du duc de Berry, frère de Louis XI. La ligue perd son meneur. Le seul adversaire de Louis XI reste Charles le Téméraire, qui tente, en vain, de s'emparer de Beauvais, dont la résistance est symbolisée par celle de Jeanne Hachette (juin/juillet).

1474

● Les troupes bourguignonnes sont chassées d'Alsace.

1475

● *28 août*: traité de Picquigny. La guerre de Cent Ans est achevée: 138 ans d'hostilités, dont 26 de guerres effectives. Édouard IV, roi d'Angleterre, reçoit une importante rançon et renonce aux territoires français. ❍ Naissance, en Dauphiné, du chevalier Bayard.

● *17 novembre*: Charles le Téméraire prend Nancy le 17 novembre et conquiert la Lorraine aux dépens du duc René II, allié à Louis XI.

1476

● Mariage de Louis d'Orléans, futur Louis XII, avec Jeanne de France, fille de Louis XI.

● *26 janvier*: naissance, à Nantes, d'Anne de Bretagne.

● *2 mars*: les Suisses, qui avec les Alsaciens et les Autrichiens se sont soulevés, battent Charles le Téméraire à Granson. ❍ *22 juin*: nouvelle défaite de Charles le Téméraire à Morat.

1477

● *5 janvier*: mort de Charles le Téméraire pendant une bataille devant Nancy. ❍ Louis XI occupe le duché de Bourgogne, la Franche-Comté, la Picardie et l'Artois.

● Mariage entre Marie de Bourgogne, fille de Charles le Téméraire, et Maximilien d'Autriche, fils de l'empereur Frédéric III.

● Suède: fondation de l'université d'Upsal

1479

● *Août*: défaite de Louis XI devant l'archiduc Maximilien (époux de Marie de Bourgogne, fille de Charles le Téméraire) à Guinegatte.

1480

● Les comtés d'Anjou et du Maine sont réunis au domaine de France, puis la Provence à la mort du roi René.

● Épidémie de peste sur le royaume de France.

1481

● Espagne: institution de l'Inquisition en Espagne.

1482

● Mort à Bruges de Marie de Bourgogne à la suite d'une chute de cheval. ❍ *23 décembre*: traité d'Arras entre Louis XI et Maximilien d'Autriche; le duché de Bourgogne et les villes de la Somme restent à la

France. Les possessions de la maison de Bourgogne (Flandre, Hollande, Luxembourg) deviennent propriétés de la maison de Habsbourg.

1483

● *30 août*: mort du roi Louis XI d'une congestion cérébrale, et avènement de son fils Charles VIII, sacré le 29 mai 1484. Âgé de 14 ans, Charles VIII règne d'abord sous la régence d'Anne de France, épouse de Pierre de Beaujeu.

● Angleterre: Richard III est battu puis tué par Henri Tudor, époux d'Élisabeth d'York, à la bataille de Bosworth.

● Mort de Gutenberg (Mayence) ● Naissance de Martin Luther.

1484

● Début de la Guerre folle de Louis d'Orléans, futur Louis XII, qui revendique le titre de régent, avec le soutien du duc de Bretagne.

1486

● *Juin*: Maximilien d'Autriche attaque le nord du royaume de France mais un accord intervient en décembre entre Maximilien d'Autriche et Louis d'Orléans.

1488

● *28 juillet*: les armées royales sont victorieuses des forces du duc François II de Bretagne et du duc d'Orléans à la bataille de Saint-Aubin-du-Cormier; signature du traité du Verger le 20 août. Louis d'Orléans est fait prisonnier.

1491

● *6 décembre*: mariage de Charles VIII et d'Anne de Bretagne, 14 ans, héritière du duché. Anne de Beaujeu est écartée, Louis d'Orléans libéré.

1492

● *Mai*: Charles VIII s'allie avec Ludovic Sforza, duc de Milan, contre le roi de Naples. ● *3 novembre*: signature du traité d'Étaples entre Charles VIII et Henri VII, roi d'Angleterre.

● Espagne: les catholiques prennent Grenade, ce qui met fin à la Reconquête. La majeure partie de la population juive, plutôt que d'accepter la conversion au catholicisme, s'expatrie en Afrique du Nord.

○ *Octobre*: le Génois Christophe Colomb, au service de l'Espagne, traverse l'Atlantique et découvre l'Amérique.

1493

● *19 janvier*: signature à Barcelone d'un traité entre Charles VIII et Ferdinand d'Aragon, par lequel la France restitue la Cerdagne et le Roussillon au royaume d'Aragon. ○ *23 mai*: traité de Senlis; le roi de France Charles VIII restitue la Franche-Comté et l'Artois à la Bourgogne de Maximilien d'Autriche. Revendiquant le trône de Naples, autrefois détenu par la branche d'Anjou, il organise la paix sur les frontières du royaume.

● Maximilien Ier d'Autriche se déclare empereur.

1494

● *Juillet*: début des guerres d'Italie. Charles VIII (qui a pris le titre de roi de Naples le 13 mars) se livre à une promenade militaire jusqu'à Rome. ○ *12 novembre*: naissance, à Cognac, de François Ier, fils de Charles de Valois-Orléans et de Louise de Savoie.

1495

● *22 février*: Charles VIII occupe Naples. Il est confronté à une ligue formée de Milan, Venise, Ferdinand d'Aragon et Maximilien d'Autriche. ○ Bataille de Fornoue, le 6 juillet; malgré cette victoire, Charles VIII revient en France au mois d'octobre, sans pouvoir garder Naples.

1497

● Vasco de Gama ouvre la voie maritime vers les Indes orientales en longeant l'Afrique et en passant par le cap de Bonne-Espérance.

1498

● *8 avril*: à Amboise, Charles VIII, 28 ans, se tue en heurtant le linteau d'une porte basse. Ses quatre enfants sont morts en bas âge. Louis d'Orléans, qui mena la Guerre folle, lui succède sous le nom de Louis XII, à 36 ans. Arrière-petit-fils de Charles V, il fait annuler son mariage avec Jeanne de France, fille de Louis XI, pour non-consommation. ○ *Juillet*: Louis XII reprend les guerres d'Italie et reconquiert le Milanais.

1499

● *8 janvier*: conformément au contrat de mariage de son prédécesseur Charles VIII, Louis XII épouse sa veuve, Anne de Bretagne. ○ Reprise des guerres d'Italie. Outre le trône de Naples, Louis XII, petit-fils de Valentine Visconti, revendique le Milanais.

● Les navigateurs Vicente Pinzon et Amerigo Vespucci atteignent l'Amérique.

1500

● *10 avril*: Louis XII remporte la victoire de Novare sur le duc de Milan, Ludovic Sforza.
● Le Portugais Cabral découvre le Brésil.

1501

● Conquête de Naples par Louis XII, avec l'appui des troupes espagnoles, qui contestent ensuite le partage.

1503

● Bataille du Garigliano, au cours de laquelle Bayard couvre la retraite des troupes françaises.
● En Inde, Alfonso Albuquerque fonde les premiers éléments de l'empire indien du Portugal et règne sous le titre de Vice-Roi des Indes.
● Léonard de Vinci (1452-1519) peint à Florence *La Joconde*.

1504

22 *septembre* : à la suite du traité de Blois entre Louis XII et Maximilien d'Autriche, Claude de France, fille du roi et d'Anne de Bretagne, devra épouser Charles de Habsbourg (futur Charles Quint) en apportant la Bourgogne en dot ; Maximilien d'Autriche reconnaît la possession du Milanais par la France, moyennant une redevance.

1505

● *Mai* : Louis XII, contre l'avis d'Anne de Bretagne, annule la décision du futur mariage de leur fille Claude de France avec Charles de Habsbourg, pour lui préférer François d'Angoulême, héritier présomptif du trône de France. Il fait entériner cette décision par une assemblée de notables réunis à Plessis-lès-Tours. ○ *12 décembre* : Naples, qui s'est libérée de la tutelle française, est cédée au roi d'Espagne.

1509

● *14 mai* : victoire de Louis XII sur les Vénitiens à Agnadel.
● *10 juillet* : naissance, à Noyon, de Calvin, théologien du protestantisme.
● Le roi d'Angleterre Henri VIII, qui vient de succéder à son père, épouse Catherine d'Aragon.

1511

● *5 octobre* : le pape Jules II suscite la Sainte Ligue (Espagne, Autriche, Angleterre) pour lutter contre la présence française en Italie.

1512

● *11 avril*: malgré la victoire française de Ravenne sur l'armée de la Sainte Ligue, Louis XII perd le Milanais un mois plus tard.

● Allemagne: à la diète de Cologne l'Empire est divisé en dix provinces autonomes, hormis la Bohême et la Suisse.

1513

● Défaite française devant les Suisses à Novare, le 5 juin, puis à Guinegatte le 16 août, face à Henri VIII. ❍ En novembre sont signés les accords entre Louis XII et Ferdinand d'Aragon, et entre Louis XII et le pape Léon X, qui mettent un terme aux guerres d'Italie; la France renonce au Milanais.

1514

● *Janvier/mars*: les Anglais et les Suisses envahissent la Bourgogne.

❍ *9 janvier*: mort de la reine Anne, deux fois reine de France et duchesse de Bretagne. ❍ *18 mai*: sa fille Claude de France épouse François d'Angoulême (futur François Ier). ❍ *7 août*: signature du traité de Londres: Louis XII rétablit la paix avec l'Angleterre.

❍ *9 octobre*: mariage de Louis XII avec Marie d'Angleterre, sœur du roi Henri VIII; l'union renforce la nouvelle alliance avec l'Angleterre.

1515

● *1er janvier*: mort du roi Louis XII, à 53 ans, sans héritier mâle, et avènement de François Ier, fils de Charles de Valois et de Louise de Savoie, qui est sacré à Reims le 25 janvier. ❍ Le règne de François Ier sera marqué par l'épanouissement des arts et des sciences, la construction des châteaux de la Loire, Chenonceaux, Chambord, Blois, Villers-Cotterêts, Saint-Germain-en-Laye et celle du Louvre à Paris. Naissance de l'École de Fontainebleau et création du Collège de France. Jean Goujon, Michel Colomb et Germain Pilon participent à l'essor artistique pour la sculpture et Lescot et Delorme pour l'architecture, auxquels se joignent Le Primatice et Benvenuto Cellini. ❍ *14 septembre*: François Ier reprend la guerre pour le Milanais, remporte la victoire de Marignan sur les mercenaires suisses et occupe Milan. La Lombardie redevient française.

❍ *Décembre*: à la demande de François Ier, Léonard de Vinci vient s'établir en France où il restera quatre années.

1516

● *13 août* : signature du traité de Noyon entre Charles d'Espagne (futur Charles Quint) et François Ier qui conserve le Milanais mais renonce au royaume de Naples. Charles restitue la Navarre, mais le traité ne sera pas appliqué. ❍ *29 novembre* : "Paix perpétuelle de Fribourg" avec les Suisses, qui fourniront, jusqu'à la Révolution, un contingent à l'armée royale. ❍ *Décembre* : signature à Bologne d'un concordat entre François Ier et le pape Léon X par lequel le roi peut nommer les évêques et les abbés, ce qui renforce considérablement la puissance royale.

● Charles V devient roi d'Espagne et de Sicile; il renforce la monarchie absolue, et acquiert une grande puissance grâce aux colonies d'Amérique.

1517

● Fondation du port du Havre.

● Pays-Bas : fondation de l'université de Leyde.

● Allemagne : Martin Luther, moine augustin, s'élève contre l'abus des indulgences et se retire au château de Wittenberg.

1518

● Suisse : début de la réforme de Zwingli.

● France : construction du château d'Azay-le-Rideau.

1519

● *16 novembre* : naissance, à Châtillon-sur-Loing, de Gaspard de Coligny, amiral de France en 1552, rallié à la Réforme en 1558, chef militaire des huguenots en 1562. Après avoir ravagé la Guyenne et la Gascogne, il négociera la paix de Saint-Germain en 1570, et s'installera à la Cour, à la grande fureur des fanatiques catholiques. Il sera l'une des premières victimes de la nuit de la Saint-Barthélemy, en 1572.

● *11 janvier* : mort de l'empereur. Charles Quint est élu à sa succession (28 juin) évinçant François Ier, lui aussi candidat.

● *13 avril* : naissance, à Florence, de Catherine de Médicis.

● Le Portugais Magellan, au service de l'Espagne, entreprend un tour du monde qui s'achèvera en 1522. Il contourne l'Amérique par le Sud, travers l'océan Pacifique. Il est tué aux îles Philippines. Ses compagnons rescapés réussissent à rentrer en Europe. Les Français et les Anglais, de leur côté, vont tenter de contourner l'Amérique par le nord.

● L'Espagnol Fernand Cortez conquiert le Mexique où il fonde Vera Cruz.

● Allemagne : dispute et rupture de Luther avec Rome.

1520

● *7-14 juin*: entrevue du camp du Drap d'or, à Guînes (Flandre) entre François Ier et Henri VIII d'Angleterre, qui, malgré l'accueil somptueux dont il est l'objet, refuse l'alliance contre Charles Quint.

1521

● *Mars*: début de la première guerre entre François Ier et Charles Quint. ❍ *24 novembre*: signature d'une alliance entre Charles Quint et Henri VIII d'Angleterre. ❍ Charles Quint envahit Tournai, tête de pont française aux Pays-Bas.

● Allemagne: Luther refuse de se rétracter devant Charles Quint. Mis au ban de l'Empire, excommunié par le pape, Luther se réfugie chez le prince-électeur Frédéric le Sage dans son château de la Wartbourg où il traduit la Bible.

1522

● *27 avril*: les troupes françaises sont défaites à La Bicoque (Bicocca, village proche de Milan) et la France perd le Milanais. ❍ À plusieurs reprises (jusqu'en 1523), les Espagnols, les Impériaux et les Anglais tentent d'envahir la France au sud, à l'Est et en Picardie.

1523

● Avènement de Gustave Ier, fondateur de la dynastie des Vasa (jusqu'en 1654), roi de Suède; il impose le luthéranisme à son pays.

1524

● *30 avril*: mort de Pierre du Terrail, surnommé le chevalier Bayard, lors de la retraite de l'armée française. ❍ *Juillet*: le connétable de Bourbon envahit la Provence et fait le siège de Marseille. ❍ *Octobre*: François Ier reconquiert le Milanais.

● Expédition du conquistador espagnol Francisco Pizarro chez les Incas. ● Allemagne: en Souabe et en Franconie, la guerre des paysans révoltés est noyée dans le sang.

1525

● *24 février*: François Ier, défait à Pavie, est emprisonné à Madrid, jusqu'au *17 février 1526*. Louise de Savoie, sa mère, assure la régence.

● L'État prussien, jusque-là possession de l'ordre Teutonique, est sécularisé et devient le duché de Prusse, placé sous suzeraineté polonaise.

1526

● *13 janvier*: traité de Madrid. François Ier, prisonnier de Charles Quint, pour être libéré, renonce à l'Italie, la Flandre et l'Artois, et lui remet la Bourgogne. ❍ *22 mai*: fondation, à Cognac, d'une ligue regroupant les Français, les Suisses, Venise, Florence et les États pontificaux contre Charles Quint. Reprise de la guerre en Italie.

● Allemagne: les attaques turques puis la défaite et la mort de Louis II, roi de Bohême et de Hongrie, amènent le règne de Ferdinand d'Autriche, frère de Charles Quint, et placent les Habsbourg en première ligne contre les Turcs.

1527

● Les Français reprennent le Milanais, mais échouent devant Naples. ❍ *Décembre*: l'assemblée des notables convoquée à Paris annule la cession de la Bourgogne faite à Charles Quint par le traité de Madrid.

● *6 mai*: après avoir envahi l'Italie, Charles Quint prend la ville de Rome qu'il met à sac avec ses troupes.

1528

● Échanges commerciaux entre François Ier et Soliman le Magnifique, maître de l'Empire turc.

1529

● *25 avril*: à Lyon, émeutes contre la hausse du prix du blé. ❍ *3 août*: déclaration à Cambrai de la “paix des Dames”, Marguerite d'Autriche et Louise de Savoie, par laquelle François Ier renonce à la Flandre, à l'Artois et à l'Italie, tandis que Charles Quint laisse la Bourgogne à la France. Les fils de François Ier, détenus en Espagne, sont libérés.

● Malgré un long siège, le sultan Soliman II échoue devant Vienne.

1530

● *Mars*: François Ier préside à la fondation du Collège royal, précurseur du Collège de France. ❍ *7 juillet*: François Ier, roi de France, épouse Éléonore d'Autriche, sœur de l'empereur d'Allemagne, conformément à la paix des Dames.

● Allemagne: devant la diète (assemblée) d'Augsbourg est présentée la *Confession d'Augsbourg*, profession de foi des luthériens, rédigée par Melanchthon et Camerarius, que les théologiens catholiques rejettent aussitôt. Peu après éclatent les premières batailles religieuses.

1531

● Allemagne : ligue des princes protestants créée à Smalkalden.

1532

● *Août* : le duché de Bretagne est rattaché à la France.
● Le conquistador espagnol Francisco Pizarro conquiert le Pérou.

1533

● Calvin adhère à la Réforme. ❍ *28 octobre* : le dauphin Henri épouse Catherine de Médicis, nièce du pape Clément VII.
● Début en Russie du règne d'Ivan le Terrible (jusqu'en 1584).

1534

● Premier voyage de Jacques Cartier au Canada. ❍ *18 octobre* : "affaire des Placards" : des réformés dénoncent la messe catholique par des affiches dans le château d'Amboise. Première répression du protestantisme, et premières exécutions. François Ier, qui soutient les princes protestants allemands, se révèle intransigeant avec ses sujets qui ont opté pour la Réforme (édit de Fontainebleau, 1540).
● Angleterre : sous le prétexte que le pape refuse son divorce avec Catherine d'Aragon, Henri VIII rompt avec Rome et fonde l'Église anglicane, dont il se proclame chef suprême par l'acte de Suprématie.

1535

● *Janvier* : première série de répressions contre les réformés puis, le 16 juillet, parution de l'édit de Coucy, qui fait cesser la répression.
❍ Alliance de François Ier avec le sultan ottoman Soliman. ❍ Parution de la première Bible protestante en France.
● Angleterre : poursuite des opposants à l'Église d'Angleterre et exécution du chancelier Thomas More.

1536

● Troisième guerre d'Italie : François Ier envahit Savoie et Piémont, puis doit s'en retirer sous la pression des troupes espagnoles. Charles Quint est chassé de Provence par le connétable Anne de Montmorency. Le Turc Soliman le Magnifique, allié de François Ier, attaque Charles Quint sur le front hongrois. ❍ Calvin organise l'Église réformée en France.
● Mort à Bâle de l'humaniste hollandais Érasme, à 67 ans, qui a préconisé la tolérance à l'égard des luthériens.

1538

● *14 juillet* : trêve de dix ans signée à Nice entre François Ier et Charles Quint.

1539

● *30 août* : l'ordonnance de Villers-Cotterêts institue le français (à la place du latin) comme langue officielle pour tous les actes juridiques, réorganise l'administration et la justice, exige que les prêtres tiennent des registres de baptêmes et de sépultures.

1540

● *27 septembre* : la Compagnie de Jésus (Jésuites), fondée par Ignace de Loyola, est reconnue par le pape Paul III. Cette création signe le début de la Contre-Réforme.

1542

● *Juillet* : quatrième guerre entre François Ier et Charles Quint.

● L'Irlande est placée sous la souveraineté d'Henri VIII.

● Rome : création du tribunal religieux appelé Saint-Office afin de lutter contre la Réforme.

1543

● *Février* : alliance entre Henri VIII et Charles Quint contre la France.

● Mort de l'astronome polonais Nicolas Copernic, à 70 ans.

1544

● *14 avril* : la victoire française de Cérisoles n'empêche ni le siège de Boulogne par les Anglais ni l'invasion de la Champagne. ○ *18 septembre* : traité de Crépy-en-Laonnais qui met fin aux combats entre François Ier et Charles Quint.

1545

● *Avril* : massacre organisé des vaudois de Provence.

● *13 décembre* : ouverture du concile de Trente (jusqu'en 1563). L'Église confirme son dogme selon la pensée de saint Thomas d'Aquin. La prédication est proposée comme remède au protestantisme.

1546

● Allemagne : mort de Martin Luther à Eisleben. ○ Charles Quint victorieux de la ligue de Smalkalden (princes protestants).

1547

● *31 mars* : mort de François Ier, à 53 ans, atteint de syphilis. ○ Son fils

Henri II, 28 ans, lui succède ; il est sacré à Reims le 25 juillet.
❍ *8 octobre* : la création d'une chambre ardente au parlement de Paris afin de réprimer le protestantisme entraîne une terrible persécution contre les huguenots (jusqu'en 1549).
● Angleterre : Édouard VI (9 ans) fonde la Haute Église épiscopale (*High Church*), protestante dans le dogme, mais catholique dans la hiérarchie épiscopale et dans le culte.

1548

● *juillet/août* : révolte paysanne en Guyenne contre la gabelle (Henri II la supprimera l'année suivante dans cette province). ❍ Expédition de François de Guise en Écosse ; il ramène Marie Stuart, la fille du roi, afin qu'elle épouse François, fils aîné d'Henri II (en 1558).
● Pologne : sous Sigismond II, la Réforme se répand dans le pays.

1550

● *Mars* : l'Angleterre restitue à la France la ville de Boulogne.

1551

● Henri II s'empare de Metz, Toul, Verdun, les "Trois Évêchés", et occupe l'année suivante la Lorraine et le Luxembourg. ❍ *19 septembre* : naissance à Fontainebleau de Henri III. ❍ Renforcement des mesures répressives contre les réformés.

1552

● *Octobre* : siège de Metz par Charles Quint, défendue par François de Guise. La garnison résiste ; après six mois de siège dans un hiver rigoureux, Charles Quint est contraint d'abandonner.

1553

● *14 décembre* : naissance à Pau de Henri de Bourbon, fils d'Antoine de Bourbon et de Jeanne d'Albret, reine de Navarre, futur Henri IV.
❍ Mort de François Rabelais, à 59 ans.
● Angleterre : règne (jusqu'en 1558) de la reine Marie Tudor la Catholique, dite aussi Marie la Sanglante, fille de Henri VIII et de Catherine d'Aragon, épouse de Philippe II d'Espagne. Marie Tudor restaure la religion catholique et exerce une féroce répression contre ses adversaires, avant de déclarer la guerre à la France pour soutenir l'Espagne.
● Russie : Ivan IV le Terrible (jusqu'en 1584) conquiert la région de Kasan et d'Astrakhan puis pénètre en Sibérie.

1555

● *Avril*: capitulation des Français à Sienne face à Charles Quint.
● Avec la paix de religion d'Augsbourg, les princes et les villes libres peuvent choisir leur confession; la religion prêchée par Luther se répand en Allemagne, en Pologne et en Scandinavie.

1556

● *5 février*: signature à Vaucelles d'une trêve de cinq ans entre Henri II et Charles Quint. ○ Création du groupe littéraire la *Pléiade*.
● Règne d'Akbar, empereur mongol des Indes (jusqu'en 1605).
● Espagne: Charles Quint abdique en faveur de son fils Philippe II.

1557

● *7 juin*: le roi d'Espagne Philippe II déclare la guerre à la France.
○ *24 juillet*: l'édit de Compiègne aggrave la répression contre les protestants. ○ *10 août*: les Anglais, alliés aux Espagnols, battent les Français à Saint-Quentin. Henri II rappelle le duc de Guise, qui occupe Naples, pour concentrer ses forces sur le front nord de la France.
● Pays-Bas: révolte des calvinistes contre l'occupation espagnole.

1558

● *6 janvier*: le duc de Guise prend Calais aux Anglais. ○ *24 avril*: mariage du dauphin François et de Marie Stuart, reine d'Écosse.
● Mort dans un monastère espagnol de Charles Quint.
● *17 novembre*: mort de la reine d'Angleterre Marie Tudor. Sa demi-sœur Élisabeth Ire, fille de Henri VIII et d'Anne Boleyn, lui succède.

1559

● *3 avril*: traité de Cateau-Cambrésis. La France évacue la Savoie et le Piémont, mais garde Calais, Metz, Toul, et Verdun. Philippe II d'Espagne épouse Élisabeth de Valois, fille du roi, et Emmanuel-Philibert de Savoie épouse Marguerite, sœur du roi Henri II. ○ *Mai*: à Paris, premier synode national des Églises réformées. ○ *2 juin*: publication de l'édit d'Écouen qui autorise à tuer tout protestant révolté ou en fuite.
○ *30 juin*: au cours des fêtes organisées pour les deux mariages à Paris, Henri II est blessé dans un tournoi. ○ *2 juillet*: mort d'Henri II, 40 ans. Son fils François II, 15 ans, maladif et débile, lui succède (10 juillet). C'est sa mère, Catherine de Médicis, qui, avec les Guises, assure une régence de fait.

1560

● *Mars*: conjuration d'Amboise. Les protestants tentent d'enlever le roi François II. Le complot échoue, les conjurés sont exécutés. Louis de Condé, condamné à mort, est sauvé par la mort du roi. ○ *Mai* : publication de l'édit de Romorantin qui accorde la liberté de conscience aux protestants. ○ *5 décembre*: mort de François II, 16 ans, après dix-sept mois d'un règne abandonné à la famille de Guise. Son frère Charles IX, 10 ans, lui succède. Catherine de Médicis est régente; Michel de l'Hospital est chancelier. Louis de Condé et Antoine de Bourbon (père du futur Henri IV), voyant la régence leur échapper, bien que princes de sang, s'allient aux huguenots et aux frères Coligny.

1561

● *Septembre*: colloque de Poissy ayant pour objet de réconcilier catholiques et protestants.

● Scandinavie: défaite des chevaliers Teutoniques en Courlande, Livonie et Estonie; guerre pour la possession de la Baltique entre la Suède, la Pologne, la Moscovie et le Danemark.

1562

● *17 janvier*: publication en France de l'édit de Janvier qui accorde aux protestants la liberté de conscience et le libre exercice de leur culte dans les faubourgs des villes et les maisons particulières. ○ *1er mars*: à Wassy, le duc François de Guise massacre une soixantaine de protestants alors qu'ils célébraient leur culte. ○ Les huguenots prennent Orléans. ○ *20 septembre*: traité d'Hampton Court; Condé et Coligny, chefs des protestants, appellent les Anglais à la rescousse, qui s'emparent du Havre (repris l'année suivante par les troupes royales).

1563

● *18 février*: le duc François de Guise est assassiné par un protestant pendant le siège d'Orléans. ○ *19 mars*: publication de l'édit d'Amboise qui restreint mais protège la liberté de conscience des protestants, ce qui met un terme à la première guerre de Religion.

1564

● Le début de l'année civile est fixé en France au 1er janvier.

○ *11 avril*: signature de la paix de Troyes entre Français et Anglais.

● Angleterre: naissance de William Shakespeare (mort en 1616).

● *27 mai*: mort de Jean Calvin à Genève.

● Allemagne : règne de Maximilien II (jusqu'en 1576) marqué par l'apogée du protestantisme dans ses États et le maintien de la paix religieuse.
● Italie : mort de Michel-Ange, peintre et sculpteur, à 89 ans.

1566

● *Janvier* : à l'assemblée des notables de Moulins, Catherine de Médicis tente de réconcilier catholiques et protestants. ○ Mort en Provence de l'astrologue et médecin royal Nostradamus.
● Pays-Bas : union des nobles contre l'Inquisition ; le pays est en proie à une véritable furie iconoclaste.
● Mort en Hongrie de Soliman le Magnifique. Sélim II l'Ivrogne, le fils qu'il a eu de Roxane, une ancienne esclave, lui succède (jusqu'en 1574) après l'assassinat de son demi-frère.

1567

● *Septembre* : début de la deuxième guerre de Religion, après que les protestants eurent tenté de s'emparer, à Meaux, du roi Charles IX ; bataille de Saint-Denis, gagnée par les catholiques.
● Marie Stuart, reine d'Écosse, contrainte à l'abdication par la noblesse écossaise qui lui reproche le meurtre de son mari.
● Pays-Bas : début de la guerre de Quatre-Vingts Ans ; l'arrivée du duc d'Albe et d'une armée de dix mille hommes pour combattre le protestantisme provoque soulèvement, répression et exécutions. Guillaume d'Orange-Nassau mène la résistance contre la présence espagnole.

1568

● *23 mars* : signature de la paix de Longjumeau, entre catholiques et protestants, confirmant l'édit d'Amboise (1563). Mais la disgrâce de Michel de l'Hôpital provoque la troisième guerre de Religion.
● Pays-Bas : le duc d'Albe fait procéder à huil mille exécutions.
● Écosse : Marie Stuart s'évade de sa prison mais, réfugiée en Angleterre, est faite prisonnière par la reine Élisabeth Ire.

1569

● *13 mars* : défaite protestante à la bataille de Jarnac. ○ Assassinat du prince Louis de Condé, chef des protestants. Henri de Navarre prend sa succession et devient chef des réformés. ○ *3 octobre* : nouvelle défaite protestante à Moncontour.
● Pacte de Lublin : union juridique de la Pologne et de la Lituanie. La Prusse occidentale perd sa suprématie.

1570

● *Juin*: victoire de Coligny, chef de l'armée protestante, à Arnay-le-Duc, sur les catholiques. ❍ *8 août*: fin de la troisième guerre de Religion, et paix de Saint-Germain, dite "paix de la Reine". L'exercice de leur culte est autorisé aux protestants dans deux villes par province. Ils obtiennent, pour deux ans, quatre places fortes: La Rochelle, Cognac, Montauban, La Charité. Henri de Navarre épousera Marguerite, sœur du roi (la reine Margot).

1571

● *7 octobre*: la flotte turque est battue à Lépante par une flotte catholique (Venise, Espagne, Saint-Siège) commandée par don Juan d'Autriche, frère naturel de Philippe II.

● Les Tatars de Crimée envahissent la Russie et brûlent Moscou.

1572

● *18 août*: Henri de Navarre épouse sa cousine Marguerite de Valois, sœur du roi. ❍ *22 août*: tentative d'assassinat sur l'amiral de Coligny, chef protestant ❍ *23/24 août*, nuit de la Saint-Barthélemy, des milliers de protestants, dont l'amiral de Coligny, rassemblés à Paris pour le mariage de Henri de Navarre, sont massacrés par les hommes du duc de Guise, avec l'accord du roi Charles IX et de Catherine de Médicis. D'autres massacres sont commis dans les provinces jusqu'en octobre. Henri de Navarre est contraint de se convertir au catholicisme. Une quatrième guerre de Religion s'ensuit.

1573

● Paix de La Rochelle qui met, provisoirement, fin aux affrontements entre catholiques et huguenots, lesquels reçoivent la liberté de conscience et la liberté de culte à Montauban, Nîmes et La Rochelle. ❍ Henri de Valois, frère de Charles IX, nommé roi de Pologne.

1574

● *30 mai*: mort, d'une tuberculose pulmonaire, de Charles IX, 24 ans, à Vincennes. Son frère Henri III, 22 ans, est appelé pour lui succéder. Roi de Pologne, il doit s'enfuir de Varsovie pour gagner Paris.

1575

● *13 février*: Henri III sacré roi à Reims, au retour de son aventure polonaise. ❍ *17 février*: Henri III épouse Louise de Lorraine. ❍ Cinquième guerre de Religion. ❍ *10 octobre*: Henri de Guise, dit le Balafré, bat les protestants à Dormans.

1576

● *Février*: Henri, roi de Navarre, s'étant évadé de la cour de France où Catherine de Médicis le maintenait en "liberté surveillée", abjure la foi catholique et prend la tête de l'armée protestante. ❍ *6 mai*: paix de Monsieur (édit de Beaulieu), qui accorde d'importantes concessions aux protestants, notamment la liberté de culte. ❍ *12 novembre*: en réaction à ces concessions, les catholiques fanatiques constituent à Péronne, avec pour chefs Henri et Louis de Guise, la "Sainte Ligue".

● Pays-Bas: pacification de Gand: les Provinces unanimes pour chasser les troupes espagnoles.

● Allemagne: avènement de l'empereur Rodolphe II (jusqu'en 1612) qui marque le début de la Contre-Réforme.

1577

● France: sixième guerre de Religion, le roi Henri III ayant repoussé la paix de Beaulieu sous la pression des catholiques. Les catholiques prennent La Charité (mai) et Issoire (juin) aux protestants. ❍ *17 septembre*: paix de Poitiers autorisant le culte protestant par bailliage et accordant huit places aux protestants. La ligue des catholiques est dissoute.

1578

● Révoltes paysannes contre les impôts en Dauphiné et Vivarais.

1579

● *Novembre*: début de la septième guerre de Religion. Violents combats en Languedoc et en Picardie.

● Pays-Bas: la confédération d'Arras (qui regroupe les catholiques du Hainaut et de l'Artois) et l'union d'Utrecht (protestants hollandais) se séparent.

1580

● Septième guerre de Religion: ❍ *5 mai*: Henri de Navarre prend Cahors. ❍ *26 novembre*: Paix de Fleix. ❍ Début de la parution des *Essais* de Montaigne (jusqu'en 1592).

● Espagne: la dynastie régnante étant éteinte, le Portugal revient à l'Espagne (jusqu'en 1640) tandis que la Hollande annexe ses colonies. L'Espagne est à l'apogée de sa puissance, économique, religieuse et culturelle avec les personnalités telles que Ignace de Loyola (religion), le Greco, Velasquez, Murillo (peinture), Cervantes, Lope de Vega et Calderon (littérature).

1584

● *10 juin*: le duc François d'Anjou (ou d'Alençon), quatrième fils de Henri II, venant de mourir, et Henri III n'ayant pas d'héritier, il désigne Henri de Navarre, chef de la branche aînée des Bourbons, comme héritier du trône, ce qui ravive la guerre de Religion.

❍ *31 décembre*: signature du traité de Joinville par lequel les Guises forment une nouvelle ligue, soutenue par le pape, et font alliance avec Philippe II, roi d'Espagne.

● Pays-Bas: Guillaume d'Orange est assassiné à Delft. Son fils Maurice poursuit la guerre et reçoit l'aide d'Élisabeth Ire d'Angleterre.

● Angleterre: Walter Raleigh fonde la première colonie anglaise en Amérique du Nord, qu'il appelle Virginie en l'honneur de la reine (célibataire) Élisabeth.

1585

● *Mars*: huitième guerre de Religion, dite des "trois Henri" (Henri de Navarre, Henri III et Henri de Guise). Les catholiques désignent Henri de Guise comme prétendant au trône. Le soulèvement des populations catholiques s'étend dans tout le royaume. ❍ *7 juillet*: Henri III, par le traité de Nemours, rejoint la Ligue, sans pour autant renier Henri de Navarre pour successeur.

1587

● *20 octobre*: à la tête des protestants, Henri de Navarre bat à Coutras l'armée royale sous les ordres du duc de Joyeuse, favori du roi.

● Suède: Sigismond III, catholique, devient roi de Suède (jusqu'en 1592) et favorise la Contre-Réforme.

● Angleterre: *8 février,* Marie Stuart, reine d'Écosse déchue, qui prétendait au trône d'Angleterre, est décapitée sur l'ordre d'Élisabeth Ire (le fils de sa rivale lui succédera au trône d'Angleterre). ❍ *19 avril*: le corsaire anglais Francis Drake détruit cent vaisseaux espagnols à Cadix (afin de venir en aide aux calvinistes des Pays-Bas, l'Angleterre a déclaré la guerre à Philippe d'Espagne).

1588

● *12 mai*: journée des Barricades à Paris; le roi Henri III abandonne la ville aux ligueurs soutenus par Philippe II d'Espagne. ❍ *21 juillet*: publication de l'édit d'Union, par lequel Henri III reconnaît la Ligue et met les protestants hors la loi. ❍ *16 octobre*: Henri III convoque les états généraux à Blois, qui confirment la montée en puissance des frères de Guise et proclament la déchéance d'Henri de Navarre. ❍ *Novembre-décembre*: Henri de Navarre convoque à La Rochelle une assemblée des Églises protestantes. ❍ *23 décembre*: Henri III fait assassiner Henri et Louis de Guise (cardinal de Lorraine) qui projetaient de le détrôner. Le duc de Mayenne, leur frère, devient le chef de la Ligue. D'autres ligueurs sont arrêtés.

● *Juillet*: en Angleterre, Drake détruit dans la Manche l'*Invincible Armada* espagnole; début de l'essor maritime de l'Angleterre.

● Espagne: sanglante persécution des protestants par l'Inquisition.

1589

● *5 janvier*: mort de Catherine de Médicis. Le cardinal de Bourbon est couronné roi par les ligueurs, sous le nom de Charles X. Henri III rejoint les troupes d'Henri de Navarre, et assiège Paris. ❍ *1er août*: assassinat, à Saint-Cloud, par le moine Jacques Clément de Henri III, à 38 ans. Henri de Navarre, à 35 ans, premier de la dynastie des Bourbons (jusqu'en 1792), descendant d'un fils cadet de Louis IX, accède au trône de France sous le nom de Henri IV. Les ligueurs refusent de le reconnaître. ❍ *21 septembre*: Victoire de Henri IV à Arques sur les troupes catholiques du duc de Mayenne, dernier frère des Guises.

❍ Révoltes paysannes en Normandie et en Bretagne contre les impôts.

1590

● *14 mars*: victorie de Henri IV à Ivry sur les forces catholiques.

❍ *Mai*: Henri IV assiège Paris, mais laisse passer des vivres aux habitants de la capitale en proie à la famine. ❍ *Août*: levée du siège de Paris après l'intervention de troupes espagnoles. ❍ Mort du chirurgien Ambroise Paré, 81 ans.

1592

● *19 avril*: Henri IV prend Chartres. ❍ Mort à Bordeaux du philosophe Michel de Montaigne, 59 ans.

● Guerre sino-japonaise (jusqu'en 1598).

1593

● *26 janvier*: échec des ligueurs pour faire élire le cardinal de Bourbon roi de France (Charles X). ❍ *25 juillet*: Henri IV abjure la foi protestante et se convertit à la religion catholique. Dissolution de la Ligue ❍ Grande révolte des "croquants", paysans du Périgord, du Limousin et de la Guyenne.

1594

● *27 février*: Henri IV est sacré à Chartres ○ *22 mars*: entrée triomphale à Paris de Henri IV ○ *Décembre*: le parlement de Paris expulse les jésuites, soupçonnés d'attentats contre le roi.

1595

● *Janvier*: Henri IV déclare la guerre à l'Espagne ○ *5 juin*: victoire de Henri IV sur les troupes espagnoles à Fontaine-Française (Henri IV essuie des revers en Picardie). ○ *Novembre*: les derniers ligueurs se soumettent au roi.

1596

● *Juin*: la France conclut contre l'Espagne une alliance avec l'Angleterre et les Provinces-Unies.

1597

● Les Espagnols prennent Amiens (mars) qu'Henri IV reprend (septembre).

1598

● *13 avril*: signature de l'édit de Nantes qui met fin aux guerres de Religion en France et reconnaît aux protestants la liberté de conscience, la liberté du culte (en certains lieux) et l'octroi de 144 places de sûreté. ○ *2 mai*: signature entre Henri IV et Philippe II du traité de Vervins qui met fin à la guerre d'Espagne. ○ Maximilien de Béthune, duc de Sully, est nommé surintendant des finances. ○ Mort de Gabrielle d'Estrées, maîtresse du roi.

● Mort de Philippe II d'Espagne et avènement de Philippe III. Son règne verra le terme de la puissance espagnole, et la fin de l'hégémonie des Habsbourg d'Espagne en Europe.

1600

● Campagne de Henri IV contre le duc de Savoie, qui a envahi la Provence. ○ *17 décembre*: après l'annulation de son mariage avec Marguerite de Valois, Henri IV épouse Marie de Médicis, fille du grand duc de Toscane.

● Angleterre: fondation de la Compagnie des Indes orientales.

● Début d'une épidémie de peste en Occident.

● Valladolid devient capitale de l'Espagne (jusqu'en 1606).

● Le philosophe italien Giordano Bruno brûlé pour hérésie par l'Inquisition.

1601

● *17 janvier* : signature du traité de Lyon entre Henri IV et le duc de Savoie, qui cède à la France le Bugey, le Valroney, la Bresse et le pays de Gex. ❍ *27 septembre* : naissance à Fontainebleau du dauphin Louis, futur Louis XIII. ❍ Plusieurs villes de France se révoltent contre l'impôt de la pancarte (supprimé le 10 novembre 1602).

● L'Irlande se soumet à l'Angleterre après une sanglante répression.

1602

● France : fondation de la manufacture des Gobelins (tapis).

● Pays-Bas : la Compagnie hollandaise des Indes orientales fonde des colonies au Cap, à Java et à Ceylan.

● Italie : *14 juillet*, naissance de Jules Mazarin.

1603

● Les Jésuites interdits en 1594 par le parlement de Paris, sont autorisés à revenir en France (l'un d'eux, le père Coton, devient confesseur du roi) et à y fonder des collèges.

● Angleterre : à la mort d'Élisabeth Ière (24 mars) Jacques 1er, fils de Marie Stuart, roi d'Écosse, devient roi d'Angleterre et réunit les deux royaumes (la dynastie des Stuarts régnera jusqu'en 1714).

1604

● *12 décembre* : institution de la *paulette*, impôt sur les offices royaux, qui consacre l'hérédité des charges.

1605

● À Paris, début de la construction de la place Royale (place des Vosges).

● Angleterre : lors du “complot des poudres”, des catholiques qui voulaient faire sauter le Parlement et le roi Jacques Ier échouent de peu.

1608

● *25 avril* : naissance de Gaston d'Orléans, second fils du roi, éternel comploteur sous Louis XIII. ❍ Samuel Champlain fonde la ville de Québec dans la Nouvelle-France, premier nom du Canada.

1609

● Pays-Bas : instauration de la “trêve de douze ans” entre l'Espagne et les Provinces-Unies ; après quoi, reprise de la guerre jusqu'à la reconnaissance de l'indépendance des Provinces-Unies (1648). Les Provinces du Sud demeureront espagnoles (Belgique) jusqu'en 1714, date à laquelle elles passeront à l'Autriche. ❍ Fondation de la Banque d'Amsterdam.

1610

● *14 mai* : assassinat à Paris par Ravaillac du roi Henri IV. Son fils Louis XIII, 8 ans, lui succède. La régence est assurée par Marie de Médicis.
● Irlande : des colons anglais et écossais s'implantent en Ulster.
● Première importation de thé chinois par des Hollandais.

1611

● *Janvier* : Sully démissionne ; Concino Concini, favori de Marie de Médicis, prend le pouvoir.
● Suède : règne de Gustave II Adolphe (jusqu'en 1632) qui vise à l'hégémonie suédoise sur la Baltique. Gustave II conquiert successivement la Russie, la Carélie, l'Ingrie, une grande partie de Dantzig et les territoires prussiens soumis à la Pologne.

1612

● *25 août* : traité de Fontainebleau, amorçant un rapprochement entre la France et l'Espagne avec les fiançailles du roi Louis XIII et d'Anne d'Autriche, fille du roi d'Espagne Philippe III.

1613

● Russie : élu tsar, Michel Fédorovitch fonde la dynastie des Romanov.
● Amérique : Pocahontas, fille d'un chef indien, épouse un pionnier.

1614

● Bien que déclaré majeur, Louis XIII doit laisser le pouvoir à sa mère et à Concini. Les princes se révoltent et obtiennent le 15 mai, à la paix de Sainte-Menehould, la convocation des états généraux.
❍ *27 octobre* : réunion des états généraux (qui ne seront plus réunis avant 1789) close en mars 1615.

1615

● *21 janvier* : naissance de Nicolas Fouquet (mort en 1676), surintendant des finances sous Mazarin et Louis XIV avant sa chute, précipitée par Colbert. ❍ *28 novembre* : mariage de Louis XIII avec Anne d'Autriche, infante d'Espagne.
● Premier journal imprimé en Allemagne.

1616

● Nouveau soulèvement de la noblesse contre Concini, achevé le 3 mai par le traité de Loudun. ❍ Richelieu est appelé au conseil de Marie de Médicis comme secrétaire d'État à la Guerre et aux Affaires étrangères.
● Apparition en Europe du café, importé de Moka par les Hollandais.
● Angleterre : Buckingham conseiller du roi. ❍ *23 avril* : mort de Shakespeare, à 52 ans.
● Espagne : mort de Cervantès, à 69 ans.

1617

● *24 avril* : Louis XIII fait assassiner Concini, maréchal d'Ancre (et supplicier son épouse comme sorcière), il écarte Marie de Médicis du pouvoir ; Richelieu est disgracié. Le duc de Luynes, favori du roi, dirige les affaires.

1618

● Bohême : la germanisation du pays et la violation de la liberté de culte pour les protestants provoquent la révolte des Praguois (Défenestration de Prague : le gouverneur est jeté par la fenêtre sur un tas de fumier) et le début de la guerre de Trente Ans entre la maison d'Autriche et les États d'Allemagne, dans laquelle la France intervient.
● Allemagne : les Hohenzollern, électeurs de Brandebourg, héritent du duché de Prusse et affermissent leur puissance.

1619

● *12 mai* : par le traité d'Angoulême Louis XIII et sa mère Marie de Médicis se réconcilient. ❍ *29 août* : naissance à Reims de Jean-Baptiste Colbert. ❍ Révolte des princes contre le duc de Luynes.

1620

● *25 décembre* : à l'assemblée de La Rochelle, les députés protestants votent le soulèvement contre le roi.
● Bohême : bataille de la Montagne Blanche, près de Prague. Le roi de Bohême Frédéric V (protestant) est vaincu par les troupes impériales (catholiques) et s'enfuit aux Pays-Bas.
● Amérique : *20 décembre*, débarquement des pèlerins du *May-Flower*, puritains anglais fuyant les persécutions religieuses, et pères fondateurs du Massachussetts, d'où partira la colonisation anglo-saxonne du nord du continent.

1621

● Le duc de Luynes est nommé connétable pour faire face à la révolte des protestants dans le Midi (il a imposé le culte catholique aux Béarnais et aux Navarrais après leur rattachement à la France). Il échoue au siège de Montauban, et meurt, renvoyé, le 15 décembre.

1622

● *18 octobre*: paix de Montpellier qui laisse aux protestants leurs libertés et privilèges mais ne leur octroie que deux places de sûreté, Montauban et La Rochelle.

1624

● *29 avril*: Richelieu revient au Conseil du roi. ○ Révolte des croquants du Quercy contre les impôts.

1625

● France: la lutte contre les protestants recommence; la flotte royale leur reprend les îles de Ré et d'Oléron (septembre).

● Angleterre: mort de Jacques Ier et avènement de Charles Ier roi d'Angleterre, d'Écosse et d'Irlande (jusqu'en *1649*).

● Vaincu par le général catholique de Tilly dans la guerre entre le Danemark et la Basse-Saxe, Christian IV, roi de Danemark et duc de Holstein, prend la tête du parti protestant.

1626

● France: en février, interdiction des duels. ○ Conspiration de Chalais en faveur de Gaston d'Orléans, frère du roi. ○ Fondations de comptoirs au Sénégal et en Guyane.

● Wallenstein, duc de Friedland, à la tête de l'armée impériale allemande entreprend la conquête de l'Allemagne du Nord contre les Danois et les Suédois (il sera assassiné en 1634 sur ordre de l'empereur, jaloux de sa puissance).

1627

● *Avril*: Richelieu fonde la Compagnie de la Nouvelle-France (Canada). ○ *Octobre*: les protestants de La Rochelle se soulèvent. Assiégés par les troupes royales, ils ne peuvent recevoir les secours anglais qu'ils espéraient.

● Allemagne: conquête par le général de Tilly et Wallenstein, pour l'empereur d'Allemagne, du Holstein, du Slesvig et du Jütland.

1628

● *1er novembre* : Louis XIII et Richelieu entrent dans La Rochelle ; ils se montrent cléments avec les survivants.

1629

● *Mai* : révolte protestante en Languedoc. ❍ *28 juin* : l'édit d'Alès fait perdre aux protestants leurs places fortes, mais ils gardent leur liberté de culte et obtiennent l'égalité civique avec les catholiques.
❍ Bataille du pas de Suse contre le duc de Savoie. ❍ *21 novembre* : le cardinal de Richelieu devient principal ministre d'État.
● Allemagne : la paix de Lübeck est signée entre l'empereur Ferdinand II, à l'apogée de sa puissance, et Christian IV du Danemark. Un édit oblige les protestants à restituer tous les biens sécularisés.
● Chine : début de la grande invasion mandchoue.

1630

● *11 novembre* : “journée des Dupes” : Marie de Médicis, profitant d'une maladie de Louis XIII, obtient qu'il renvoie Richelieu. Mais le cardinal paraît, et Louis XIII le confirme dans ses pleins pouvoirs. La reine mère est exilée de la Cour, et les comploteurs, autour de Gaston d'Orléans, frère du roi, sont emprisonnés.

1632

● Gaston d'Orléans, frère du roi, et de Montmorency, gouverneur du Languedoc, se révoltent. Le soulèvement est réprimé, et de Montmorency décapité à la hache. ❍ Les troupes françaises occupent la Lorraine.
● Allemagne : sur la rivière Lech, le roi de Gustave-Adolphe de Suède remporte une nouvelle victoire sur le général de Tilly qui est tué pendant la bataille. ❍ Wallenstein, replacé au commandement des armées impériales, bat les Suédois à Nuremberg. ❍ *16 novembre* : vainqueur de Wallenstein, le roi Gustave-Adolphe est tué à la bataille de Lützen. Sa fille, Christine, 5 ans, devient reine de Suède

1634

● France : *13 août,* Urbain Grandier, chanoine à Loudun du couvent où des nonnes auraient été “possédées du démon” est accusé de sorcellerie et brûlé vif. ● Révoltes dans les provinces de France (pendant trois ans) dues aux impôts, à la famine et à la misère.
● Allemagne : Wallenstein, à nouveau révoqué pour avoir conspiré avec les Suédois contre l'empereur, est assassiné.

1635

● *Février*: Louis XIII crée la Compagnie française des îles d'Amérique; conquête de la Martinique et de la Guadeloupe. ❍ *13 mars*: première séance, présidée par Richelieu, de l'Académie française.
● Allemagne: signature du traité de Prague entre l'empereur Ferdinand II et l'électeur de Saxe. La majorité des États protestants acceptent la paix. La France, qui s'est alliée à la Suède contre les Habsbourg d'Autriche et l'Espagne, déclare (19 mai) la guerre à l'Espagne.

1636

● *15 août*: prise de la cité de Corbie (près d'Amiens) par les Espagnols tandis que les armées impériales assiègent Saint-Jean-de-Losne. Les Français reprennent Corbie et refoulent les Espagnols. ❍ Création à Paris de la tragi comédie *Le Cid*, de Pierre Corneille.

1637

● Reprise de Breda aux Espagnols.
● Révolte en Écosse à la suite de l'introduction de l'Église anglicane.
● Publication du *Discours de la méthode* de Descartes.

1638

● *5 septembre*: naissance à Saint-Germain-en-Laye du dauphin Louis, le futur Louis XIV. ❍ *Décembre*: Brisach, sur la rive droite du Rhin, est prise par les troupes françaises. Richelieu achète au duc de Saxe-Weimar ses conquêtes en Alsace.

1640

● France: *9 août*, les troupes françaises reprennent Arras aux Espagnols, conquièrent l'Artois, la Savoie et le Piémont. ❍ Révolte paysanne en Normandie, due à la misère, des va-nu-pieds.
● Irlande: révolte des catholiques.
● Espagne: révolte de la Catalogne contre le pouvoir royal.
● Allemagne: Frédéric-Guillaume de Hohenzollern, Grand électeur de Brandebourg, futur roi de Prusse (mort en 1688) centralise ses États, où il accueille vingt mille protestants français.
● Mort à Anvers du peintre flamand Pierre Paul Rubens, à 63 ans.

1642

● *Mai* : fondation au Canada de la Ville-Marie (qui deviendra par la suite Montréal). ❍ *3 juillet* : mort, à Cologne, de Marie de Médicis, 69 ans, ruinée et solitaire, après un exil qui l'a menée en Angleterre, en Flandre et en Allemagne. ❍ *9 septembre* : capitulation de Perpignan. La conquête du Roussillon est achevée. ❍ *12 septembre* : exécution, pour avoir comploté avec Gaston d'Orléans, et avec l'appui de l'Espagne, contre Richelieu, de Cinq-Mars, ancien favori de Louis XIII.
❍ *7 octobre* : victoire sur les Espagnols à la bataille des Fourches.
❍ *Décembre* : les Français entrent dans Barcelone. ❍ *4 décembre* : mort du cardinal de Richelieu. Le cardinal Mazarin devient le principal ministre.
● Angleterre : guerre civile (jusqu'en 1649) entre anglicans autour du roi Charles Ier et Cromwell, chef des puritains.
● Mort du physicien et astronome italien Galilée, à 78 ans.

1643

● *14 mai* : mort, de tuberculose, de Louis XIII, à 42 ans, à Saint-Germain-en-Laye. Son fils, Louis XIV, 5 ans, lui succède. La régence est assurée par sa mère Anne d'Autriche ; Mazarin est chef du Conseil.
❍ *19 mai* : victoire, à Rocroi, de Condé, 21 ans, sur les Espagnols et les Impériaux. ❍ *Juin/septembre* : les paysans du Rouergue se soulèvent contre la taille (impôt). ❍ Fondation française à Madagascar de Fort-Dauphin.

1644

● France : en raison de l'accroissement des impôts nécessaires au financement de la guerre, des révoltes éclatent en Languedoc et dans le Dauphiné. ❍ D'abord victorieuses sur la rive gauche du Rhin (1644), les Pays-Bas (1645), et Dunkerque (1646), les troupes royales seront battues en Toscane (1648) et en Catalogne (1647).
● Europe : épidémie de peste.
● Chine : suicide de Tchouang Lie-ti, dernier empereur Ming, et début de la dynastie mandchoue des Ts'ing.

1645

● Victoire de Condé sur les Impériaux à Norlingen.

1646

● Condé prend Dunkerque.

1648

● France : *Janvier*, le parlement de Paris, qui exige un pouvoir politique, s'oppose à Mazarin (fronde parlementaire) et par un arrêt du *13 mai* limite le pouvoir royal. ❍ *Août* : victoires de Turenne à Summershausen sur les Impériaux et de Condé à Lens sur les Espagnols.
❍ *26 août* : les émeutes dans Paris, à la suite de l'arrestation d'un conseiller, mettent en fuite la régente Anne d'Autriche, qui ne reviendra à Paris que le 22 octobre. ❍ *24 octobre* : fin de la guerre de Trente Ans. Signature des traités de Westphalie qui donnent à la Suède la Poméranie occidentale et au Brandebourg la Poméranie orientale. La France conserve les villes-évêchés de Metz, Toul et Verdun, et acquiert la plus grande partie de l'Alsace, hormis Strasbourg et Mulhouse. Le duc de Bavière garde son titre de Grand Électeur et la possession du Haut-Palatinat tandis que les Provinces-Unies et la Suisse sont reconnues indépendantes.

● Pays-Bas : le traité de Munster cède aux Provinces-Unies calvinistes les bouches de l'Escaut.

● Angleterre : règne absolutiste de Cromwell (jusqu'en 1658).

● Pologne : début du règne du roi Jean Casimir, dernier Vasa de Pologne, qui, à la suite de guerres perdues contre la Suède, la Russie et la Turquie, et de traités désastreux doit abdiquer en 1668.

1649

● France : *5 janvier*, fronde des princes, dont Turenne, au début, prend le parti : le roi, Mazarin et la reine mère doivent quitter Paris en proie à l'émeute pour se réfugier à Saint-Germain. ❍ *1er avril* : paix de Saint-Germain entre Mazarin et les frondeurs.

● Angleterre : *30 janvier*, exécution de Charles Ier et avènement de son fils Charles II. ❍ *Septembre* : Cromwell écrase la révolte irlandaise. S'étant proclamé lord-protecteur des royaumes d'Irlande, d'Angleterre et d'Écosse, il oriente la société anglaise vers le puritanisme ; l'Angleterre devient la plus grande puissance protestante d'Europe et la première puissance navale du monde.

1650

● *Janvier* : les princes frondeurs s'allient avec l'Espagne qui tente d'envahir le royaume par le nord. ❍ *Décembre* : Turenne et les Espagnols sont battus à Rethel par l'armée royale.

● Mort en Suède du philosophe René Descartes, à 54 ans.

1651

● *Janvier*: sous la pression des parlementaires et des princes, Mazarin doit s'exiler en Rhénanie. ❍ *7 septembre*: Louis XIV est déclaré majeur, ce qui met un terme à la régence. Le prince de Condé se révolte et passe au service de l'Espagne; Turenne rallie la cause du roi.

1652

● *Janvier/octobre*: intensification de la lutte entre les princes et l'armée royale qui remporte une victoire à Étampes (mai). Condé, avec les Espagnols, prend Paris (juillet). Louis XIV quitte à nouveau la ville pour Poitiers. Mazarin repart en exil. ❍ *Septembre*: les forces espagnoles s'emparent de Dunkerque. ❍ *Octobre*: chassé de Paris par Turenne, le prince de Condé s'enfuit en Flandre et se met au service de l'Espagne. ❍ *21 octobre*: Louis XIV rentre triomphalement à Paris; fin de la Fronde.

1653

● *3 février*: Mazarin rentre à Paris. ❍ *7 février*: Fouquet nommé surintendant des finances. ❍ *Mai*: condamnation du jansénisme par le pape Innocent X. ❍ *Août*: Condé à la tête d'une armée espagnole est battu à Bordeaux et s'enfuit aux Pays-Bas.

1654

● *7 juin*: sacre du roi Louis XIV à Reims. ❍ *25 août*: le prince de Condé est vaincu à Arras par l'armée royale.

● Russie: annexion de l'Ukraine.

● Suède: abdication de la reine Christine qui laisse le trône à son cousin Charles X.

1655

● *13 avril*: Louis XIV impose ses édits au parlement de Paris.

● Charles X de Suède attaque la Pologne, prend Varsovie et Cracovie.

1656

● Coalition de la Russie et du Danemark contre la Suède; la Suède est chassée de Pologne mais attaque le Danemark qui doit lui céder des territoires.

1657

● *23 mars*: le traité de Paris consacre l'alliance franco-anglaise contre l'Espagne.

● La Prusse se libère de la suzeraineté polonaise.

1658

● Fondation de l'Académie des sciences de Paris. ❍ *14 juin* : Turenne remporte la bataille des Dunes (près de Dunkerque) sur les forces espagnoles menées par Condé.

● Allemagne : règne de l'empereur Léopold Ier (jusqu'en 1705).

● Angleterre : mort de Cromwell ; il avait pris son fils pour successeur.

1659

● *7 novembre* : traité des Pyrénées et fin de la guerre contre l'Espagne. La France conserve le Roussillon, la Cerdagne et l'Artois, et gagne des villes de Flandre et du Luxembourg. ❍ Fondation de la Compagnie du Cap-Vert et du Sénégal ; installation française à Saint-Domingue.

● Angleterre : abdication du fils de Cromwell.

1660

● France : *9 juin*, Louis XIV épouse Marie-Thérèse, fille du roi Philippe IV d'Espagne.

● Angleterre : rétablissement de la royauté par Charles II ; l'Église épiscopale est rétablie.

● Jean Casimir de Pologne renonce au trône de Suède, à la Livonie et à l'Estonie ; la souveraineté de la Prusse est reconnue par la Suède et la Pologne.

● Suède : mort du roi Charles X ; règne de Charles XI (jusqu'à 1697).

1661

● *9 mars* : mort de Mazarin. Louis XIV, 23 ans, entame un règne personnel (jusqu'à sa mort en 1715). Parmi les personnalités importantes de son règne, des ministres (Colbert, Louvois), des généraux (Turenne, Condé, Luxembourg, Vauban), des musiciens (Lulli), des écrivains (Boileau, Bossuet, La Bruyère, Corneille, Mme de La Fayette, Fénelon, La Fontaine, Molière, Racine, Saint-Simon, Mme de Sévigné), des peintres (Champaigne, Le Lorrain), des architectes (Perrault, Hardouin-Mansart)… ❍ Lutte contre le jansénisme, dont le centre est le couvent de Port-Royal, près de Paris ; Blaise Pascal en est l'un des plus ardents défenseurs. ❍ *5 septembre* : arrestation de Fouquet, surintendant des finances du royaume. ❍ Mise en chantier du château de Versailles. ❍ Famine en France, due à de mauvaises récoltes.

1662

● *27 novembre*: par le traité de Londres, Dunkerque est vendue à la France. ❍ Mort de Blaise Pascal, à 39 ans. ❍ Révolte paysanne contre la taille dans le Boulonnais. ❍ Louis XIV nomme Jean-Baptiste Colbert ministre d'État puis surintendant des bâtiments royaux.
● L'empereur K'ang-hi pacifie la Chine, vassalise la Mongolie et l'Asie centrale (jusqu'en 1722).

1664

● France: *Mai/août*, création de la Compagnie française des Indes orientales et de la Compagnie française des Indes occidentales.
❍ *Septembre*: Louis XIV nomme Louvois secrétaire d'État à la guerre.
❍ Alliance avec les princes allemands contre les Habsbourg.
● Guerre entre la Hollande et l'Angleterre, qui s'empare de Nieuw Amsterdam, rebaptisée New York.

1665

● *12 décembre*: Louis XIV nomme Colbert contrôleur général des finances, poste qui lui donne un rôle essentiel dans le gouvernement.
❍ De 1665 à 1670, de nombreuses manufactures royales sont créées dans le royaume. ❍ Mort du peintre français Nicolas Poussin, à 71 ans.

1666

● *Janvier*: création du port militaire de Rochefort. ❍ Début du creusement du canal du Midi (jusqu'en 1681).

1667

● *Mars*: La Reynie nommé lieutenant général de police de Paris.
❍ *14 juillet*: début de la guerre de Dévolution entre l'Espagne et la France, qui revendique les Pays-Bas espagnols au nom de la reine.
❍ *Août*: conquête de Lille et des Flandres par Turenne et Vauban.

1668

● *Février*: Louis XIV conquiert la Franche-Comté. ❍ *2 mai*: traité d'Aix-la-Chapelle mettant un terme à la guerre de Dévolution. La France garde les places conquises en Flandre, mais restitue la Franche-Comté à l'Espagne. ❍ *Juin*: Louvois surintendant des postes.

1670

● *1er juin*: traité secret franco-anglais à Douvres pour rétablir le catholicisme en Angleterre. ❍ Paris: Fondation de l'hôtel des Invalides.

1672

● *Mars* : début de la guerre de Hollande (jusqu'en 1678). ❍ *Juin*: les Français, alliés aux Anglais, franchissent le Rhin, mais les Hollandais, huguenots, alliés aux Impériaux allemands, inondent le pays en ouvrant les digues. ● Versailles devient le siège de la Cour et du gouvernement.

1673

● *24 février*: en France, suppression du droit de remontrance du Parlement. ❍ *30 juin*: les troupes françaises prennent la ville de Maastricht. ❍ *Décembre*: les Impériaux (empereur germanique et Grand Électeur de Brandebourg) envahissent l'Alsace. ❍ Le jésuite français Jacques Marquette explore la vallée du Mississipi (alors le fleuve Colbert).
❍ Mort de Molière, à 51 ans.

1674

● Les Français fondent le territoire de Pondichéry (rattaché à l'Inde en 1954). ❍ *Mai/juin*: Turenne reconquiert la Franche-Comté et remporte la victoire de Sinzheim (16 juin) sur le duc de Lorraine. Le 11 août, nouvelle victoire française à Seneffe sur l'armée de la coalition.
❍ *4 août*: naissance, à Saint-Cloud, de Philippe, duc d'Orléans, régent de France à la mort de Louis XIV, son oncle.

1675

● *5 janvier*: l'armée française bat les Impériaux près de Colmar et libère l'Alsace. ❍ *11 février*: la marine française bat les Espagnols près de l'île de Stromboli. ❍ *27 juillet*: mort au combat du maréchal de Turenne, à Sasbach.

1676

● *Avril*: victoire navale française à Agosta sur les Hollandais puis destruction de la flotte espagnole à Palerme (2 juin). ❍ *Juin*: édit exigeant la création d'un hôpital général dans toutes les villes du royaume de France. ❍ *16 juillet*: exécution de la marquise de Brinvilliers, qui a empoisonné plusieurs membres de sa famille, et affaire des Poisons, qui révèle des trafics de poisons et des pratiques de sorcellerie au sein de la Cour. ❍ Fondation du comptoir français de Chandernagor, en Inde.

1677

● *11 avril*: les troupes françaises battent les Hollandais à Cassel.
● Mort de Spinoza, philosophe hollandais, à 45 ans.

1678

● *4 janvier*: Louis XIV nomme Vauban commissaire général des fortifications. ○ *12 mars*: Gand est prise par les troupes françaises. ○ *11 août*: paix de Nimègue, mettant fin à la guerre de Hollande; l'Espagne cède à la France la Franche-Comté et une douzaine de places fortes en Flandre, dont Cambrai, Maubeuge, Valenciennes et Ypres.

1679

● France: persécution des protestants et des jansénistes. Début des "dragonnades": Louvois envoie des régiments de dragons s'installer chez les protestants, en Languedoc, Cévennes, Poitou... jusqu'à ce qu'ils abjurent. ○ *Octobre*: décret interdisant aux protestants de réunir un synode sans autorisation royale.

● Angleterre: l'*Habeas corpus* assure la liberté individuelle.

1680

● *25 juin*: en France, arrêt rendant illégal la conversion au protestantisme. ○ Création de la Ferme générale, qui regroupe la perception des divers revenus royaux. ○ *21 octobre*: fondation de la Comédie-Française. ○ Révoltes paysannes contre les impôts.

1681

● *Octobre*: la ville libre de Strasbourg est occupée par les troupes françaises, puis annexée par Louis XIV, qui évoque de lointains droits féodaux. ○ Début des persécutions contre les protestants.

● Premiers réverbères à huile dans les rues de Londres.

1682

● *19 mars*: affirmation, par Bossuet, du gallicanisme, à l'assemblée des évêques à Paris. Le pape ne peut plus déposer les rois, son autorité est limitée au spirituel. Ses décisions doivent être approuvées par les évêques. Le pape réagit en refusant de reconnaître les évêques nommés par Louis XIV. La querelle cesse en 1693, quand Louis XIV renonce. ○ *6 août*: naissance de Louis de France (mort en 1712), petit-fils de Louis XIV et père de Louis XV. ○ L'explorateur René Cavelier de la Salle fonde la Louisiane.

● Angleterre: Newton découvre la loi de la gravitation.

● Russie: règne de Pierre le Grand (jusqu'en 1725).

1683

● *30 juillet* : mort de la reine Marie-Thérèse. ○ *6 septembre* : mort de Colbert. ○ *19 décembre* : naissance, à Versailles, de Philippe, duc d'Anjou, petit-fils de Louis XIV, désigné par Charles II d'Espagne comme son successeur (roi d'Espagne en 1700).
● Les Turcs assiègent Vienne mais sont écrasés au Kahlenberg par le duc Charles de Lorraine et le roi de Pologne Jean III Sobieski.

1684

● *Juin* : Louis XIV épouse secrètement Mme de Maintenon. ○ Famine due à de mauvaises récoltes. ○ Trêve de Ratisbonne : les conquêtes de la France sont confirmées. ○ Mort de Pierre Corneille, à 78 ans.
● Sainte Ligue (Autriche, Pologne Russie et Venise) contre les Turcs.

1685

● *17 octobre* : révocation de l'édit de Nantes. De nombreux huguenots français, artisans, ingénieurs, savants et artistes, privés du droit de culte, s'exilent en Suisse, Hollande, Angleterre et au Brandebourg, où ils contribueront à l'essor de Berlin.
● Angleterre : Jacques II tente d'établir la monarchie absolue et le catholicisme.

1686

● *9 juillet* : ligue d'Augsbourg entre l'empereur d'Allemagne, l'Espagne, la Suède et la Bavière, contre la France. ○ Premières réunions protestantes clandestines dans les Cévennes.
● Suite à la prise de Budapest, les Turcs sont chassés de Hongrie.

1687

● Nouvelle famine en France. ○ Travaux (jusqu'en 1707) de l'ingénieur Denis Papin (mort en 1710) sur le rôle de la vapeur comme force motrice. ○ Mort du musicien Jean-Baptiste Lulli, à 55 ans.

1688

● *Septembre* : début de la guerre contre la ligue d'Augsbourg (ou guerre de Neuf Ans) et conquête du Palatinat.
● Guillaume d'Orange, petit-fils de Charles Ier, débarque en Angleterre et enlève le trône à Jacques II qui se réfugie auprès de Louis XIV.

1689

● *17 mai*: l'Angleterre déclare la guerre à la France et repousse un débarquement français en Irlande.

1690

● Les armées françaises remportent les victoires de Fleurus (1er juillet), de Béveziers (10 juillet), et de Staffarde (18 août). ❍ Victoires de Catinat sur le duc de Savoie (bataille de Staffardes) et du maréchal de Luxembourg sur les Impériaux (bataille de Fleurus).

● L'Angleterre attaque le Canada français.

● Inde: fondation de Calcutta par des marchands anglais.

1691

● *16 juillet*: mort de Louvois, à 50 ans, à qui succède Barbezieux, son fils, au secrétariat d'État à la guerre.

1692

● *29 mai*: à La Hougue, Anglais et Hollandais infligent une défaite maritime à la France qui remporte la victoire de Steinkerque sur les Anglais (3 août).

● Amérique du Nord: procès des sorcières de Salem (Massachussetts) : des puritains fanatiques condamnent une vingtaine d'innocents à la pendaison.

1693

● Victoires françaises de Neerwinden sur les Anglais (29 juillet), puis à La Marsaille, sur le duc de Savoie (4 octobre). ❍ Nouvelle famine et crise économique.

1695

● Achèvement du château de Versailles.

1697

● *9 août*: les troupes françaises s'emparent de Barcelone. ❍ *20 septembre*: par le traité de Ryswick, la France renonce à toutes les villes annexées depuis 1679, sauf Strasbourg. Elle rend la Lorraine à son duc.

● Victoire sur les Turcs de l'armée impériale commandée par le prince Eugène de Savoie, à Zenta (Serbie).

1699

● Signature du traité de Karlowitz qui constate la perte par le sultan de Turquie de la Hongrie et de la Transylvanie (annexées par l'Autriche),

de l'Ukraine occidentale (annexée par la Pologne) et de la Dalmatie (annexée par Venise).
● Mort de l'écrivain Jean Racine, à 60 ans.

1700

● Espagne : *1er novembre*, mort du roi Charles II qui a désigné Philippe, duc d'Anjou, petit-fils de Louis XIV et de Marie-Thérèse d'Espagne pour lui succéder.
● La Russie enlève à la Suède les rivages méridionaux et orientaux de la Baltique.
● Allemagne : fondation de l'Académie des Sciences de Berlin.

1701

● *Septembre* : début de la guerre de Succession d'Espagne (jusqu'en 1714) : l'empereur Léopold Ier prétend que le trône revient à son fils Charles, tandis que Louis XIV soutient son petit-fils Philippe d'Anjou. Une grande coalition contre la France regroupe l'empire d'Allemagne, la Prusse, l'Angleterre, le Portugal et la Savoie, qui redoutent un rapprochement franco-espagnol.

1702

● Victoire de Villars à Friedlingen. ○ Début de la révolte des camisards (huguenots des Cévennes). La répression est sévère, jusqu'à ce que le maréchal de Villars, en 1704, mette fin à cette guerre civile par la négociation.

1703

● *20 septembre* : victoire de Villars sur les Impériaux à Höchstädt.
● Fondation de Saint-Pétersbourg, future capitale de la Russie.

1704

● Les Français sont battus par le prince Eugène de Savoie et le duc de Marlborough à Höchstädt. La France évacue l'Allemagne ○ Mort du musicien Marc-Antoine Charpentier, à 70 ans.
● Mort de l'empereur Joseph Ier ; son frère Charles, prétendant au trône d'Espagne, possède déjà les territoires allemands des Habsbourg. Louis XIV redoute la reconstitution de l'empire de Charles Quint.
● Stanislas Leszcynski devient roi de Pologne avec l'appui du roi de Suède qui envahit la Saxe et la Silésie.
● Les Anglais occupent Gibraltar.

1706

● *23 mai* : défaite française à Ramillies de Villeroi face aux armées de Marlborough (la France évacue la Hollande). Les Anglais conquièrent la partie espagnole des Pays-Bas. ○ *7 septembre* : défaite des troupes françaises à Turin ; elles évacuent le Piémont.

1707

● *25 avril* : victoire des forces franco-espagnoles à Almanza (Espagne). ○ *17 juillet* : défaite d'une coalition anglo-hollandaise devant Toulon.

● Angleterre : vote de l'Acte d'union, qui réunit en une même monarchie l'Angleterre et l'Écosse.

1708

● *11 juillet* : défaite française à Audenarde devant Marlborough et Eugène de Savoie. ○ *22 octobre* : Lille est prise par les Anglo-Hollandais qui envahissent le nord de la France.

1709

● France : *11 septembre*, Villars, à Malplaquet, résiste à Marlborough. ○ Un hiver très rigoureux entraîne famine et crise économique, et de nombreuses révoltes.

● Pierre le Grand, à Poltava (Ukraine), écrase l'armée suédoise. Fuite du roi de Suède Charles XII en Turquie qu'il pousse à la guerre.

1710

● *15 février* : naissance à Versailles du futur Louis XV, arrière petit-fils de Louis XIV et fils du duc de Bourgogne. ○ Louis XIV fait détruire l'abbaye féminine de Port-Royal des Champs.

1711

● *14 avril* : mort du Grand Dauphin, fils de Louis XIV.

● Russie : traité de Prout qui oblige Pierre le Grand à rendre Azov aux Turcs. Le Danemark reprend la guerre et Frédéric-Guillaume Ier de Prusse s'empare de Stettin. Pierre le Grand s'empare de la Livonie, de l'Estonie, de l'Ingrie, de la Carélie et de la Finlande alors que Charles XII de Suède, revenu de Turquie, tente de conserver la Poméranie.

1712

● *18 février* : mort du dauphin Louis, petit-fils de Louis XIV suivie peu après (8 mars) de celle du duc de Bretagne, arrière petit-fils de Louis

XIV et troisième dauphin. ❍ *24 juillet*: victoire française de Villars à Denain contre les forces de la Coalition. ❍ *5 novembre*: Philippe V, second fils du Grand Dauphin de France, opte pour le trône d'Espagne.

1713

● *11 avril*: traité d'Utrecht et fin de la guerre de Succession d'Espagne ; Philippe d'Anjou devient Philippe V d'Espagne (et renonce à la couronne de France pour ses successeurs). La France cède à l'Angleterre, qui conserve Gibraltar et Minorque, Terre-Neuve et la baie d'Hudson. La Savoie gagne la Sicile. ❍ *12 avril*: malgré la signature des traités d'Utrecht, la France reprend la guerre contre les Impériaux en conquérant Landau (17 août). ❍ *8 septembre*: condamnation du jansénisme par le pape Clément XI dans la bulle *Unigenitus*, enregistrée l'année suivante par le parlement de Paris.

● Prusse: début du règne de Frédéric-Guillaume Ier, roi de Prusse (jusqu'en 1740) ; il centralise le gouvernement et réforme son armée.

1714

● *Mai*: mort du duc de Berry, troisième petit-fils de Louis XIV.

● *6 mars*: par le traité de Rastadt, l'empereur d'Autriche s'empare des Pays Bas espagnols, du Milanais, de Naples et de la Sardaigne. La France acquiert la vallée de Barcelonnette et la principauté d'Orange (traité de la Barrière, l'année suivante, elle renonce aux Pays-Bas). Les cours de France et d'Espagne devront rester distinctes.

● Angleterre: arrivée au pouvoir de la dynastie de Hanovre (jusqu'en 1901) avec Georges Ier.

● Russie: Pierre le Grand conquiert la Finlande.

1715

● *1er septembre*: mort de Louis XIV, à 77 ans. Son successeur, Louis XV, duc d'Anjou, n'a que 5 ans. Pendant sa minorité, la régence sera assurée par son oncle Philippe d'Orléans, qui, pour l'obtenir, en a appelé au Parlement. ❍ *Septembre*: le Parlement recouvre le droit de remontrance (supprimé en 1673). ❍ *Octobre*: réforme des conseils de gouvernement et suppression des secrétaires d'État.

1716

● *2 mai*: fondation d'une banque à Paris par l'Écossais John Law, qui, deux ans plus tard, lance la Compagnie d'Occident pour commercer avec le Mississipi et la Chine.

1717

● *4 janvier*: triple alliance entre les Provinces-Unies, l'Angleterre et la France contre l'Espagne (l'empereur d'Allemagne la rejoindra en 1718). ❍ Création de la Compagnie d'Occident qui obtient le monopole du commerce en Louisiane.

● L'empereur de Chine interdit le christianisme.

1718

● France: *26 août*, le régent limite le droit de remontrance du Parlement, et supprime les conseils de gouvernement qu'il avait instaurés. ❍ *4 décembre*: la banque Law devient banque royale. ❍ fondation en Amérique de La Nouvelle-Orléans en l'honneur du duc d'Orléans.

● Charles XII, roi de Suède, envahit la Norvège et meurt devant la citadelle de Frederiksten.

● Autriche: signature du traité de Passarowitz qui donne à l'Autriche Belgrade, la plus grande partie de la Serbie et la petite Valachie.

1719

● *9 janvier*: la France déclare la guerre à l'Espagne et remporte quelques victoires. ❍ *Mai*: la Compagnie des Indes obtient le monopole du commerce avec les colonies et le privilège de battre monnaie.

● Par la signature des traités de paix de Stockholm et Nystad, la Russie reçoit les États baltes mais rend la Finlande à la Suède. La Prusse acquiert la Poméranie suédoise, le Danemark une partie du Slesvig, le Hanovre, Brême et Verde. Ce traité marque le déclin de la Suède et la naissance de la puissance russe.

1720

● *5 janvier*: le banquier Law est nommé contrôleur général des finances et, un mois plus tard, la Compagnie des Indes fusionne avec la banque qu'il a créée. ❍ *3 juillet*: la faillite du système Law provoque des émeutes à Paris, le remboursement en or du papier-monnaie, trop abondamment émis, se révélant impossible. ❍ *21 juillet*: le parlement de Paris est exilé à Pontoise. ❍ *Octobre/novembre*: effondrement définitif du système Law. Law s'enfuit (20 décembre). ❍ Une épidémie de peste ravage Marseille et la Provence.

● Le duc de Savoie doit céder la Sicile à l'Autriche, mais reçoit la Sardaigne et le titre de roi.

1721

● *13 juin* : traité de Madrid entre l'Espagne, l'Angleterre et la France.
❍ La Compagnie française des Indes fonde le comptoir de Mahé.
❍ France : après sa fondation en Grande-Bretagne, la franc-maçonnerie est introduite en France. ❍ Le bandit Cartouche est roué à Paris.

1722

● *25 octobre* : Louis XV est sacré à Reims.

1723

● *16 février* : la majorité de Louis XV proclamée met fin à la Régence.
❍ *10 août* : mort du cardinal Dubois, principal ministre du Régent.
❍ *2 décembre* : mort de Philippe d'Orléans ; le duc de Bourbon lui succède comme Premier ministre (poste où il avait été nommé en août).
❍ Reconstitution de la Compagnie française des Indes.
● Chine : l'empereur Yong-tcheng expulse (jusqu'en 1735) les missionnaires chrétiens, sauf ceux qui résident dans son palais et possèdent des connaissances scientifiques.

1725

● *3 septembre* : signature d'un accord tripartite entre la France, l'Angleterre et la Prusse. ❍ *4 septembre* : Louis XV épouse Marie Leszczynska, fille de l'ancien roi de Pologne en exil.
● Russie : Catherine Ire succède à Pierre le Grand pour deux ans de règne.

1726

● *11 juin* : disgrâce du duc de Bourbon remplacé par le cardinal de Fleury, 73 ans, précepteur de Louis XV (jusqu'en 1743). Il va stabiliser la monnaie, obtenir la paix religieuse et entreprendre d'importants travaux publics.
● Angleterre : Jonathan Swift publie *Les Voyages de Gulliver*.

1727

● Pierre II tzar de Russie.
● *20 mars* : mort en Angleterre du physicien Isaac Newton, à 85 ans.

1729

● *Novembre* : le traité de Séville opère un rapprochement entre la France, l'Espagne, l'Angleterre et la Hollande.

1731

● *Août* : Joseph Dupleix nommé gouverneur de Chandernagor.

● Angleterre : mort de Daniel Defoe, à 71 ans, auteur de *Robinson Crusoé*.

● Chine : l'empereur K'ien-long soumet (jusqu'en 1796) la Djoungarie, la Kachgarie, le Tibet et le Népal.

1732

● Création à Paris de la Grande Loge de France, obédience maçonnique issue de la franc-maçonnerie anglaise.

1733

● *10 octobre* : après la mort d'Auguste II roi de Pologne, guerre de Succession (jusqu'en 1735). Soutenu par l'Autriche et la Russie, Auguste III de Saxe-Pologne s'oppose à l'élection de Stanislas Leszczynski, beau-père de Louis XV, soutenu par la France, qui déclare la guerre à l'empereur d'Allemagne. ○ Mort du musicien François Couperin, à 65 ans.

1734

● Combats des Français contre les Impériaux ; prises de Philippsbourg (18 juillet), et Milan (3 novembre).

● Pologne : *27 juin*, bien qu'élu roi par la Diète, Stanislas doit s'enfuir de Pologne devant l'armée russe, qui impose Auguste III de Saxe.

1735

● Expédition de La Condamine (1701-1774) en Amérique du Sud pour mesurer un arc de méridien proche de l'équateur.

1737

● France : Henri d'Aguesseau, procureur général, est nommé chancelier (jusqu'en 1750).

1738

● *18 novembre* : traité de Vienne qui marque la fin de la guerre de Succession de Pologne. Stanislas Leszczynski renonce au trône de Pologne et reçoit les duchés de Lorraine et de Bar (qui iront à la France à sa mort en 1766). Le duc de Lorraine devient grand duc de Toscane ; l'Autriche cède Naples et la Sicile à l'infant don Carlos d'Espagne.

1740

● *20 octobre*: la mort de l'empereur Charles VI d'Allemagne provoque la guerre de Succession d'Autriche; succession qui reviendra à sa fille Marie-Thérèse, après une guerre de huit ans. La France, qui soutient contre Marie-Thérèse le prince de Bavière, est alliée à la Prusse et l'Espagne contre l'Autriche, l'Angleterre et les Pays-Bas.
● Frédéric II (le grand) roi de Prusse (jusqu'en 1786)

1741

● *Novembre*: guerre de Succession d'Autriche ; une armée franco-bavaroise prend Prague.
● Suède: guerre (jusqu'en 1743) pour les provinces baltes et la Finlande perdue contre la Russie.

1742

● *24 janvier*: la France fait élire Charles-Albert de Bavière comme empereur d'Allemagne, sous le nom de Charles VII.
● Prusse: début de la première guerre de Silésie; Frédéric II de Prusse exige la Silésie qu'il reçoit au traité de Breslau.

1743

● *29 janvier*: mort du cardinal de Fleury et début du règne personnel de Louis XV. Le comte d'Argenson, secrétaire d'État à la guerre, réorganise l'armée. ○ *27 juin*: la France essuie une défaite à Dettingen devant les forces anglaises alliées à l'Autriche.

1744

● Législation minière favorisant les grandes entreprises. ○ Batailles (jusqu'en 1748) contre les forces anglaises dans les colonies d'Amérique et en Inde.
● Deuxième guerre de Silésie (jusqu'en 1745). Frédéric II de Prusse envahit la Bohême et s'empare de Prague d'où il est chassé aussitôt.

1745

● *Février*: madame de Pompadour devient la favorite du roi Louis XV. ○ *11 mai*: après la victoire française de Fontenoy sur les Anglais, les troupes françaises occupent les Pays-Bas.
● *20 janvier*: mort de l'empereur d'Allemagne Charles VII. Marie-Thérèse, grande duchesse, devient impératrice d'Autriche. Elle épouse François-Étienne de Lorraine-Toscane. ● Frédéric II de Prusse bat les Autri-

chiens à Hohenfridberg et à Soor. Signature du traité de Dresde permettant à Frédéric de garder la Silésie et le comté de Glatz, et reconnaît l'époux de Marie-Thérèse, François Ier, comme empereur (jusqu'en 1765).

1746

● *20 février*: les forces françaises du maréchal de Saxe prennent Bruxelles et remportent la victoire de Rocoux (11 octobre).
○ Aux Indes, Dupleix prend Madras.

1747

● *13 avril*: naissance à Saint-Cloud de Philippe, duc d'Orléans, futur Philippe-Égalité, qui votera la mort de son cousin Louis XVI.
○ *2 juillet*: nouvelle victoire française à Lawfeld sur les forces anglaises. ○ Création de l'École des ponts et chaussées.

1748

● *7 mai*: les forces françaises prennent Maastricht. ○ *18 octobre*: traité d'Aix-la-Chapelle mettant fin à la guerre de Succession d'Autriche; la France restitue ses conquêtes à l'impératrice Marie-Thérèse, et ne tire aucun avantage des affrontements, contrairement au roi de Prusse (d'où l'expression “travailler pour le roi de Prusse”).

1749

● *9 mars*: naissance de Mirabeau. ○ *23 avril*: secrétaire d'État à la marine depuis 1722, Jean-Frédéric Maurepas est disgracié pour avoir intrigué contre madame de Pompadour. ○ *Mai*: publication des édits de Marly qui réforment la fiscalité et créent l'impôt du vingtième sur tous les revenus. Les parlements et le clergé s'opposent à ces dispositions et des émeutes éclatent à Paris (décembre à avril 1750).
○ *Septembre*: Louis XV renvoie les députés du clergé et décide du don que doit verser l'Église à l'État. ○ Buffon publie les trois premiers volumes de son *Histoire naturelle*.

1751

● Création à Paris de l'École militaire. ○ Parution du premier volume de l'*Encyclopédie* de Diderot et d'Alembert (dernier volume en 1765) et début de la bataille pour sa parution. ○ Indes: défaite de Dupleix.
● Dynastie de Holstein-Gottorp en Suède (jusqu'en 1818).

1754

● *13 février*: naissance à Paris de Talleyrand. ❍ *23 août*: naissance de Louis XVI à Versailles. ❍ *Août*: en raison des révoltes contre la réforme de la fiscalité, Machault d'Arnouville quitte le contrôle général des finances pour la Marine, tout en restant chancelier. ❍ De violents combats opposent la France à l'Angleterre pour la possession de la vallée de l'Ohio, en Amérique. ❍ Joseph Dupleix, vaincu en Inde, est rappelé en France; signature d'un traité franco-anglais (26 décembre).

1755

● *17 novembre*: naissance de Louis, comte de Provence (Louis XVIII) à Versailles. ❍ Mort du philosophe Charles de Montesquieu, à 66 ans.
● La flotte anglaise fait le blocus du Canada français.
● Portugal: un tremblement de terre détruit la ville de Lisbonne.

1756

● *Mai*: début de la guerre de Sept ans (jusqu'en 1763) provoquée par l'affrontement entre la Prusse et l'Autriche, et renversement des alliances. La France est alliée à l'Autriche et s'oppose à l'Angleterre alliée de la Prusse. ❍ *7 juillet*: en France, le Parlement s'oppose à la levée d'un nouvel impôt créé afin de financer la guerre. ❍ *14 août*: au Canada, Montcalm prend aux Anglais Fort-Oswego.
● Frédéric II de Prusse envahit la Saxe mais en repart aussitôt.

1757

● *5 janvier*: attentat de Damiens contre Louis XV. Le régicide est écartelé le 28 mars. ❍ *1er février*: Louis XV, sous l'influence de la marquise de Pompadour, congédie Machault d'Arnouville et le comte d'Argenson, secrétaire d'État à la guerre. ❍ *6 septembre*: naissance de Marie-Joseph, marquis de La Fayette. ❍ L'empereur Frédéric II de Prusse bat les Français à Rossbach (5 novembre), les Autrichiens à Prague (6 mai) et Leuthen (5 décembre) sur les Autrichiens, après avoir été vaincu à Kolin (18 juin).
● Lord Clive et Warren Hastings conquièrent pour l'Angleterre (jusqu'en 1784) l'Inde orientale et affirment sa suprématie de l'Himalaya à Ceylan.

1758

● *6 mai*: naissance, à Arras, de Maximilien Robespierre. ○ *23 juin*: défaite française à Krefeld face aux Anglo-Prussiens. ○ *26 juillet*: au Canada, la forteresse de Louisbourg capitule devant les troupes anglaises, mais les troupes françaises emportent quelques jours plus tard Fort-Carillon. ○ *3 décembre*: le duc de Choiseul est nommé secrétaire d'État aux affaires étrangères; il sera ministre des Affaires étrangères, puis ministre de la Guerre et de la Marine, et l'artisan d'un ultime redressement économique. Parallèlement, l'opposition entre les parlements et la monarchie ne cesse de s'accroître. ○ *30 décembre*: la France signe un nouveau traité avec l'Autriche.

● Prusse: l'empereur Frédéric II remporte la victoire de Zorndorf sur les Russes mais est défait à Hochkirch par les Autrichiens. Les troupes russes occupent la Prusse orientale.

1759

● France: *mai*, les Anglais envahissent la Guadeloupe. ○ *Juin*: Siège, au Canada, par les Anglais, de Québec, défendue par Montcalm, tué le 14 septembre, deux jours avant la capitulation de la ville. ○ *1er août* les Français subissent une défaite à Minden devant les Prussiens. ○ *12 août*: les Austro-Russes infligent une grave défaite à Frédéric II à Kunersdorf. ○ *20 novembre*: défaite française (navale) infligée par les Anglais à Belle-Isle.

1760

● France: *8 septembre*, Montréal prise par les Anglais, qui deviennent maîtres du Canada. ○ Oberkampf fonde une manufacture d'indiennes à Jouy-en-Josas.

● Angleterre: avènement et règne de Georges III (jusqu'en 1820, mais écarté du pouvoir à partir de 1810 en raison de sa démence).

● Inde: les Anglais investissent Pondichéry, Mahé et Karikal.

1761

● France: *mars/avril*, le parlement de Paris condamne les Jésuites. ○ Le duc de Choiseul nommé secrétaire d'État à la marine et à la guerre. ○ *15 août*: pacte de Famille; les quatre rois Bourbons, de France, d'Espagne, de Naples et de Parme signent un accord afin de se prêter une assistance mutuelle. ○ Lally-Tollendal capitule devant les Anglais à Pondichéry (Inde).

1762

● France : affaire Calas ; un protestant toulousain accusé à tort du meurtre de son fils est condamné à mort pour des raisons religieuses. Voltaire obtiendra sa réhabilitation en 1765. ❍ Publication du *Contrat social* de Jean-Jacques Rousseau. ❍ Après la Guadeloupe, les Anglais occupent la Martinique.

● Russie : *Janvier*, avènement de Pierre III Fédérovitch qui aussitôt renverse les alliances de la Russie et conclut la paix avec Frédéric II. Il est assassiné le 28 juin. Catherine II, sa veuve, devient impératrice.

1763

● France : *10/15 février*, les traités de Paris et de Hubertsbourg mettent fin à la guerre de Sept Ans ; la Prusse obtient la Silésie, la France cède le Canada à l'Angleterre ainsi que la rive gauche du Mississipi (Bonaparte vendra l'autre partie aux Américains en 1803), ses possessions en Inde (hormis cinq comptoirs) et le Sénégal, et abandonne la Louisiane à l'Espagne. ❍ Le parlement de Paris réclame la convocation des états généraux. ❍ Mort à Paris de l'écrivain Marivaux, à 75 ans.

1764

● France : *15 avril*, mort de Jeanne Antoinette Poisson, marquise de Pompadour, favorite de Louis XV. ❍ *Novembre* : expulsion des Jésuites. ❍ Affaire Sirven : protestant, et accusé à tort d'avoir tué sa fille (elle s'est suicidée pour ne pas abjurer), il est condamné à mort mais, contrairement à Callas, il parvient à s'enfuir. Voltaire le fait réhabiliter en 1771. ❍ La bête du Gévaudan fait ses ravages (pendant quatre ans).

● Russie : alliance de Catherine II avec Frédéric le Grand.

● Pologne : Stanislas II Auguste Poniatowski, favori de la tzarine Catherine II de Russie, est élu roi de Pologne (jusqu'en 1795). Décadence de ce pays.

1765

● France : *20 décembre*, mort du dauphin Louis, fils de Louis XV.

● Autriche : Joseph II (frère de Marie-Antoinette) empereur (jusqu'en 1790).

1766

● France : *février*, la Lorraine est rattachée à la France à la mort de Stanislas Leczinski. ❍ *3 mars* : devant le parlement de Paris, Louis XV réaffirme son pouvoir absolu. ❍ Bougainville commence son voyage autour du monde (durée trois ans).

1768

● France : *15 mai*, achat de la Corse à la république de Gènes.
○ *24 juin* : mort de Marie Lesczinska, reine de France ○ La comtesse du Barry devient la nouvelle favorite du roi. ○ *18 septembre* : René Nicolas Maupeou chancelier.

● Russie : guerre russo-turque (jusqu'en 1774) ; succès des Russes sur le Dniestr et le Prut, puis conquête de la Moldavie et de la Valachie.

1769

● France : *13 août*, suppression de la Compagnie des Indes. ○ *15 août* : naissance de Napoléon Bonaparte à Ajaccio. ○ *22 décembre* : l'abbé Terray contrôleur général des finances.

1770

● France : *16 mai*, le dauphin Louis, petit-fils de Louis XV, épouse Marie-Antoinette d'Autriche. ○ *24 décembre* : renvoi du duc de Choiseul, remplacé par de Maupeou.

● James Cook explore la côte est de l'Australie et en prend possession pour le compte de l'Angleterre.

1771

● France : *janvier/février*, René Nicolas de Maupeou entame la réforme judiciaire en supprimant la vénalité des offices et en créant six conseils supérieurs ; sous la pression de la du Barry, il exile les membres de l'opposition parlementaire de Paris. ○ Dans plusieurs provinces des émeutes éclatent en raison de la cherté du pain. ○ *6 juin* : nomination du duc d'Aiguillon comme secrétaire d'État aux Affaires étrangères et formation d'un triumvirat avec Maupeou et Terray. ○ Construction, par Cugnot, du “fardier à vapeur”, ancêtre de l'automobile.

1772

● Partage de la Pologne entre la Russie, la Prusse et l'Autriche.

1773

● France : *6 octobre*, naissance, à Paris, de Louis-Philippe, fils du duc d'Orléans (Philippe-Égalité), dernier roi de France. ○ *22 octobre* : fondation du Grand Orient de France, ordre maçonnique initiatique indépendant de la franc-maçonnerie anglaise.

● Le pape Clément XIV dissout la Compagnie de Jésus (Jésuites).

● Amérique du Nord : *16 décembre,* “Boston Tea Party” ; les Américains refusent les taxes anglaises.

1774

● France : *10 mai*, mort de Louis XV, 64 ans, de la petite vérole. Son petit-fils Louis XVI, 20 ans, lui succède. ❍ *Juin/août* : Maurepas devient le principal ministre du royaume. Anne-Robert Turgot est nommé contrôleur général des finances et Charles Gravier Vergennes secrétaire d'État aux Affaires étrangères. ❍ *Septembre* : Turgot instaure la libre circulation des grains.

● Russie : signature du traité de Kütchük-Kaïnardji avec la Turquie ; la Russie obtient les embouchures du Don, du Dniepr et du Bug, le détroit de Kertsch et la libre navigation dans les eaux turques. Elle obtient de plus le droit de protéger tous les sujets chrétiens du sultan.

● Océanie : découverte par Cook de la Nouvelle-Calédonie (annexée par la France en 1853).

1775

● France : *11 juin*, Louis XVI est sacré à Reims. ❍ Libération des deux deniers galériens protestants.

● Amérique : début de la guerre d'Indépendance (jusqu'en 1783) ; fondation de l'Union nord-américaine qui entre en rébellion contre l'autorité anglaise et interdit l'entrée des marchandises anglaises.

1776

● France : *5 janvier*, publications de plusieurs édits supprimant la corvée royale, les corporations et la vénalité pour les grades d'officiers. ❍ *12 mai* : pour avoir tenté de remplacer la corvée royale par un impôt unique payé par tous les propriétaires, Turgot, sous la pression des privilégiés et de l'entourage de la reine Marie-Antoinette, est renvoyé ; Nicolas Necker le remplace.

● Amérique : *4 juillet*, déclaration d'Indépendance des treize États d'Amérique du Nord et mise en place d'un droit naturel fondé sur les idées de liberté et d'égalité de tous les hommes, la souveraineté du peuple et son droit à la résistance.

1777

● France : les réformes du banquier genevois Necker (père de madame de Staël), ministre des Finances de Louis XVI, se heurtent à l'opposition des privilégiés qui les font échouer.

● États-Unis : le général La Fayette se joint aux insurgés américains en lutte contre l'Angleterre.

1778

● France : *6 février,* signature d'un traité de commerce entre les États-Unis, la France et l'Espagne. Combats des forces françaises contre celles d'Angleterre en Amérique, aux Antilles et en Inde. ❍ Louis XVI affranchit les derniers serfs du domaine royal. ❍ *30 mai* : mort de Voltaire, à 84 ans. ❍ Mort de Jean-Jacques Rousseau, à 66 ans.
● Suède : mort du botaniste suédois Carl von Linné, à 71 ans.
● Guerre de succession pour la couronne de Bavière. La Prusse défend la Bavière contre les prétentions de Joseph II d'Autriche. Par la paix de Teschen (1779), l'Autriche annexe une province de Bavière.

1780

● France : *Mai,* envoi d'un corps d'armée de 6000 hommes sous la direction du lieutenant-général Rochambeau en Amérique du Nord. ❍ Louis XVI abolit la torture lors des interrogatoires de justice.
● Alliance austro-russe contre les Turcs.

1781

● France : *19 mai*, après la publication de son compte rendu au roi, où il dénonce le gaspillage de la Cour, et n'étant pas soutenu dans sa réforme de la fiscalité, Jacques Necker démissionne de son poste de directeur général des Finances. ❍ *22 mai* : publication de l'édit de Ségur, prescrivant que seuls les aristocrates ayant quatre quartiers de noblesse peuvent devenir officiers. ❍ Fondation du Creusot.
● Amérique : *19 octobre*, les troupes américaines de Washington et les volontaires français de Rochambeau battent les troupes anglaises de Cornwallis à Yorktown.

1782

● France : le bailli de Suffren, commandant de la flotte, livre aux Anglais, sur la route des Indes, plusieurs batailles victorieuses, mais non décisives.

1783

● France : *4 juin*, premier vol, à Annonay, des frères Montgolfier, dans la nacelle fixée sous un ballon gonflé à l'air chaud. ❍ *10 novembre* : Charles Calonne contrôleur général des Finances. Il accentue le déficit du trésor royal par des emprunts destinés à alimenter de grands travaux, décide la construction d'un mur d'octroi à Paris, appelé "mur des fer-

miers généraux" (achevé en 1791) et crée l'École royale des mines. ❍ Jouffroy d'Abbans expérimente un bateau à vapeur sur la Saône.
● Amérique : *4 février* : armistice général proclamé.
❍ *3 septembre* : traité de Versailles par lequel l'Angleterre reconnaît l'indépendance des États-Unis d'Amérique, et confirme à la France Saint-Pierre et Miquelon, Sainte-Lucie, et des comptoirs de l'Inde et du Sénégal.
● La Crimée est occupée par les Russes.

1784

● France : mauvaises récoltes et charges fiscales provoquent des émeutes en Normandie. ❍ Mort de l'encyclopédiste Denis Diderot, à 71 ans.

1785

● France : *27 mars*, naissance du dauphin Louis XVII. ❍ Affaire du collier de la reine : le cardinal de Rohan, pour lui complaire, veut offrir un collier de diamants à la reine Marie-Antoinette ; victime d'escrocs et, suite à la plainte des joailliers eux aussi escroqués, il est enfermé à la Bastille (pendant un an). Cette affaire contribuera à renforcer la réputation de coquetterie et d'inconséquence de la reine.

1786

● France : *août*, soulèvement des canuts, à Lyon. ❍ *26 septembre* : Calonne propose une grande réforme fiscale visant à mieux répartir l'impôt. ❍ Traité commercial présenté par Charles Vergennes et signé avec l'Angleterre afin de réduire les tarifs douaniers. ❍ Grèves et émeutes ouvrières à Lyon. ❍ Première ascension du mont Blanc par le docteur Paccard et le guide Jacques Balmat.
● Prusse : avènement et règne de Frédéric-Guillaume III (jusqu'en 1797), fils de Frédéric II.

1787

● France : *13 février*, mort de Charles Vergennes, secrétaire d'État aux Affaires étrangères. ❍ *22 février* : l'assemblée de Notables repousse la réforme des impôts de Calonne, le forçant à la démission (8 avril). Loménie de Brienne lui succède (30 avril). ❍ *12 mai* : l'Assemblée des notables est dissoute. ❍ *16 juillet* : le parlement de Paris en appelle aux états généraux. ❍ *14 août* : exil du Parlement. ❍ *4 septembre* : rappel du Parlement. ❍ *Novembre* : édit de tolérance instituant un état civil pour les protestants (auparavant, seuls les catholiques étaient mentionnés sur l'état civil, tenu par les curés des paroisses où ils étaient baptisés et inhumés).

● États-Unis : rédaction et vote de la Constitution américaine.
● Deuxième guerre entre la Turquie et la Russie alliée à l'Autriche ; l'alliance remporte les victoires de Otchakov (1788) et d'Ismaïla (1790). Au traité d'Iassy (1792) la Russie acquiert les côtes de la mer Noire jusqu'au Dniestr.

1788

● France : *3 mai,* le parlement de Paris publie une déclaration des lois fondamentales du royaume. Le vote des impôts relève des états généraux ; les arrestations arbitraires et les lettres de cachet sont condamnées. ○ *8 mai* : présentation de la réforme de Guillaume Lamoignon, garde des Sceaux, afin de remplacer les parlements par des tribunaux d'appel. Cette proposition suscite la révolte des parlements de Rennes, Dijon, Pau. Les états généraux sont convoqués par Loménie de Brienne pour l'année suivante (1er mai 1789). ○ *21 juillet* : réunion des États du Dauphiné à Vizille. ○ *25 août* : démission de Brienne. Rappel de Necker. ○ *Septembre* : la réforme judiciaire est abandonnée, et le Parlement de Paris (exilé en août) rappelé. ○ *27 décembre* : Louis XVI décide de doubler le nombre des députés du tiers état aux états généraux. ○ Mauvaises récoltes et émeutes en province.
● Fondation de Sydney, première colonie anglaise en Australie.

1789

● France : *mars à mai*, élaboration des cahiers de doléances et élection des députés aux états généraux. ○ Révoltes paysannes pendant le printemps en Provence et en Picardie. ○ *27/28 avril* : émeutes ouvrières à la Manufacture royale de papiers peints, à Paris. ○ *5 mai* : ouverture des états généraux à Versailles (1 139 représentants), afin de résoudre le problème de la réforme des impôts, voulue par le roi, refusée par le Parlement. ○ *17 juin* : le tiers état se proclame Assemblée nationale et ses députés prêtent serment dans la salle du Jeu de paume (20 juin) malgré le veto de Louis XVI. ○ *9 juillet* : les trois ordres, clergé, noblesse et tiers état se déclarent Assemblée nationale constituante. ○ *11 juillet* : renvoi de Necker par Louis XVI, ce qui provoque une émeute. ○ *13 juillet* : la garde nationale (dont La Fayette est élu commandant) et la municipalité de Paris sont créées. ○ *14 juillet* : pillage des Invalides et prise de la prison de la Bastille ; Bailly élu maire de Paris. ○ *16 juillet* : Necker est rappelé par le roi. ○ *4 août* : dans la nuit, l'Assemblée constituante abolit les privilèges féodaux et met un terme à l'Ancien Régime. ❍ *23 août*: liberté religieuse et liberté de la presse. ❍ *26 août*: la Déclaration des droits de l'homme et du citoyen est acceptée par l'Assemblée nationale. ❍ *5 octobre*: marche des femmes sur Versailles; le roi et sa famille sont ramenés par le peuple à Paris. ❍ *12 octobre*: le roi se présente devant l'Assemblée constituante, installée à Paris. ❍ *2 novembre*: les biens du clergé sont confisqués ❍ *19 décembre*: création des assignats, papier-monnaie gagé sur les "biens nationaux". ❍ Publication du *Traité élémentaire de chimie* de Lavoisier.

● États-Unis: George Washington élu premier président (réélu en 1792).

1790

● France: *15 janvier*, l'Assemblée nationale approuve la répartition du territoire en 83 départements; le roi jure de maintenir la Constitution. ❍ *17 avril*: l'assignat devient papier-monnaie ❍ *27 avril*: fondation du club des Cordeliers. ❍ Décrets supprimant les vœux monastiques (*13 février*), les droits féodaux (15 mars) et les titres de noblesse (14 juin). ❍ *12 juillet*: l'Assemblée nationale vote la Constitution civile du clergé. ❍ *14 juillet*: fête de la Fédération nationale au Champ-de-Mars à Paris. Talleyrand célèbre la messe; La Fayette, qui a fait adopter la cocarde tricolore à la famille royale, fait répéter à la foule, et au roi, le serment de fidélité à la nation et à la Constitution. ❍ *4 septembre*: Necker démissionne. ❍ *24 novembre*: l'Assemblée constituante exige des prêtres le serment constitutionnel. ❍ Création du club des Feuillants. Dans l'Assemblée les *Feuillants* siègent à droite, les *Jacobins* à gauche, le *Marais* au centre. ❍ *26 décembre*: Louis XVI accepte la nouvelle Constitution civile du Clergé.

1791

● France: *16 janvier*, création de la gendarmerie. ❍ *2 mars*: abolition des corporations. ❍ Le pape condamne la Constitution civile du clergé. ❍ *2 avril*: mort de Mirabeau. L'année suivante, on découvre, dans "l'armoire de fer", les preuves de son double jeu: orateur révolutionnaire, il négociait avec Louis XVI. Son corps est retiré du Panthéon, où il avait été déposé. ❍ *14 juin*: la loi Le Chapelier interdit les grèves et la reconstitution des associations professionnelles.

❍ *20/21 juin*: fuite manquée de Louis XVI et de la famille royale, arrêtés à Varennes et ramenés à Paris. Le roi est suspendu. ❍ *21 juin*: création du drapeau tricolore. ❍ *11 juillet*: transfert des cendres de Voltaire

au Panthéon. ❍ *17 juillet*: fusillade au Champ-de-Mars contre une manifestation républicaine. ❍ *27 août*: rédigée par Léopold II et Frédéric-Guillaume II de Prusse, la déclaration de Pillnitz met en garde les royaumes européens contre la Révolution française et soude contre eux les révolutionnaires. ❍ *14 septembre*: rétabli dans ses fonctions, le roi prête serment à la Constitution. Tous les pouvoirs émanent de la nation, le roi n'a plus qu'un droit de veto suspensif. L'Assemblée unique est élue au suffrage censitaire, égalité devant l'impôt.
❍ *14 septembre*: annexion d'Avignon et du comtat Venaissin (domaines pontificaux). ❍ *1er octobre*: première réunion de l'Assemblée législative (jusqu'au 20 septembre 1792). Les assignats émis sont remboursables sur les biens saisis du clergé. ❍ *9 novembre*: décret de l'Assemblée contre les émigrés. ❍ *29 novembre*: décret contre les prêtres réfractaires. Suppression des douanes intérieures.
● Haïti: révolte, derrière Toussaint Louverture, des esclaves noirs; le corps expéditionnaire du général Leclerc en vient à bout après l'arrestation de leur meneur, emprisonné dans le Jura.
● Autriche: mort à Vienne de Mozart, à 35 ans.

1792

● *Janvier/mars*: troubles sociaux et contre-révolutionnaires dans plusieurs départements. ❍ *9 février*: l'Assemblée nationale décide la confiscation des biens des émigrés. ❍ *20 avril*: la France déclare la guerre à l'Autriche. ❍ *26 avril*: Rouget de l'Isle chante la *Marseillaise* à Strasbourg. ❍ *27 mai*: décret instaurant la déportation des prêtres réfractaires. ❍ *20 juin*: à la suite du veto de Louis XVI sur les décrets concernant les prêtres réfractaires et de sa décision de renvoyer les ministres républicains (*11 juin*), le peuple parisien envahit les Tuileries.
❍ *11 juillet*: l'Assemblée nationale déclare « la patrie en danger ».
❍ *25 juillet*: le duc de Brunswick, chef des coalisés, publie un manifeste antirévolutionnaire menaçant Paris de représailles. ❍ *10 août*: nouvel assaut des Tuileries; les gardes suisses sont massacrés, et Louis XVI est incarcéré avec sa famille dans la prison du Temple. ❍ *22 août*: révoltes et émeutes royalistes en Vendée, Dauphiné, Bretagne, puis invasion du nord-est de la France par les troupes prussiennes qui prennent de Verdun. ❍ Paris: première exécution avec la guillotine.
❍ *2/6 septembre*: massacres dans les prisons. ❍ *20 septembre*: l'état civil est laïcisé et le divorce légalisé. ❍ *20 septembre*: victoire de Valmy; les sans-culottes de Kellermann arrêtent les Prussiens.

❍ *21 septembre*: la Convention, qui regroupe 749 députés, succède à l'Assemblée constituante; la monarchie est abolie; proclamation de l'an I de la République. ❍ *Octobre*: les Français poursuivent les Prussiens et le général français Custine prend Mayence et Francfort.
❍ *6 novembre*: victoire de Jemmapes; le général Dumouriez conquiert la Belgique. ❍ *27 novembre*: la Savoie est réunie à la France.
❍ *6 décembre*: la Convention, à la suite de la découverte, aux Tuileries, d'une armoire secrète contenant les preuves d'un complot contre la République, décide de faire le procès de Louis XVI.
❍ *11 décembre*: début du procès du "citoyen Louis Capet".
● Suède: *29 mars*, assassinat de Gustave III. Gustave IV lui succède.
● Égypte: épidémie de peste bubonique qui fait plus de 800 000 morts.

1793

● France: *17 janvier*, condamnation à mort de Louis XVI, reconnu coupable de "conspiration contre la liberté publique et contre la sûreté générale de l'État", par 361 voix contre 360. ❍ *21 janvier*: exécution publique de Louis XVI, à 39 ans. ❍ *Février/mars*: la France déclare la guerre à l'Angleterre, à la Hollande puis à l'Espagne, et décrète la levée (24 février) de 300 000 volontaires. ❍ *10 mars*: création du tribunal révolutionnaire; soulèvement de la Vendée. ❍ *18 mars*: défaite du général Dumouriez à Neerwinden face à Frédéric de Saxe-Cobourg qui envahit la Belgique. ❍ *28 mars*: décret de bannissement des émigrés.
❍ *5 avril*: accusé de trahison, le général Dumouriez se réfugie chez les Autrichiens. ❍ *6 avril*: création du Comité de salut public dirigé par Robespierre. Nombreuses exécutions d'opposants et d'aristocrates.
❍ *31 mai au 2 juin*: à l'Assemblée, chute et arrestation des Girondins par les Montagnards. ❍ *24 juin*: vote de la Constitution de l'an I (jamais appliquée). ❍ *Juin/juillet*: révolte girondine en Provence, Normandie, à Bordeaux et Lyon. ❍ *17 juin*: les Vendéens prennent Saumur puis Angers. ❍ *13 juillet*: Marat est assassiné dans sa baignoire par Charlotte Corday. ❍ *17 juillet*: abolition, sans indemnité, des droits féodaux. ❍ *17 août*: décret de levée en masse. ❍ *8 août*: insurrection antirévolutionnaire à Lyon noyée dans le sang.❍ *23 août*: les Anglais prennent Toulon. ❍ *4/5 septembre*: soulèvement populaire à Paris qui oblige l'Assemblée à instaurer la Terreur. ❍ *6/8 septembre*: l'armée du Nord remporte la bataille à Hondschoote (Nord) sur les coalisés.
❍ *5 octobre*: l'Assemblée adopte le calendrier révolutionnaire.

❍ *16 octobre*: la reine Marie-Antoinette, à 38 ans, est guillotinée.
❍ *16 octobre*: victoire de Wattignies sur les Autrichiens, libération de Maubeuge. ❍ *31 octobre*: les chefs girondins sont guillotinés.
❍ *Octobre/décembre*: l'armée de l'Ouest commandée par Lechelle et Kléber écrase les Vendéens (bataille de Cholet, 17 octobre).
❍ *10 novembre*: fête de la Raison et de la Liberté à Notre-Dame de Paris. ❍ *24 novembre*: décret ordonnant de fermer les églises.
❍ *12 décembre*: le jeune Napoléon Bonaparte, officier d'artillerie, reprend Toulon aux Anglais.
● Pologne: 2e partage du pays; la Russie occupe la Volhynie, la Podolie et la Lituanie. La Prusse annexe Dantzig, Kalisch, Posen et Thorn.
● États-Unis: fondation de Washington, capitale de l'Union.

1794
● France: *4 février,* abolition de l'esclavage dans les colonies.
❍ *16 février*: après avoir noyé dans la Loire, à Nantes, plusieurs milliers de personnes, Carrier est rappelé à Paris, jugé et condamné par le tribunal révolutionnaire, puis guillotiné (en décembre).
❍ *26 février/3 mars*: décrets de ventôse permettant de placer sous séquestre les biens des suspects. ❍ *24 mars*: les extrémistes partisans d'Hébert, qui accusent Robespierre de faiblesse, sont exécutés.
❍ *5 avril*: Danton et les “Indulgents” dont Camille Desmoulins, sont exécutés. ❍ *8 juin*: Robespierre organise et préside la Fête de l'Être suprême. ❍ *10 juin*: le décret de prairial institue la “Grande Terreur”. La loi autorise à guillotiner un suspect sans interrogatoire ni témoignage. ❍ *26 juin*: à Fleurus, victoire de Jourdan sur les Autrichiens. Les troupes de la République entrent en Hollande.
❍ *27/28 juillet*: condamnation et exécution de Robespierre (36 ans), Saint-Just et d'une centaine de leurs partisans. ❍ *1er août*: la loi sur les suspects (votée le 17 septembre 1793 et justifiant les exécutions arbitraires) est abolie et met un terme à la Terreur; les suspects sont libérés. ❍ *18 septembre*: soulèvement des muscadins au Palais-Royal.
❍ *24 septembre*: fondation de l'École centrale des travaux publics.
❍ *30 octobre*: fondation de l'École normale supérieure.
❍ *12 novembre*: fermeture du club des Jacobins.
❍ Mort de Lavoisier, à 51 ans, inventeur de la chimie moderne, guillotiné parce qu'ancien fermier général. ❍ Mort du poète André Chénier, à 32 ans, guillotiné sous la Terreur.

1795

● France : *17 février,* accords de La Jaunaye entre Hoche et Charette mettant un terme à la révolte vendéenne. ❍ *21 février* : décret rétablissant la liberté des cultes, et garantissant la neutralité de l'État.
❍ *25 février* : loi Lakanal créant les Écoles centrales. ❍ *1er avril/20 mai* : colère parisienne devant les difficultés économiques et sociales.
❍ *5 avril* : la France signe la paix avec la Prusse. La paix de Bâle accorde à la France la rive gauche du Rhin et précise une ligne de démarcation assurant la neutralité du nord de l'Allemagne ; l'Autriche poursuit la guerre. ❍ *7 avril* : décret instituant le système métrique.
❍ *20 mai* : échec d'une tentative d'insurrection des Jacobins à Paris. La France conquiert la Hollande qui devient la République batave ; les Anglais envahissent ses colonies : Ceylan, Le Cap…
❍ *31 mai* : suppression du tribunal révolutionnaire. ❍ *Mai/juin* : Terreur blanche dans le sud-est de la France : les révolutionnaires sont pourchassés. ❍ *8 juin* : mort dans la prison du Temple du dauphin Louis XVII, fils de Louis XVI. ❍ *23 juin/21 juillet* : tentative manquée d'un débarquement d'émigrés à Quiberon. ❍ *22 juillet* : signature de la paix avec l'Espagne. ❍ *22 août* : la Convention thermidorienne (Barras, Fouché, Tallien) adopte la Constitution de l'an III (proclamée le 23 septembre) qui sera la base du futur Directoire. ❍ *1er octobre* : la France annexe la Belgique. ❍ *5 octobre* (13 Vendémiaire) : insurrection des royalistes écrasée par Napoléon Bonaparte. ❍ *21 octobre* : élections au Corps législatif. ❍ *26 octobre* : fin de la Convention et débuts du Directoire ; élection du Directoire exécutif le 31 octobre.
● Pologne : 3e partage ; les Prussiens prennent la Masovie, Varsovie, les terres situées entre la Vistule, le Bug, le Niémen et une partie de Cracovie ; l'Autriche la Galicie occidentale et Cracovie ; la Russie occupe le reste de la Pologne et le duché de Courlande.

1796

● *19 février,* suppression des assignats. ❍ *Février/mars* : les Vendéens rendent les armes. ❍ *Mars/avril* : Napoléon Bonaparte débute la campagne d'Italie par la conquête du Piémont. ❍ *29 mars* : François de Charrette, chef vendéen, est exécuté à Nantes. ❍ *10 mai* : conspiration des Égaux, dirigée par Grachus Babeuf. ❍ *16 mai* : Bonaparte entre dans Milan. ❍ *5 août* : victoire de Bonaparte à Castiglione, puis à Bassano (13 septembre). ❍ *Août/septembre* : défaites des armées françaises en Allemagne. ❍ 22 *octobre* : les Anglais sont chassés de Corse.

❍ *15/17 novembre*: victoire à Arcole de Bonaparte qui fonde les républiques libres de Cisalpine (lesquelles seront réunies en juin 1797).
● Russie: Paul Ier devient tzar (jusqu'en 1801).
● États-Unis: John Quincy Adams élu président.

1797

● France: *14 janvier,* Napoléon Bonaparte victorieux à Rivoli. ● *19 février*: signature du traité de Tolentino avec le pape Pie VI, qui entérine l'annexion d'Avignon et du ComtatVenaissin par la France. ● *27 mai*: exécution de Gracchus Babeuf. ● *Juin/juillet*: les mesures contre les émigrés et les prêtres réfractaires sont abrogées; retour à la monnaie métallique.
● *4 septembre*: coup d'État du 18 fructidor. Barras, avec l'aide de Bonaparte, prend le pouvoir. Les députés opposés au Directoire sont déportés en Guyane. ● *5 septembre*: les mesures contre les émigrés et les prêtres réfractaires sont rétablies, ainsi que la censure de la presse.
● *18 octobre*: traité de Campo-Formio avec l'Autriche, qui reconnaît à la France la possession de la Belgique, et annexe Venise.
● Prusse: avènement de Frédéric-Guillaume III; il participera aux différentes coalitions contre la France.

1798

● France: *Janvier/février,* prise de Rome (12 février) par Napoléon Bonaparte et création de la République romaine. Le pape Pie VI est emmené comme prisonnier en France. La République helvétique remplace la Confédération des cantons suisses.
❍ *11 mai (22 floréal)* : coup d'État du Directoire qui invalide les 106 députés jacobins et les remplace par des partisans.
❍ *19 mai*: à Toulon, départ de Napoléon Bonaparte pour l'Égypte avec 32000 hommes. ❍ *12 juin*: prise de Malte par Bonaparte (les Anglais assiègent La Valette en septembre et annexent l'île en 1800).
❍ *21 juillet* : Égypte, bataille des Pyramides; victoire de Napoléon Bonaparte sur les mamelouks, et prise du Caire.
❍ *1er août*: victoire anglaise de l'amiral Nelson sur la flotte française près d'Aboukir (Basse-Égypte).
❍ *Septembre*: deuxième coalition contre la France formée par la Russie, l'Autriche, l'Angleterre, le Portugal, Naples et la Turquie.
❍ *5 septembre*: loi Jourdan rendant le service militaire obligatoire.
● Grande-Bretagne: en juin, écrasement d'une insurrection en Irlande.

1799

● France : *mars/avril,* élections au Corps législatif. ❍ *4/5 juin* : Massena bat les Russes à Zurich. ❍ *Mars/août* : défaites françaises, perte de l'Italie (Joubert tué le 15 août à la bataille de Novi). ❍ *18 juin* : coup d'État du 30 prairial pendant lequel les Conseils exigent la démission de deux membres du Directoire. ❍ *Août/octobre* : les royalistes reprennent la lutte dans l'Ouest, le Midi et la vallée du Rhône.

❍ *Septembre/octobre* : les armées françaises victorieuses des coalisés en Suisse et en Hollande ; recul des Autrichiens. ❍ *23 octobre* : Lucien Bonaparte élu président du Conseil des Cinq-Cents. ❍ *9/10 novembre* : coup d'État du 18 brumaire ; désignation de Bonaparte, Sieyès et Ducos comme consuls provisoires (ces deux derniers seront remplacés l'année suivante par Cambacérès et Lebrun). ❍ *24 novembre* : fondation de l'administration des contributions directes. ❍ *25 décembre* : après l'application de la Constitution de l'an VIII, établissement du Consulat dont Napoléon Bonaparte est le Premier consul.

❍ Mort de l'écrivain Pierre Augustin Caron de Beaumarchais, à 67 ans.

● Égypte : *février/mars*, Napoléon Bonaparte occupe la Syrie.

❍ *Mars* : échec de Bonaparte devant la citadelle d'Acre, défendue par les Anglais. ❍ *23 août* : départ d'Égypte de Bonaparte ❍ *9 octobre* : retour de Napoléon Bonaparte en France ; il a laissé le commandement du corps expéditionnaire en Égypte à Kléber.

1800

● France : *13 février,* fondation de la Banque de France.

❍ *17 février* : création des arrondissements et des préfectures, puis installation des préfets. ❍ *20 mars* : en Égypte, le général Kléber bat les Turcs à Héliopolis mais est assassiné par un musulman. Il est remplacé par le général Menou. ❍ *14 juin* : après le passage des Alpes au col du Grand-Saint-Bernard, victoire de Napoléon Bonaparte à Marengo (Piémont) contre les Autrichiens. Le général Desaix est tué dans la bataille.

❍ *1er octobre* : la Louisiane est restituée à la France par l'Espagne.

❍ *3 décembre* : le général Moreau remporte la victoire de Hohenlinden sur les Autrichiens. ❍ *24 décembre* : une bombe est lancée contre Napoléon Bonaparte rue Sainte-Nicaise à Paris.

● États-Unis : Thomas Jefferson élu président.

1801

● France : *9 février*, signature franco-autrichienne du traité de Lunéville qui reconnaît la rive gauche du Rhin à la France. ○ *15 juillet* : signature du Concordat entre Bonaparte et le pape Pie VII : le catholicisme est reconnu comme la religion de la "majorité des Français".
○ *2 septembre* : battus par les Anglais, les Français quittent l'Égypte.
● Russie : *23 mars*, assassinat du tzar Paul Ier, étranglé par des conspirateurs. Son fils Alexandre Ier, 23 ans, lui succède.

1802

● France : *25 mars*, signature du traité d'Amiens qui établit une paix générale avec l'Angleterre. ○ *26 avril* : les émigrés sont amnistiés.
○ *1er mai* : réorganisation en France de l'enseignement secondaire et création des lycées. ○ *19 mai* : fondation de la Légion d'honneur.
○ *20 mai* : l'esclavage est rétabli dans certaines colonies.
○ *2 août* : le Sénat institue le consulat à vie pour Napoléon Bonaparte et augmente ses pouvoirs. ○ *4 août* : le Sénat institue la Constitution de l'an X. ○ *Septembre/octobre* : la France annexe le Piémont et le duché de Parme. ○ Chateaubriand publie *Le Génie du christianisme*.

1803

● France : *28 mars*, instauration du franc germinal. ○ *12 avril* : nouvelle loi interdisant les coalitions patronales et ouvrières. ○ *Mai* : rupture de la paix d'Amiens et reprise de la guerre avec l'Angleterre.
○ *Octobre* : signature d'un traité de neutralité avec l'Espagne.
● Angleterre : elle cède les îles Baléares à l'Espagne ○ Inde : l'armée anglaise sort victorieuse d'un conflit suscité par les Français et assure son emprise sur le Deccan.
● États-Unis : *3 mai*, Bonaparte vend pour 80 millions de francs la Louisiane aux États-Unis. Elle sera le 18e État de l'Union.

1804

● France : *25 février*, création des contributions indirectes.
○ *Février/mars* : arrestation de Cadoudal accusé de complot (exécuté le 28 juin). ○ *21 mars* : exécution du duc d'Enghien dans les fossés du château de Vincennes afin d'intimider l'opposition royaliste.
○ Le Code civil est promulgué. ○ *19 mai* : dix-huit maréchaux d'Empire sont nommés par Napoléon. ○ *10 juillet* : Joseph Fouché est nommé ministre de la Police pour la seconde fois. ○ *18 mai* : le Sénat

instaure l'Empire et promulgue la Constitution de l'an XII.
❍ La France reconnaît l'indépendance d'Haïti. ❍ *2 décembre*: couronnement et sacre de Napoléon Ier empereur des Français, à Notre-Dame de Paris, par le pape Pie VII.
● Prusse: mort du philosophe allemand Emmanuel Kant.
● États-Unis: l'esclavage est aboli dans les États du Nord.

1805

● France: *26 mai*, Napoléon se couronne roi d'Italie. ❍ *Juillet/août*: troisième coalition (Angleterre, Autriche, Russie et Suède mais neutralité de la Prusse) contre la France; Napoléon abandonne son projet de débarquer en Angleterre. ❍ *Septembre*: Napoléon envahit l'Allemagne. ❍ *20 octobre*: bataille d'Ulm; les troupes de Napoléon battent les Autrichiens et prennent le général Mack avec ses 25 000 soldats.
❍ *21 octobre*: l'amiral anglais Nelson détruit la flotte franco-espagnole à Trafalgar. ❍ *14 novembre*: Napoléon et les troupes françaises occupent Vienne. ❍ *2 décembre*: Napoléon remporte la bataille d'Austerlitz sur les Russes et les Autrichiens, dite “Bataille des trois empereurs” (Napoléon, Alexandre Ier de Russie et François II d'Allemagne)
❍ *15 décembre*: traité franco-prussien de Schönbrunn.
❍ *26 décembre*: traité de Presbourg avec l'Autriche, par lequel l'empereur François II abandonne le titre d'empereur germanique et cède à l'Italie la Vénétie et le Tyrol, et le Vorarlberg à la Bavière. Le Würtemberg et la Bavière deviennent des royaumes et l'Autriche reçoit Salzbourg; Napoléon est reconnu roi d'Italie. ❍ *31 décembre*: fin, en France, du calendrier révolutionnaire, utilisé depuis le 22 septembre 1792, et retour au calendrier grégorien.

1806

● France: *30 mars*, Joseph Bonaparte, frère de Napoléon Ier, est déclaré roi de Naples. ❍ *10 mai*: fondation de l'Université impériale qui reçoit le monopole de l'enseignement le 17 septembre 1808.
❍ *5 juin*: Louis Bonaparte, frère de Napoléon Ier, est déclaré roi de Hollande. ❍ *1er juillet*: le Saint-Empire romain germanique est remplacé par la Confédération du Rhin. François II abandonne le titre d'empereur et devient François Ier d'Autriche. ❍ *1er octobre*: quatrième coalition (Angleterre, Prusse, Russie et Suède) contre la France.
❍ *14 octobre*: les troupes françaises remportent les victoires d'Iéna et d'Auerstedt (maréchal Davout) sur la Prusse et la Russie.

❍ *27 octobre*: Napoléon prend Berlin. ❍ *21 novembre*: par le décret de Berlin: mise en place du blocus continental (jusqu'en 1811).
❍ *27 novembre*: Napoléon prend Varsovie.

1807

● France: *8 février*, Napoléon remporte la bataille d'Eylau sur les Russes. ❍ *14 juin*: Napoléon remporte la bataille de Friedland (Prusse) sur les Russes. ❍ *7/9 juillet*: traité de Tilsitt entre Napoléon Ier et le tzar Alexandre Ier. La Russie reçoit une partie de la Prusse orientale et reconnaît les frères de Napoléon comme rois. ❍ Alliance du Danemark avec la France. Une armée française de Napoléon occupe le Portugal.
❍ *22 juillet*: fondation du grand duché de Varsovie.
❍ *18 août*: Jérôme Bonaparte, frère de Napoléon Ier, roi de Westphalie.
❍ *15 septembre*: en France, organisation du cadastre général.
❍ *16 septembre*: fondation de la Cour des comptes.
❍ *Octobre*: les troupes françaises commencent la conquête du Portugal. ❍ *30 novembre*: prise de Lisbonne par les Français.

1808

● France: *2 février*, les troupes françaises occupent les États pontificaux. ● *1er mars*: création de la noblesse impériale. ❍ *20 avril*: naissance, au palais des Tuileries, de Louis-Napoléon Bonaparte (empereur de 1852 à 1870). ❍ *Avril/mai*: Napoléon contraint le roi Charles IV d'Espagne à abdiquer en faveur de son frère, Joseph Bonaparte.
❍ *Mai/juin*: à Madrid, puis dans toute l'Espagne, soulèvement populaire contre la présence française; le nouveau roi Joseph, jusque-là roi de Naples, entre à Madrid le 20 juillet. Joachim Murat le remplace à Naples.. ❍ *22 juillet*: les armées françaises, commandées par le général Dupont, capitulent à Bailen (Andalousie). ❍ *1er août*: l'armée anglaise débarque au Portugal. ❍ *30 août*: l'armée française capitule à Cintra face aux Anglais et abandonne le Portugal. ❍ *27 septembre*: entrevue d'Erfurt entre le tzar Alexandre Ier et les rois d'Allemagne. La France reconnaît l'indépendance de la Serbie et laisse au tzar la Valachie, la Moldavie et la Finlande. ❍ *30 novembre*: victoire de Napoléon à Somosierra sur les Espagnols.
● États-Unis: le Congrès interdit la traite des Noirs.

1809

● France : *24 février*, les Anglais prennent la Martinique, et envahissent les Antilles françaises. ○ *Avril* : l'Autriche entre en guerre et participe à la cinquième coalition contre la France. ○ *22 avril* : victoire française à Eckmühl sur les Autrichiens. ○ *12 mai* : les Français prennent Vienne. ○ *12 juin* : Napoléon Ier est excommunié par le pape Pie VII. ○ *6 juillet* : Napoléon, battu par l'archiduc Charles à Aspern, passe le Danube et remporte la victoire de Wagram sur les troupes de la coalition. ○ *juillet* : enlèvement, sur l'ordre de Napoléon, du pape Pie VII exilé à Savona (près de Gênes) et annexion des États pontificaux. ○ *28 juillet* : les Anglais de Wellington battent les Français à Talavera (Espagne). ○ *14 octobre* : traité de Vienne (Schönbrunn) avec l'Autriche qui perd Salzbourg, la Galicie et la province d'Illyrie.
○ *16 décembre* : Napoléon divorce de Joséphine de Beauharnais.
● Autriche : Metternich devient chancelier d'Autriche (jusqu'en 1848).
● Suède : Gustave IV, roi de Suède, est contraint d'abdiquer ; son oncle Charles XIII conclut la paix avec la France et cède la Finlande à la Russie. Le maréchal français Bernadotte devient prince héritier de Suède.

1810

● France : *février*, Rome est réunie à la France ; les États pontificaux sont démantelés. ○ le Code pénal est promulgué. ○ *2 avril* : Napoléon Ier, à 40 ans, épouse Marie-Louise d'Autriche, 19 ans, fille de François Ier d'Autriche. ○ *9 juillet* : la Hollande, la Frise orientale et quelques villes hanséatiques sont annexées à la France après l'abdication de Louis Bonaparte, roi de Hollande.
● Amérique du Sud : insurrection générale des colonies espagnoles.
● Allemagne : fondation des usines Krupp.
● Russie : *31 décembre*, le tzar Alexandre Ier rompt le Blocus continental imposé par Napoléon.

1811

● France : *20 mars*, naissance de François Charles, fils de Napoléon, roi de Rome (surnommé l'Aiglon), et appelé en Autriche Franz, duc de Reichstadt. ○ *Mai* : Massena et l'armée française quittent le Portugal après avoir été défaits à Fuentes de Onoro.
● Angleterre : George III, roi devenu fou, est remplacé par son fils.
● Égypte : Méhémet Ali prend le pouvoir après le massacre des mamelouks.

1812

● France : *mars*, la Prusse et l'Autriche avec la France contre la Russie. La Grande Armée (650 000 hommes) franchit le Niémen le 22 juin, s'empare de Wilna et de Smolensk (25 juin). ❍ *12 Juin* : le pape est transféré à Fontainebleau. ❍ *12 août* : Wellington chasse les Français de Madrid. ❍ *5/7 septembre* : bataille de la Moscowa et victoire française à Borodino. ❍ *14 septembre* : les Français prennent Moscou incendié par le général russe Rostopchine. ❍ *19 octobre* : début de la retraite de la Grande Armée décimée par la faim et le froid. ❍ *26/28 novembre* : passage de la Bérézina par la Grande Armée disloquée qui a perdu 500 000 hommes. La Prusse et l'Autriche abandonnent l'alliance avec la France. ❍ *23 octobre* : à Paris, conspiration du général Malet. ❍ *5 décembre* : Napoléon quitte l'armée et rentre à Paris.

● Amérique du Sud : Caracas détruite par un tremblement de terre.

1813

● France : *16 mars*, révolte de l'Allemagne du nord ; la Prusse déclare la guerre à la France. ❍ *13 avril* : en Espagne, bataille de Castella ; les Français battus par les Anglais. Le roi Joseph quitte Madrid.

❍ *Mai* : campagne d'Allemagne ; victoires françaises à Bautzen et Lützen. ❍ *4 juin* : signature d'un armistice à Pleiswitz. ❍ *21 juin* : les Anglais battent à Vittoria les Français qui évacuent l'Espagne.

❍ *12 août* : l'Autriche déclare la guerre à la France et participe à la sixième coalition, qui regroupe l'Autriche, la Prusse, la Russie et l'Angleterre (Quadruple Alliance). ❍ *26/27 août* : victoire à Dresde de l'armée française sur les coalisés. ❍ *Septembre/octobre* : deuxième campagne d'Allemagne. L'attaque française contre Berlin est repoussée.

❍ *19 octobre* : Napoléon battu à Leipzig (« bataille des nations »).

❍ *Novembre* : les armées françaises retraversent le Rhin, poursuivies par les armées alliées. ❍ *8 octobre* : les Anglais envahissent l'Aquitaine après avoir remporté la bataille des Pyrénées (25 juillet/2 août).

❍ *11 décembre* : traité de Valençay qui rétablit Ferdinand VII sur le trône d'Espagne.

● États-Unis : *10 septembre*, sur le lac Érié, la flotte américaine bat la flotte anglaise.

● Amérique latine : Bolivar libère Caracas.

1814

● France : *janvier/février/mars*, campagne de France ; Napoléon livre plusieurs batailles pour tenter de contenir, en vain, l'avance alliée sur le territoire français. ❍ *Janvier* : le pape Pie VII est libéré. L'ordre des Jésuites est rétabli. ❍ *24 mars* : les Autrichiens occupent Lyon
❍ *31 mars* : les troupes alliées entrent dans Paris. ❍ *2 avril* : Napoléon Ier est déchu par le Sénat. ❍ *6 avril* : abdication sans conditions de Napoléon qui reçoit la principauté de l'île d'Elbe. Le Sénat propose le trône au comte de Provence, frère cadet de Louis XVI, 58 ans, réfugié en Angleterre, qui arrive à Paris le 3 mai. ❍ *20 avril* : adieux de Fontainebleau. ❍ *30 mai* : le traité de Paris fait perdre à la France toutes ses conquêtes et la ramène à ses anciennes frontières de 1792.
❍ *4 juin* : première Restauration. Louis XVIII accorde une Constitution de type anglais et octroie une Charte qui institue deux Chambres, et limite le pouvoir royal, malgré l'opposition des émigrés et des nostalgiques de l'Ancien Régime, lesquels, par leurs abus, font déjà regretter Napoléon. ❍ *Septembre* : le congrès de Vienne fonde la Confédération germanique composée de 39 États allemands. L'Autriche renonce à la Belgique, abandonne le Brisgau, le Bade et le Wurtemberg mais retrouve le Milanais, la Vénétie et Salzbourg. Hollande et Belgique forment le royaume des Pays-Bas. Neutralité reconnue de la Suisse ; la Norvège est réunie à la Suède. L'Angleterre garde Malte, Héligoland, le Cap et Ceylan. ❍ *21 octobre* : loi restreignant la presse.
● Angleterre : Stephenson met au point la locomotive à vapeur.
● États-Unis : *24 décembre*, le traité de Gand met fin à la guerre avec l'Angleterre ; le 49e parallèle fera frontière entre les États-Unis et le Canada britannique (accord confirmé en 1818).
● Amérique latine : guerre entre le Pérou et le Chili.

1815

● France : *5 mars*, quittant l'île d'Elbe, Napoléon débarque à Golfe-Juan (entre à Paris le 20 mars). ❍ *20 mars* : Louis XVIII s'enfuit à Gand ; début des Cent-Jours : Napoléon tente de reconquérir son pouvoir, face aux armées de l'Europe coalisée. ❍ *29 mars* : la traite des esclaves noirs est abolie. ❍ *Juin* : septième coalition contre la France.
❍ *18 juin* : bataille de Waterloo (Belgique). L'armée prussienne de Blücher et l'armée anglaise de Wellington défont Napoléon.
❍ *22 juin* : seconde prise de Paris, nouvelle abdication de Napoléon et

seconde Restauration avec le retour de Louis XVIII (8 juillet). Napoléon est exilé à Sainte-Hélène (où il arrive le 16 octobre). ❍ *juin à septembre* : l'armée impériale est licenciée, les royalistes font régner la Terreur blanche dans toute la France. ❍ *14/22 août* : élection de la Chambre des députés et victoire des ultra-royalistes (350 sur 400 élus) : c'est la "Chambre introuvable". ❍ *24 septembre* : nomination du duc de Richelieu comme Premier ministre. ❍ *26 septembre* : pacte de la Sainte-Alliance signé par le tzar Alexandre Ier, François Ier d'Autriche et Frédéric-Guillaume III de Prusse, destiné à protéger les monarchies des tentatives révolutionnaires.
❍ *20 novembre* : second traité de Paris obligeant la France à céder Landau à la Bavière, Sarrelouis et Sarrebruck à la Prusse, la Savoie et Nice à la Sardaigne, et à payer 700 millions de francs de dommages. La France est ramenée à ses frontières de 1790 et doit restituer les œuvres d'art prises comme butin de guerre.

1816

● France : *28 avril*, fondation en France de la Caisse des dépôts et consignations. ❍ *Mai* : Nicéphore Niepce réalise la première photographie. ❍ *5 septembre* : la "Chambre introuvable", symbole des abus de la réaction royaliste (Terreur blanche, humiliation des bonapartistes), est dissoute par Louis XVIII. ❍ *4 octobre* : nouvelles élections et victoire des conservateurs.

● États-Unis : James Monroe élu président.

● Amérique latine : l'Argentine proclame son indépendance.

● Angleterre : l'Écossais John Macadam invente le revêtement routier, à base de goudron, qui porte son nom.

1817

France : *Juin,* échec à Lyon d'un complot bonapartiste.

1818

● France : *21 novembre*, fin du congrès d'Aix-la-Chapelle, dominé par Metternich, chancelier d'Autriche, où le duc de Richelieu obtient le retour de la France dans le concert européen et le retrait, plus tôt que prévu, des troupes coalisées du territoire français. ❍ *31 décembre* : le duc de Richelieu démissionne ; nomination du duc Decazes, qui va tenter de libéraliser le régime.

● Amérique latine : le Chili, après avoir battu les troupes espagnoles, proclame son indépendance.

● Suède : le maréchal Bernadotte, 55 ans, devient Charles XIV roi de Suède et de Norvège.

1819

● France : en *mai/juin*, suppression de la censure et de l'autorisation préalable pour la presse.

● Les États-Unis achètent la Floride à l'Espagne qui devient le 27e État de l'Union.

● Amérique latine : Simon Bolivar bat les Espagnols et fonde la république de Colombie.

1820

● France : *13 février*, le duc de Berry, neveu de Louis XVIII, est assassiné par un ouvrier républicain. Le duc de Richelieu forme un second ministère (21 février) après la démission de Decazes, sous la pression des ultrasroyalistes, qui se réclament du frère du roi, le comte d'Artois (futur Charles X). ○ *Mars* : promulgation de lois limitant les libertés individuelles, rétablissant la censure et l'autorisation préalable pour la presse. ○ *29 septembre* : naissance du duc de Bordeaux, fils du duc de Berry, assassiné huit mois plus tôt. “L'enfant du miracle” sur lequel pèseront tous les espoirs royalistes, dernier survivant de la lignée, ne régnera jamais. ○ *Novembre* : les élections législatives donnent la victoire aux conservateurs. ○ *26 décembre* : mort à Trieste, en exil (pour avoir voté la mort de Louis XVI) de Joseph Fouché, à 61 ans, ancien ministre de la Police de Napoléon Ier. ○ Lamartine publie *Les Méditations poétiques.*

● Espagne : guerre civile.

● États-Unis : Maine et Missouri deviennent 23e et 24e États de l'Union.

● Angleterre : règne du roi George IV (jusqu'en 1830).

1821

● France : *5 mai*, mort de Napoléon Ier à Sainte-Hélène.
○ *14 décembre* : ministère du comte de Villèle, chef de file des ultras.

● Guerre de libération de la Grèce, soutenue par lord Byron et le mouvement européen des philhellènes, contre la Turquie (jusqu'en 1829).

● Amérique latine : Simon Bolivar libère le Venezuela. ○ Le Mexique proclame son indépendance.

● Méhémet Ali, sultan d'Égypte, entreprend la conquête du Soudan.

1822

● France : en *mars,* mesures restreignant la liberté de la presse. ○ *21 septembre* : exécution des Quatre Sergents de La Rochelle, Carbonari accusés à tort de complot et de rébellion. ○ Fresnel formule la théorie ondulatoire de la lumière.
● Grèce : déclaration d'indépendance au congrès national d'Épidaure.
● Amérique latine : Simon Bolivar libère l'Équateur. ○ Le Brésil proclame son indépendance et devient un empire constitutionnel.
● Afrique : d'anciens esclaves fondent le Liberia.

1823

● France : en *avril*, intervention militaire française en Espagne, après le renversement du roi Ferdinand VII et prise du fort de Trocadéro (31 août). L'absolutisme est rétabli.
● États-Unis : la "doctrine de Monroe" impose le refus des interventions étrangères (européennes) sur le continent américain tout entier.

1824

● France : *16 septembre*, mort de Louis XVIII, à 69 ans ; son frère le comte d'Artois, 67 ans, lui succède sous le nom de Charles X. Prince séduisant, à l'inconduite notoire dans sa jeunesse, il est devenu, avec l'âge, dévot et triste. ○ Création de l'École nationale des eaux et forêts. ○ Mort du peintre Géricault, à 33 ans.
● Angleterre : organisation des syndicats et reconnaissance du droit de grève. ○ Création de la Société protectrice des animaux à Londres.
● Grèce : *19 avril*, mort sous les balles turques du poète romantique anglais lord Byron, dans les rangs des insurgés grecs.
● États-Unis : John Quincy Adams élu président. ○ MacCormick invente la moissonneuse mécanique.
● Amérique latine : Simon Bolivar libère le Pérou.

1825

● France : *21 avril*, vote de la loi accordant un milliard aux émigrés pour les rembourser de la perte de leurs biens. ○ *29 mai* : sacre à Reims de Charles X. ○ Mort du peintre David, à 77 ans.
● Les Grecs résistent aux Turcs à Missolonghi (Corinthe). L'Angleterre, la Russie et la France interviennent en faveur de la Grèce.
● Russie : règne autocratique du tzar Nicolas Ier (jusqu'en 1855).

1827

● France : le *24 novembre*, élections à la Chambre des députés. La gauche obtient 170 élus, les royalistes 125 ; chute du ministère de Villèle qui, pendant trois ans, a multiplié maladresses et mesures réactionnaires.

● Grèce : à la bataille de Navarin (Messenie), destruction de la flotte turque par les flottes anglaise, française et russe.

● Canada : fondation d'Ottawa.

● Autriche : mort à Vienne de Ludwig van Beethoven, à 57 ans.

1828

● France : *5 janvier,* à la suite de la démission du ministère Villèle, formation du ministère Martignac, qui tente un rapprochement avec les libéraux. ❍ *18 juillet* : loi libérale sur la presse supprimant l'autorisation préalable. ❍ *Octobre* : ouverture de la première ligne de chemin de fer entre Saint-Étienne et Andrézieux.

● Espagne : mort du peintre Goya, à 82 ans.

● États-Unis : Andrew Jackson élu président.

● La Russie attaque la Turquie dans les Balkans et en Arménie.

1829

● France : *6 août*, le ministère Martignac est renvoyé par le roi Charles X ; le ministère du prince Polignac lui succède le 8 août ; il regroupe des hommes aussi incompétents qu'impopulaires et ses ordonnances vont provoquer une révolution.

● Turquie : *14 septembre*, signature du traité d'Andrinople par lequel la Turquie reconnaît l'indépendance de la Grèce. La Moldavie, la Valachie et la Serbie seront gouvernées par des gouverneurs chrétiens sous autorité turque. Le tzar Nicolas Ier obtient les îles à l'embouchure du Danube ainsi que la région d'Achalzik, au sud du Caucase.

● Amérique latine : guerre entre la Colombie et le Pérou.

1830

● France : *18 mars*, 221 députés rappellent au roi les principes de la Charte et annoncent leur opposition au gouvernement. ❍ *16 mai* : Charles X prononce la dissolution de la Chambre des députés. Les nouvelles élections donnent 274 sièges à la gauche, pour seulement 143 aux gouvernementaux. ❍ *14 juin* : débarquement en Algérie d'un corps expéditionnaire français (début de la conquête, terminée en 1847).

○ *5 juillet*: prise d'Alger par la France. ○ *25 juillet*: Charles X tente un coup de force, et signe cinq ordonnances : dissolution de la Chambre nouvellement élue ; modification de la loi électorale ; convocation des électeurs en septembre ; nomination de hauts fonctionnaires royalistes ; suspension de la liberté de la presse. ○ *27, 28, 29 juillet*: les "Trois Glorieuses". Les quartiers populaires se couvrent de barricades. Charles X retire ses ordonnances, et se réfugie à Rambouillet. Mais il est trop tard. L'opposition politique, Thiers, Laffitte, Casimir Perier… proposent le pouvoir à Louis-Philippe d'Orléans, fils de Philippe-Égalité. ○ *30 juillet*: Louis-Philippe d'Orléans lieutenant-général du royaume. ○ *2 août*: abdication de Charles X. ○ *7 août*: Louis-Philippe Ier, 56 ans, est roi des Français. ○ Début de la monarchie de Juillet ; abolition de la censure ; le catholicisme n'est plus religion d'État ; abandon du drapeau blanc, et reprise du drapeau tricolore.

● Belgique : *août*, insurrection à Bruxelles et expulsion des Hollandais, dont l'indépendance est proclamée le 4 octobre, et reconnue à la conférence de Londres en novembre.

● Angleterre : règne du roi Guillaume IV (jusqu'en 1837) ; réforme du parlement. Les esclaves des colonies des Indes sont libérés.

● Colombie : *17 décembre*, mort de Simon Bolivar, à 47 ans.

● États-Unis : fondation de l'Église des mormons.

1831

● France : *14 février*, émeute anticléricale à Paris à l'occasion de la messe anniversaire de l'assassinat du duc de Berry à Saint-Germain-l'Auxerrois. ○ *21 mars* : loi sur l'élection des conseils municipaux et loi réformant la garde nationale. ○ *5 juillet* : victoire des conservateurs à la nouvelle élection de la Chambre des députés. ○ *Novembre* : révolte des canuts lyonnais (ouvriers tissant la soie) violemment réprimée par le maréchal Soult.

● Belgique : mise en place de la Constitution belge et d'une monarchie parlementaire et constitutionnelle (Louis-Philippe refuse pour son fils la couronne de Belgique). Léopold de Saxe-Cobourg-Gotha, 40 ans, devient roi de Belgique le 21 juin. ○ *Août* : intervention militaire française en Belgique envahie par Guillaume Ier de Hollande, et armistice.

● Épidémie de choléra en Europe.

● Pologne : *8 septembre*, prise de Varsovie par les Russes. La Pologne devient province russe ; les Polonais émigrent vers l'Europe de l'Ouest.

1832

● France : *3 mars*, échec d'un complot légitimiste en faveur du duc de Bordeaux. ❍ *21 mars* : loi réduisant le service militaire à sept ans.
❍ *Mars/avril* : épidémie de choléra à Paris : 18500 morts.
❍ *16 mai* : mort de Casimir Périer (choléra), chef de gouvernement.
❍ *Mai/juin* : la duchesse de Berry tente de provoquer un soulèvement légitimiste en Vendée (arrêtée à Nantes le 6 novembre). ❍ *5/6 juin* : insurrection républicaine au cloître Saint-Merri à Paris, lors des obsèques du général Lamarque. ❍ L'ingénieur Sauvage invente l'hélice.
● Autriche : *22 juillet*, mort de tuberculose du duc de Reichstadt, fils de Napoléon Ier, à 22 ans.
● Allemagne : mort de l'écrivain Johann Wolfgang von Goethe, à 83 ans.
● Grèce : le fils du roi Louis Ier de Bavière devient roi de Grèce sous le nom de Otton Ier.

1833

● France : *28 juin*, loi Guizot sur l'enseignement primaire.
● Fondation de l'union douanière allemande entre la Prusse et les États allemands, sauf l'Autriche. Cette union économique sera la base de l'unification politique de l'Allemagne.

1834

● France : *avril*, révoltes républicaines à Lyon puis à Paris.
❍ *13/14 avril* : massacre de manifestants (19) des droits de l'homme rue Transnonain à Paris. ❍ *20 mai* : mort, à 77 ans, du marquis de La Fayette. ❍ Formation d'un gouvernement général des territoires français d'Afrique du Nord, où la lutte contre Abd-el-Kader continue.
● Espagne : à la mort de Ferdinand VII (1833), son frère don Carlos prétend au trône contre Isabelle II, 3 ans, désignée par son père héritière de la couronne ; première guerre civile carliste (jusqu'en 1839) perdue par les partisans de don Carlos.
● Abolition de l'esclavage dans les colonies britanniques.

1835

● France : *28 juillet*, attentat manqué de Fieschi contre Louis-Philippe, qui fait dix-huit morts parmi la suite du roi, dont le maréchal Mortier.
❍ *Septembre* : nouvelles lois répressives contre les partisans de la République. ❍ Fondation de l'Agence Havas.
● Autriche : Règne de Ferdinand Ier empereur (jusqu'en 1848).

● Belgique : ouverture de la 1re ligne de chemin de fer du continent.
● États-Unis : Samuel Colt invente le pistolet qui porte son nom.

1836

● France : *30 octobre*, Louis-Napoléon Bonaparte, neveu de l'empereur Napoléon Ier et prétendant au trône, tente de soulever un régiment d'artillerie à Strasbourg. Arrêté, il est expulsé au Brésil. ○ Les frères Schneider reprennent la fonderie royale du Creusot et la transforment en grand centre sidérurgique.
● Italie : *6 novembre*, mort du choléra, à Görz, de Charles X, à 79 ans.

1837

● France : *26 août*, première ligne de chemin de fer entre Paris et le Pecq. ○ *13 octobre* : en Algérie, les Français prennent Constantine.
● Angleterre : *20 juin*, à la mort de Guillaume IV, début du règne de sa nièce Victoria (jusqu'à 1901).
● États-Unis : Martin Van Buren élu président.
● Canada : révolte des Canadiens français ; victorieux à Saint-Denis, ils sont battus aux batailles de Saint-Charles et de Saint-Eustache.

1838

● France : invention de la reproduction photographique par Jacques Daguerre (daguerrotype).
● Afrique du Sud : après un massacre de colons boers par les Zoulous, les Boers les affrontent et les battent (16 décembre).

1839

● France : *12 mai*, émeutes républicaines à Paris suscitées par Armand Barbès et Louis Auguste Blanqui. ○ Algérie : massacre d'Européens et reprise de la guerre avec Abd el Kader.
● Allemagne : loi interdisant le travail des enfants de moins de 9 ans.
● Angleterre : guerre de l'opium (jusqu'en 1842) avec la Chine qui s'oppose à l'importation de l'opium indien. Battue, la Chine cède Hong-Kong.

1840

● France : *6 août*, seconde tentative de Louis-Napoléon Bonaparte qui débarque à Boulogne mais est aussitôt emprisonné au fort de Ham (dont il s'évadera en mai 1846). ○ *15 octobre* : second attentat manqué contre le roi Louis-Philippe. ○ *15 décembre* : transfert aux Invalides des cendres de Napoléon, revenues de Sainte-Hélène.

❍ *Décembre*: nomination du général Bugeaud comme gouverneur général de l'Algérie. ❍ Thiers, président du Conseil et ministre des Affaires étrangères, est renvoyé pour avoir voulu protester contre un accord à l'insu de la France sur le démantèlement de l'Empire ottoman; il est remplacé par Guizot, ultra-conservateur. ❍ L'architecte Eugène Viollet-le-Duc débute les travaux de réfection et de rénovation de la cité médiévale de Carcassonne.

● Angleterre: fondation de la compagnie Cunard qui, pour la traversée de l'Atlantique entre l'Angleterre et les États-Unis, utilise des bateaux mus par des machines à vapeur. ❍ *10 février*: mariage de la reine Victoria et du prince Albert de Saxe-Cobourg.

● États-Unis: William Henry Harrison élu président.

● Turquie: le tzar Nicolas Ier exige le droit de protéger les sujets chrétiens grecs de l'empire turc. Alliance de la France et de l'Angleterre pour défendre le sultan.

● Prusse: règne du roi Frédéric-Guillaume I, (jusqu'en 1861).

1841

● France: *22 mars*, loi limitant le travail des enfants dans l'industrie.

● Angleterre: Thomas Cook ouvre la première agence de voyages.

1842

● France: *11 juin*, loi répartissant les concessions des compagnies sur les lignes de chemins de fer. Sept lignes rayonnent depuis Paris.

❍ Mort accidentelle du duc d'Orléans, héritier du trône. ❍ Protectorat français sur les îles Marquises, Wallis et Tahiti (sur les îles Gambier en *1844*).

❍ Mort à Paris de Stendhal, à 59 ans. ❍ Invention du marteau-pilon.

● Chine: traité de Nankin, qui ouvre la Chine au commerce européen.

1843

● *16 mai*: prise de la Smala d'Abd-el-Kader par les troupes françaises du duc d'Aumale. ❍ *Septembre*: entente cordiale franco-anglaise ébauchée par Guizot; rencontre à Eu entre la reine Victoria d'Angleterre et Louis-Philippe Ier. ❍ Les Français occupent l'île de Mayotte.

1844

● France: *14 août*, victoire de Bugeaud sur les Marocains à Isly.

● États-Unis: Samuel Morse installe la première ligne télégraphique électrique entre Baltimore et Washington.

1845

● États-Unis: une grande famine conduit deux millions d'Irlandais à émigrer aux États-Unis. ○ James Knox Polk élu président.

1846

● France: *25 mai*, Louis-Napoléon Bonaparte s'évade de sa prison de Ham. ○ Brouille franco-anglaise à la suite de l'affaire des mariages espagnols: la reine Isabelle II d'Espagne a le choix entre trois prétendants: le duc de Montpensier, fils du roi de France, Léopold de Saxe-Cobourg-Gotha, cousin de la reine Victoria, et don François de Bourbon; c'est ce dernier, bien que débile, qui est choisi par la reine.
● États-Unis: guerre victorieuse contre le Mexique qui abandonne à l'Union le Nouveau-Mexique, la Californie et le Texas.
● Inde : le Cachemire sous protectorat anglais.

1847

● France: L'opposition républicaine, qui n'a pas le droit de tenir des réunions politiques, organise des "banquets républicains" pour dénoncer la politique, de plus en plus conservatrice et autoritaire du roi et de Guizot, son Premier ministre. ○ *23 décembre*: Abd-el-Kader se soumet à la France.
● Angleterre: les trois sœurs Brontë publient *Jane Eyre* (Charlotte), *Les Hauts de Hurlevent* (Emily) et *Agnès Grey* (Anne).

1848

● France: *14 février*, Guizot interdit un banquet républicain prévu pour le *22 février.* ○ *22 février*: barricades dans Paris. ○ *23 février*: La garde nationale se rallie aux insurgés. Thiers est, en vain, désigné pour former un nouveau gouvernement. ○ *24 février*: l'armée, dirigée par le général Bugeaud, vient à bout des barricades mais pactise avec les émeutiers; fin de la monarchie de Juillet. Louis-Philippe Ier, 75 ans, après dix-sept ans de règne, abdique en faveur de son petit-fils, le comte de Paris, 10 ans. La duchesse d'Orléans est nommée régente. Les Tuileries sont prises d'assaut et pillées, la duchesse d'Orléans malmenée. Lamartine proclame la République. ○ *25 février*: gouvernement provisoire de la IIe République. ○ *28 février*: Ateliers nationaux créés pour les chômeurs; la liberté d'expression est rétablie.
○ *23/24 avril*: élection d'une nouvelle Assemblée constituante qui pro-

clame (*4 mai*) la IIIe République. ❍ *27 avril*: loi sur l'abolition de l'esclavage aux colonies ❍ *21 juin*: fermeture des Ateliers nationaux et insurrection populaire (plusieurs généraux tués, ainsi que l'archevêque de Paris), réprimée dans le sang par le général Cavaignac qui devient président du conseil le 28 juin. ❍ *24 août*: décret imposant le timbre-poste. ❍ *9 septembre*: loi fixant la durée du travail à douze heures par jour. ❍ *10 décembre*: Louis-Napoléon Bonaparte élu triomphalement président de la République. ❍ Mort de l'écrivain François-René de Chateaubriand, à 80 ans.

● États-Unis: "ruée vers l'or" après la découverte de gisements aurifères en Californie.

● Angleterre: *février*, *Manifeste du Parti communiste* de Karl Marx.

● Allemagne: soulèvement à Berlin. Louis Ier de Bavière abdique ; Maximilien II (son fils) lui succède.

● Autriche: règne de François-Joseph Ier, empereur (jusqu'en 1916). ❍ Soulèvement de l'Italie du Nord contre l'Autriche. ❍ Révolte de la Hongrie (Kossuth) matée par les Autrichiens et les Russes.

● Danemark: soulèvement du Slesvig-Holstein (écrasé en 1850).

● Suisse: l'union des cantons devient une république fédérale avec un président. La Suisse devient un refuge pour les libéraux européens.

● Afrique du Sud: *29 août*, les Boers sont battus à la bataille de Boomplaatz par l'armée anglaise. L'État libre d'Orange est proclamé territoire britannique.

1849

● France: élections législatives; majorité au parti de l'Ordre. ❍ *Avril-juillet*: une expédition militaire française réinstalle le pape chassé de Rome par des émeutes révolutionnaires. ❍ *19 juin*: loi autorisant le gouvernement à interdire les clubs politiques (cette loi sera prorogée le 16 juillet 1850). ❍ *27 juillet*: loi restreignant la liberté de la presse. ❍ Mort à Paris du compositeur polonais Frédéric Chopin, 39 ans.

● Italie: *23 mars*, abdication de Charles-Albert en faveur de son fils Victor-Emmanuel II (qui fera l'indépendance italienne), après sa défaite à Novare face aux troupes autrichiennes de Radetzky.

● États-Unis: Zachary Taylor élu président. ❍ Mort à Baltimore du romancier Edgar Allan Poe, à 40 ans.

1850

● France : *15 mars,* loi Falloux autorisant l'enseignement confessionnel dans le primaire et le secondaire. ❍ *mai* : loi restreignant le suffrage universel. ❍ *8 juin* : nouvelle loi restreignant la presse. ❍ *18 août* : mort à Paris du romancier Honoré de Balzac, à 49 ans. ❍ *26 août* : mort, à Claremont (Angleterre, Windsor), de Louis-Philippe, à 77 ans, dernier roi de France.

● Prusse : nouvelle tentative d'unification de l'Allemagne ; l'Autriche intervient le 28 novembre, et menace d'entrer en guerre contre la Prusse, laquelle renonce provisoirement : c'est la "reculade d'Olmütz".

● États-Unis : Millard Fillmore président, en remplacement de Zachary Taylor, mort pendant son mandat. Le nouveau président, contrairement au précédent, est antiesclavagiste.

● Chine : règne de Hien Foung, empereur de la dynastie mandchoue (jusqu'en 1861).

1851

● *2 décembre* : coup d'État de Louis-Napoléon Bonaparte qui dissout l'Assemblée législative et annonce une nouvelle Constitution. Les mouvements de résistance à Paris et en province sont anéantis par des déportations, internements et arrestations massifs. ❍ *21 décembre* : un plébiscite national ratifie le coup d'État par 7 439 000 voix contre 647 700 et 1 500 000 abstentions, et installe Louis-Napoléon comme président. Opposant de Louis-Napoléon, Victor Hugo se réfugie à Bruxelles ; de là il gagnera Jersey et Guernesey, ne revenant en France qu'à la chute de "Napoléon le Petit", en 1870.

● Chine : révolte (jusqu'en *1864*) des Taï-Ping, des paysans pauvres partisans de la collectivisation, contre la dynastie mandchoue accusée de faiblesse à l'égard des Occidentaux, dont ils pillent les biens.

● Pose d'un câble télégraphique dans la Manche entre l'Angleterre et le continent.

● États-Unis : *10 septembre*, Isaac Merrit Singer met au point sa machine à coudre en perfectionnant celle du Français Barthélemy Thimonnier.

1852

● France : *14 janvier,* promulgation d'une nouvelle Constitution et rétablissement du suffrage universel. ❍ *7 novembre* : sénatus-consulte rétablissant l'Empire après la révision de la Constitution ; un plébiscite national (21/22 novembre) concernant le rétablissement de l'Empire

est approuvé par 7824000 voix, contre 253000, et 2000000 abstentions. ❍ *2 décembre*: proclamation du Second Empire; Louis-Napoléon Bonaparte devient Napoléon III.
● Italie: Cavour chef du gouvernement du roi Victor-Emmanuel II; il sera l'artisan de l'indépendance de l'Italie.
● Afrique du Sud: *17 janvier*, l'Angleterre reconnaît l'indépendance du Transvaal.
● États-Unis: publication de *La Case de l'oncle Tom*, d'Élisabeth Beecher-Stowe, roman emblématique des antiesclavagistes.

1853

● France: *29 janvier*, Napoléon III épouse Eugénie de Montijo (Espagne). ❍ *1er juillet*: le baron Haussmann préfet de la Seine; il va modifier l'aspect de Paris par ses grands travaux: ouverture d'avenues, construction d'immeubles... ❍ Le contre-amiral Febvrier Despointes occupe la Nouvelle-Calédonie et fonde Nouméa l'année suivante.
● Afrique: l'Anglais Livingstone explore le cours du Zambèze.
● Japon: ouverture des ports aux Américains.

1854

● France: *27 mars*, la Russie ayant attaqué la Moldavie et la Valachie, territoires turcs, la France, alliée à l'Angleterre, déclare la guerre à la Russie (jusqu'en 1856). L'Autriche rejoint les alliés tandis que la Prusse reste neutre. ❍ *14 septembre*: les corps expéditionnaires français et anglais débarquent en Crimée et remportent sur les Russes les victoires de l'Alma (20 septembre) de Balaklava (25 octobre) et d'Inkerman (5 novembre). Début du siège de Sébastopol (28 septembre).
❍ Épidémie de choléra en France.
● Afrique: le général Louis Faidherbe est nommé gouverneur du Sénégal où il crée les ports de Dakar et Saint-Louis.
● Angleterre: apparition des premières cigarettes.

1855

● France: *15 mai,* ouverture à Paris d'une Exposition universelle qui reçoit la visite de la reine Victoria. ❍ *10 septembre*: en Crimée, la ville de Sébastopol est prise par les forces françaises et anglaises.
❍ Mort du poète Gérard de Nerval, 47 ans.
● Russie: Alexandre II tzar (jusqu'en 1881).
● Chine: catastrophiques inondations du fleuve Hoang-Ho.

1856

● France : *16 mars*, naissance d'Eugène, fils unique de Napoléon III et d'Eugénie (mort en 1879 dans les rangs de l'armée anglaise, en Afrique du Sud). ❍ *30 mars* : signature du traité de Paris, qui met fin à la guerre de Crimée ; la Russie cède les bouches du Danube à la Moldavie, renonce à sa suzeraineté sur les principautés danubiennes, permet la libre navigation sur le Danube et respecte l'intégrité de la Turquie.

1857

● Pose d'un câble télégraphique reliant l'Angleterre et l'Amérique.

● États-Unis : James Buchanan élu président.

● Angleterre : l'ingénieur Henry Bessemer met au point le convertisseur qui porte son nom pour la fabrication de l'acier. ❍ Synthèse de l'aniline, colorant artificiel, mise au point par William Henry Perkin.

1857

● France : élections législatives, où seuls cinq opposants sont élus. ❍ *29 avril* : soumission de la Kabylie à la France. ❍ Poursuites judiciaires contre Charles Baudelaire après la parution des *Fleurs du mal.* ❍ Poursuites judiciaires contre Gustave Flaubert après la parution de *Madame Bovary.* ❍ Faidherbe fonde le port de Dakar.

● Italie : fondation du mouvement national italien, dont l'un des objectifs est de libérer le pays de l'occupation autrichienne.

● Inde : révolte des cipayes (jusqu'en 1858) : des régiments indigènes se soulèvent parce que des soldats indiens ont été condamnés pour avoir refusé d'utiliser des cartouches enduites de graisse de vache. Les cipayes, las de la morgue occidentale, massacrent les Britanniques, prennent Delhi (11 mai), Allahabad (6 juin)... avant que les troupes du général Cambell ne reprennent l'avantage à Goraria (24 novembre) ; Paudu Naddi (26 novembre) et Cawnpore (6 décembre).

● Chine : guerre anglo-française contre la Chine qui ne respecte pas le traité de commerce de Nankin de 1842. Le palais d'Été de Pékin est incendié, Canton occupée. Par les traités de Tianjin et de Pékin (1860), la Chine accepte l'ouverture de nouveaux ports aux Occidentaux, l'établissement sur son territoire de légations et de missions chrétiennes.

1858

● France : *14 janvier*, attentat à Paris contre Napoléon III ; huit morts et 150 blessés à Paris. L'auteur, Felice Orsin, i est exécuté le 13 mars. ❍ *19 février* : suite à l'attentat d'Orsini contre Napoléon III, vote de la loi de sûreté générale. ❍ *11 février* : la Vierge Marie apparaît dans une grotte de Lourdes à Bernadette Soubirous. ❍ *Juillet* : entrevue secrète de Plombières, entre Cavour et Napoléon III, qui promet son aide militaire au royaume de Piémont-Sardaigne (contre le comté de Nice et la Savoie). ❍ *21 juillet* : l'ingénieur Gustave Eiffel construit un pont métallique sur la Garonne. ❍ L'ingénieur Someiller invente le marteau-piqueur à air comprimé.
● Angleterre : fondation à Londres de l'agence de presse Reuter.
● Inde : suite et fin de la révolte des cipayes. Après avoir écrasé la rébellion, les Britanniques réorganisent et assouplissent leur système colonial ; le gouvernement de l'Inde est rattaché à la couronne, représentée par un vice-roi.
● Mexique : l'Indien Benito Juarez élu président de la République sur un programme de nationalisation des biens de l'Église et de suspension du paiement de la dette extérieure.

1859

● France : *18 février*, les Français s'établissent à Saïgon. ❍ *3 mai* : en accord avec Cavour, la France déclare la guerre à l'Autriche et entame la guerre d'Italie. ❍ *4 juin* : Napoléon III passe les Alpes et remporte la victoire de Magenta sur les Autrichiens. ❍ *24 juin* : Napoléon III entre à Milan et remporte la victoire de Solférino sur les Autrichiens. ❍ *15 août* : décret d'amnistie générale des condamnés politiques.
❍ *10 novembre* : traité de Zurich avec l'Autriche qui met un terme à la guerre d'Italie. Le Piémont annexe la Lombardie, la Vénétie reste autrichienne. ❍ Mort à Cannes de l'historien Alexis de Tocqueville, à 54 ans.
● Angleterre : publication de *L'Origine des espèces au moyen de la sélection naturelle*, de l'Anglais Charles Darwin.
● Suisse : le banquier suisse Henri Dunant, qui a assisté à la bataille de Solférino, crée la Croix-Rouge pour venir en aide aux blessés sur les champs de bataille.
● Guerre entre le Maroc et l'Espagne.
● Japon : ouverture des ports japonais aux Européens.
● États-Unis : premiers puits de pétrole.

1860

● France : après avoir exercé une quasi-dictature, Napoléon III entame une série de réformes libérales. ○ *23 janvier* : signature d'un traité de libre-échange entre la France et la Grande-Bretagne. ○ *24 mars* : traité de Turin ; la Savoie et Nice deviennent françaises après plébiscite.
● Italie : *2 avril*, première réunion du parlement italien à Turin.
○ *11 mai* : "expédition des Mille" et débarquement de Garibaldi à Naples et en Sicile pour en chasser les Bourbons. Les troupes de Victor-Emmanuel, après avoir battu les zouaves pontificaux (18 septembre) "récupèrent" les volontaires de Garibaldi, qui voulait proclamer la république. Rome reste une enclave sous protection française (la ville sera annexée par le roi de Piémont-Sardaigne lorsque le corps expéditionnaire français sera rappelé en 1870 à la chute de l'Empire).
● États-Unis : élection du président Lincoln, antiesclavagiste.
● Les Russes fondent Vladivostok en Sibérie extrême-orientale.

1861

● Prusse : Guillaume Ier devient roi (jusqu'en 1888).
● Suisse : convention internationale de Genève pour le respect de règles humanitaires malgré la guerre, notamment en ce qui concerne les prisonniers.
● Italie : *17 mai*, Victor-Emmanuel II proclamé roi d'une Italie unifiée, ayant Florence pour capitale (jusqu'en 1870), à l'exception de la Vénétie (autrichienne jusqu'en 1866) et de Rome (jusqu'en 1870).
○ Mort, à Turin, de Cavour, principal artisan de cette réunification.
● États-Unis : début de la guerre de Sécession (jusqu'en 1865) entre les États du Sud (9 millions d'habitants), qui, pour des raisons économiques, veulent maintenir l'esclavage, et ceux du Nord (22 millions d'habitants) qui l'ont déjà aboli. ○ À la bataille de Bull Run (*21 juillet*), les confédérés (Sud) battent les nordistes.
● Mexique : France, Angleterre et Espagne, au traité de Londres (31 octobre) décident d'une intervention au Mexique, car le président Juarez refuse de s'acquitter de sa dette extérieure.

1862

● France : *5 juin*, traité de Saïgon qui unit la basse Cochinchine (Saïgon) à l'Indochine.
● Prusse : Otto von Bismarck, 47 ans, est désigné comme Premier ministre et ministre des Affaires étrangères par Guillaume Ier.

● États-Unis, guerre de Sécession : les Sudistes du général Lee gagnent les batailles de Richmond (26 juin), et de Frederickburg (13 décembre).
● Mexique : le président Juarez, après l'occupation de Veracruz (janvier) obtient le départ des Anglais et des Espagnols (février). Les Français maintiennent leur corps expéditionnaire.

1863

● France : fondation à Lyon du Crédit Lyonnais ○ Invention du papier à pâte de bois. ○ Parution du *Dictionnaire de la langue française* d'Émile Littré. ○ Mort à Paris du peintre Eugène Delacroix, à 65 ans.
○ Établissement d'un protectorat français sur le Cambodge et début de la conquête de l'Indochine (jusqu'en 1893).
● Pologne : un soulèvement contre la Russie est violemment étouffé : les étudiants nationalistes sont déportés, le polonais interdit comme langue officielle, l'enseignement russifié…
● Grèce : règne du roi Georges Ier (jusqu'à son assassinat en 1913). Sous son règne la Grèce annexera la Thessalie, la Crète et une partie de l'Épire.
● États-Unis, guerre de Sécession : les nordistes prennent l'avantage ; le général Lee est battu à plusieurs reprises par les nordistes, commandés par Grant et Sherman à Gettysburg (3 juillet), Vickeburg (juillet), Chattanooga (24 novembre)…
● Mexique : *30 avril,* la Légion étrangère "fait" Camerone : 64 soldats (dont seulement trois survivront) tiennent tête à 2000 Mexicains.
○ *7 juin* : le corps expéditionnaire français entre à Mexico.

1864

● France : *avril*, reconnaissance du droit de grève reconnu par la loi Émile Ollivier. ○ Fondation à Paris de la Société générale.
● Bavière : règne (jusqu'en 1886) de Louis II, 18 ans, dont l'extravagance se manifestera dans la construction de châteaux "fantastiques".
● Vatican : publication du pape Pie IX de l'encyclique *Quanta Cura* et du *Syllabus* contre le libéralisme, le socialisme et le monde moderne.
● Grèce : l'Angleterre cède à Georges Ier les îles ioniennes.
● États-Unis, guerre de Sécession : les nordistes, qui exercent un blocus maritime grâce à leurs cuirassés, prennent Atlanta (2 septembre), Savannah (10 décembre)…
● Mexique : *12 juin*, Maximilien de Habsbourg, frère de l'empereur d'Autriche, arrive à Mexico où il est proclamé empereur avec le soutien de Napoléon III et des conservateurs mexicains.

1865

● France : rencontre à Biarritz entre Napoléon III et Bismarck, qui veut s'assurer de la neutralité française dans un éventuel conflit austro-prussien (octobre). ❍ Loi introduisant le chèque en France.
❍ Épidémie de choléra.

● Belgique : début du règne de Léopold II (jusqu'en 1909) pendant lequel la Belgique connaît un grand essor industriel.

● Autriche : Johann Mendel (prêtre augustin) formule les premières lois de l'hérédité à la base de la génétique.

● Angleterre : *Alice au pays des merveilles*, de Lewis Carroll.

● États-Unis, guerre de Sécession : les nordistes emportent Charleston (février), Bentonville (mars)… Les troupes sudistes sont vaincues par Sheridan à Five Forks (1 avril). ❍ Le général Lee se rend à Appomattox (9 avril). La guerre a fait 360 000 morts du côté nordiste, 260 000 du côté sudiste. ❍ *14 avril* : assassinat du président Lincoln par un acteur sudiste. Andrew Jackson lui succède.
❍ Fondation du Ku Klux Klan, mouvement raciste contre l'émancipation des Noirs.

1866

● France : fondation par Jean Macé de la Ligue de l'enseignement afin d'encourager l'enseignement primaire laïque et obligatoire. ❍ Mise au point par l'ingénieur Pierre Martin du four à acier qui porte son nom. ❍ Début de la publication du *Grand Dictionnaire universel du XIXe siècle* de Pierre Larousse.

● Prusse : *3 juillet,* bataille de Sadowa (Tchécoslovaquie) ; les Prussiens battent l'Autriche (opposée à la réunification de l'Allemagne, conformément au traité de Vienne de 1815). ❍ *23 août* : paix de Prague ; l'Autriche laisse la Vénétie à l'Italie et accepte l'annexion par la Prusse des territoires au nord du Main.

● Angleterre : invention de la torpille sous-marine.

1867

● France : Émile Ollivier rétablit la liberté de réunion et d'édition.
❍ *1er avril* : ouverture d'une Exposition universelle à Paris, visitée par la plupart des chefs d'États européens. ❍ Mort à Paris de Charles Baudelaire, à 46 ans. ❍ *Novembre* : expédition militaire française à Rome afin de protéger le pape Pie IX, dont les États sont menacés d'annexion.

● Allemagne : établissement de la Confédération de l'Allemagne du Nord, sous la tutelle de la Prusse. Elle regroupe vingt-deux États, liés aux États du Sud de l'Allemagne par des liens douaniers et militaires.
● Mexique : *19 juin*, après l'évacuation des troupes françaises, l'empereur Maximilien est fusillé par les partisans de Juarez.
● États-Unis : achat (7 200 000 dollars) de l'Alaska à la Russie.
● Publication à Londres du *Capital*, de Karl Marx. ❍ L'industriel suédois Alfred Nobel fait en Angleterre une première démonstration de sa découverte, la dynamite.

1868

● France : semi-échec de la réforme militaire.
● Grande-Bretagne : Disraëli, champion de l'impérialisme britannique, devient Premier ministre. Remplacé, après sa chute (9 décembre) provoquée par la politique irlandaise, par Gladstone, il reviendra au pouvoir en 1874 (jusqu'en 1880).

1869

● France : les élections législatives (24 mai) donnent la majorité aux bonapartistes, mais témoignent de la poussée républicaine, dont l'un des chefs de file est Léon Gambetta. ❍ *8 septembre* : sénatus-consulte donnant des pouvoirs accrus au Corps législatif. Retour au parlementarisme. ❍ Dans les environs de Grenoble, Aristide Bergès met au point la “houille blanche” : production d'électricité par des turbines actionnées par l'énergie de chutes d'eau contenue dans des conduites forcées ❍ Mort à Paris du compositeur Hector Berlioz, à 66 ans.
● Vatican : le concile œcuménique définit le dogme de l'infaillibilité pontificale.
● Japon : début de l'ère du Meiji, qui rejette le système féodal.
● États-Unis : Ulysses Grant, général nordiste, élu président.
● Égypte : *17 novembre*, le canal de Suez, réalisé par Ferdinand de Lesseps, est inauguré par l'impératrice Eugénie.

1870

● France : après un plébiscite (8 mai) approuvant les réformes libérales, l'Empire libéral est instauré le 21 mai.
● Allemagne : *13 juillet*, la France s'oppose à la candidature d'un Hohenzollern au trône d'Espagne. Otto Bismarck, chancelier prussien, veut l'unité des pays de langue allemande, en y incluant l'Alsace et la

Lorraine, et cherche un prétexte pour affronter Napoléon III. Il modifie les termes de la dépêche d'Ems (envoyée par l'ambassadeur de France après une entrevue sur la question espagnole avec le chancelier prussien) afin de la rendre insultante.
● Guerre franco-prussienne : suite à la dépêche (tronquée) d'Ems, la France déclare la guerre à la Prusse le 19 juillet.
❍ Défaites de l'armée française commandée par Mac-Mahon face aux Prussiens à Wissembourg (4 août), Reichshoffen et Froeschwiller (6 août). ❍ L'armée française de Bazaine essuie plusieurs échecs, dont Gravelotte (18 août) avant de s'enfermer dans Metz. Napoléon III et Mac-Mahon viennent à son secours.
❍ Après la bataille perdue de Sedan, Napoléon III se rend (2 septembre). Bazaine, à Metz, cède à son tour et se rend (27 octobre).
❍ *4 septembre* : à Paris, l'Assemblée proclame la déchéance de l'empereur, refuse la régence de l'impératrice Eugénie et rétablit la République autour de Jules Favre, Léon Gambetta et Jules Ferry, avec l'appui du général Trochu, gouverneur militaire de Paris.
❍ *19 septembre* : les Prussiens assiègent et bombardent Paris.
❍ *27 septembre* : capitulation de Strasbourg. ❍ *9 octobre* : Léon Gambetta quitte Paris assiégé en ballon pour prendre la tête de la résistance en province. Le gouvernement se replie à Bordeaux (3 novembre). L'armée de la Loire gagne à Coulmiers (9 novembre), mais perd à Beaune-la-Rolande (28 novembre) et à Orléans (4 décembre).
● Angleterre : installation d'un câble télégraphique entre l'Angleterre et les Indes britanniques. ❍ *9 juin* : mort du romancier anglais Charles Dickens, à 68 ans.
● Italie : *20 septembre*, après le retrait du corps expéditionnaire français, les troupes italiennes occupent Rome qui devient la capitale de l'Italie unifiée.
● Espagne : Isabelle II ayant été chassée du trône, le fils de Victor-Emmanuel II d'Italie est élu roi d'Espagne sous le nom d'Amédée Ier (jusqu'à son abdication en 1873) après que le prince de Hohenzollern-Sigmaringen, cousin du roi de Prusse, eut finalement renoncé à régner (sa candidature est à l'origine de la guerre franco-prussienne).

1871

● *Janvier*: défaites des armées françaises face aux Prussiens. L'armée de l'Est, dirigée par Bourbaki, résiste aux Prussiens à Belfort, gagne à Villerseel (9 janvier), mais, acculée, doit se réfugier en Suisse (février) ❍ *18 janvier*: Guillaume Ier est proclamé empereur du IIe Reich (empire) d'Allemagne au château de Versailles.

❍ *28 janvier*: Paris assiégé capitule. Signature d'un armistice franco-prussien. L'antagonisme franco-allemand déterminera désormais la politique européenne. ❍ *17 février*: après des élections (8 février) qui ont vu la victoire des conservateurs à l'Assemblée nationale, Louis Adolphe Thiers, 73 ans, est nommé chef de l'exécutif de la République.

❍ *18 mars*: le peuple parisien se révolte et entame la Commune de Paris, qui verra la destruction de nombreux biens nationaux et l'incendie des Tuileries. ❍ Thiers s'installe à Versailles avec l'Assemblée. L'administration élue par le peuple de Paris prend le pouvoir et annule tous les actes du gouvernement de Versailles. ❍ *10 mai*: traité de Francfort avec la Prusse; la France perd l'Alsace, moins Belfort, et le nord-est de la Lorraine. ❍ *21 mai*: les versaillais entrent à Paris; début de la "semaine sanglante": barricades, combats de rues, exécution d'otages, répression impitoyable. Le bilan est de 20000 morts, 38000 prisonniers dont 13000 condamnés à la déportation ou aux travaux forcés (il y aura des amnisties en 1879 et 1880).

❍ *31 août*: l'Assemblée nationale se proclame Assemblée constituante; Adolphe Thiers est nommé président de la République. ❍ Émile Zola publie le premier volume (*La Fortune des Rougon*) des Rougon-Macquart, "histoire naturelle et sociale d'une famille sous le second Empire". Le dernier et vingtième volume, *Le Docteur Pascal*, est publié en 1893.

● Grande-Bretagne: la Colombie britannique devient province canadienne. ❍ Fondation de la Rugby Union.

● Turquie: l'archéologue allemand Henrich Schliemann (1822-1890) découvre les vestiges de la ville de Troie.

● Afrique: *octobre,* le journaliste américain (d'origine galloise) Stanley retrouve sur les bords du lac Tanganika le missionnaire écossais Livingstone, parti depuis cinq ans à la recherche des sources du Nil, après avoir découvert le Zambèze (chutes Victoria).

1872

● France : *27 juillet*, loi sur le service militaire (obligatoire et d'une durée de cinq années).

● Suisse : creusement du tunnel du mont Saint-Gothard (14 kms) permettant de relier Bâle à Milan.

● Allemagne : rencontre à Berlin de Guillaume 1er d'Allemagne, François-Joseph Ier d'Autriche et du tzar Alexandre II de Russie afin de juguler les théories républicaines et sociales.

❍ Début du *Kulturkampf* (combat culturel) pour combattre l'influence catholique. Bismarck supprime les jésuites, les séminaires et les études théologiques dans les universités de l'État, et impose le mariage civil. Mesures sans effet qui, par réaction, renforcent les catholiques.

❍ Richard Wagner fait édifier le Festspielhaus à Bayreuth (Bavière) pour y représenter ses opéras.

1873

● France : *24 mai,* Thiers démissionne, mis en minorité par les monarchistes. ❍ *16 septembre* : fin de l'occupation allemande en France après paiement d'une indemnité de guerre de cinq milliards.

❍ *Septembre/octobre* : le comte de Chambord échoue, par son intransigeance, dans sa tentative de restaurer la monarchie, au grand désarroi de ses partisans, en annonçant qu'il ne renoncera jamais au drapeau blanc. ❍ *20 novembre* : vote d'une loi prescrivant la durée du mandat présidentiel pour sept ans. Mac-Mahon est élu président. ❍ Parution à Paris du *Tour du monde en 80 jours* de Jules Verne.

● Espagne : démission du roi et proclamation de la république.

● Angleterre : *7 janvier,* mort en exil de l'ex-empereur Napoléon III.

● Afrique centrale : l'Écossais David Livingstone, explorateur et missionnaire, meurt de dysenterie à 60 ans.

1874

● France : *14 mars*, traité avec l'empereur d'Annam qui cède la Cochinchine à la France. ❍ *19 mai* : loi limitant le travail des enfants.

● Espagne : dictature militaire de janvier à décembre. Alphonse XII, à 17 ans, monte sur le trône (jusqu'en 1881) et ramène le calme. Sous son règne, il veille à faire alterner gouvernements conservateurs et libéraux.

● Angleterre : Disraeli redevient Premier ministre (jusqu'en 1880).

❍ Les îles Fidji deviennent colonie britannique (jusqu'en 1970).

1875

● France: *30 janvier*, naissance officielle de la IIIe République; l'amendement Wallon, voté à une voix de majorité, confirme le régime républicain contre la monarchie; création de l'École de guerre.
● Suisse: *9 octobre*, fondation de l'Union postale universelle au congrès de Berne.
● Égypte: la Grande-Bretagne achète au Khédive les actions du canal de Suez et accroît son influence en Égypte.

1876

● France: *février/mars*, succès des républicains aux élections législatives. ❍ Édification de la basilique du Sacré-Cœur à Paris. ❍ Mort de l'écrivain George Sand, à 72 ans, à Nohant.
● Allemagne: Nikolaus Otto fait fonctionner le premier moteur à explosion à quatre temps. ❍ Premier festival Wagner à Bayreuth.
● États-Unis: *25 juin*, révolte des Indiens Sioux et Cheyennes; le général Custer est massacré à la bataille de Little Big Horn. ❍ Graham Bell dépose un brevet d'invention du téléphone (treize autres chercheurs revendiquent cette découverte). ❍ Rutherford Hayes élu président.
● Grande-Bretagne: la reine Victoria proclamée impératrice des Indes.
● Le Japon oblige la Corée à signer un traité de commerce et d'amitié.

1877

● France: *16 mai*, renvoi du ministère Jules Simon par le président Mac-Mahon puis dissolution de l'Assemblée nationale (25 juin).
❍ *28 octobre.*: victoire des républicains aux élections législatives.
❍ Mort en Suisse, où il s'était exilé, après avoir été accusé, pendant la Commune, d'avoir abattu la colonne Vendôme, du peintre français Gustave Courbet, à 58 ans.
● Afrique du Sud: la Grande-Bretagne annexe la république du Transvaal, fondée en 1848 par les colons hollandais (Boers).
● La Roumanie, vassale de la Turquie, proclame son indépendance.
● Mexique: Porfirio Diaz président.

1878

● France: *mai*, plan Freycinet pour le développement des chemins de fer. ❍ Ouverture de l'Exposition universelle de Paris.
● Turquie: la Serbie, vassale de la Turquie, à l'instar de la Roumanie, proclame son indépendance. ❍ Les Turcs cèdent Chypre aux Anglais.

● L'Autriche occupe la Bosnie et l'Herzégovine.
● Italie : Humbert Ier roi d'Italie (jusqu'à son assassinat par un anarchiste en 1900). ❍ Rome : élection du pape Léon XIII (jusqu'en 1903) qui, comme son prédécesseur, refuse l'annexion du Vatican par le roi d'Italie et s'y considère prisonnier.
● États-Unis : Thomas Edison dépose le brevet de la lampe électrique à incandescence.
● Inde : les Britanniques écrasent un soulèvement des Afghans.

1879

● France : *30 janvier*, après la démission de Mac-Mahon, qui a préféré se démettre plutôt que se soumettre à la majorité républicaine. Jules Grévy lui succède à la présidence de la République (jusqu'en 1887). ❍ *9 août* : loi Paul Bert créant les Écoles normales. ❍ Création du Parti ouvrier français par Jules Guesde.
● Allemagne : unification législative de tout l'empire. Alliance défensive de l'Allemagne et de l'Autriche-Hongrie, la *Duplice* (qui deviendra la *Triplice*, après l'entrée de l'Italie, en 1882).
● Afrique du Sud : guerre des Zoulous contre les Anglais.
● Inde : nouveau soulèvement des Afghans, qui s'achève par leur défaite à la bataille de Kandahar (1er septembre).

1880

● France : *février/mars*, lois de Jules Ferry limitant le rôle des congrégations et des jésuites dans l'enseignement supérieur. ❍ *Juillet* : amnistie des communards. ❍ *21 décembre* : loi instituant l'enseignement secondaire des jeunes filles. ❍ Invention de la bicyclette. ❍ Mort à Paris du compositeur Jacques Offenbach, 69 ans.
● Grande-Bretagne : Gladstone Premier ministre (jusqu'en 1885).
● États-Unis : James Garfield élu président.
● La Turquie cède à la Grèce une partie de la Thessalie.

1881

● France : *12 mai*, le traité du Bardo fait de la Tunisie un protectorat français ; le Congo français s'étend jusqu'au Tchad. ❍ *16 juin* : Jules Ferry instaure la gratuité de l'enseignement primaire.
● Russie : *13 mars*, assassinat du tzar Alexandre II. ❍ Mort à Saint-Pétersbourg du romancier Fédor Dostoïevski, à 60 ans
● Allemagne : législation sociale exceptionnelle en Europe– assurance

contre maladie, accidents, invalidité, vieillesse.
● États-Unis : assassinat de James Garfield ; Chester Arthur président.
● Afrique du Sud : rétablissement de la république du Transvaal après la première guerre des Boers, qui après plusieurs défaites, gagnent la bataille de Majuba Hill (27 février).
● Égypte : révolte contre la présence anglo-française sur le canal de Suez. Les Anglais bombardent Alexandrie (12 juillet).
● Soudan : le mahdi proclame la guerre sainte contre les Anglais.

1882

● France : *28 mars*, loi Jules Ferry instituant l'école primaire obligatoire et laïque.
● États-Unis : derniers conflits avec les tribus indiennes, Apaches du Nouveau-Mexique et de l'Arizona, auxquels le gouvernement fédéral substitue des réserves à leurs territoires livrés aux pionniers blancs.
● Afrique : le roi Léopold II de Belgique place sous son autorité une partie du Congo (dit belge).
● L'Égypte, après une révolte nationaliste (bataille de Kassassin, 28 août), est transformée en protectorat britannique, ce qui met un terme à l'influence française.
● La Serbie devient un royaume, et entre en guerre contre la Bulgarie.

1883

● France : *21 février*, second ministère de Jules Ferry. ❍ *24 août* : avec la mort du comte de Chambord s'éteint la branche royale des Bourbons. ❍ *25 août*, par le traité de Hué, le Tonkin et l'Annam, en Indochine, deviennent des protectorats français.
● Roumanie : Carol Ier, roi de la Roumanie, indépendante depuis 1877, conclut une alliance militaire avec l'Allemagne et l'Autriche-Hongrie.
● Russie : fondation du parti marxiste russe.
● Allemagne : *Ainsi parla Zarathoustra*, de Friedrich Nietzsche.
● République sud-africaine : Paul Kruger élu président. ❍ Découverte de filons aurifères ; une ruée vers l'or s'ensuit en 1886.
● Soudan : les forces anglaises massacrées par celles du mahdi à Kashgal (3 novembre). La guerre va durer treize ans.
● Indonésie : explosion du volcan Perbuatan, dans l'île Krakatoa. Le raz de marée est perçu jusque sur les côtes bretonnes.

1884

● France : *21 mars*, loi Waldeck-Rousseau autorisant les syndicats professionnels.

● Allemagne : fondation de colonies en Afrique et dans les îles du Pacifique.

● États-Unis : Stephen Grover Cleveland élu président.

● Soudan : début du siège de Khartoum par le mahdi, qui est battu à Tamai (13 mars) et à Trinkitat (29 mars).

1885

● France : *30 mars*, Jules Ferry donne sa démission après la défaite du corps expéditionnaire à Lang-Son (Nord Vietnam). Henri Brisson lui succède. ○ *22 mai* : mort de Victor Hugo, à 83 ans. Funérailles solennelles ; son corps est transporté au Panthéon, suivi par une foule immense. ○ *9 juin* : traité de Tien-tsin, par lequel la Chine reconnaît le protectorat français sur le Vietnam. ○ *6 juillet* : Pasteur inocule pour la première fois le sérum contre la rage. ○ *28 décembre* : après la victoire de la gauche républicaine (4/18 octobre) Jules Grévy est réélu président de la République. ○ Madagascar devient protectorat, puis colonie (1896).

● Bulgarie : l'annexion de la Roumélie orientale provoque la guerre avec la Serbie. Le prince Alexandre abdique.

● Soudan : chute de Khartoum (26 janvier), héroïquement défendue par Gordon, qui est tué dans les combats. Le mahdi meurt du typhus.

1886

● France : *7 janvier*, le général Boulanger ministre de la Guerre. ○ *30 octobre* : loi laïcisant le personnel des écoles publiques.

● Empire britannique : après un demi-siècle d'âpre résistance, la Birmanie est soumise et devient province de l'empire (jusqu'en 1937).

1887

● France : *avril*, grave crise franco-allemande après l'affaire Schnaebele, un douanier français accusé d'espionnage par les Allemands qui l'ont arrêté. Les nationalistes, derrière le général Boulanger, partisans d'une réaction militaire, forcent à la démission le président du Conseil, qui a choisi la voie diplomatique. ○ *30 mai* : le général Boulanger est écarté du gouvernement et envoyé en garnison à Clermont-Ferrand. ○ *Octobre* : fondation de l'Union indochinoise pour unifier les protectorats d'Extrême-Orient. ○ *2 décembre* : démission du président Grévy dont le gendre a été compromis dans un trafic de décorations. Élu président, Sadi Carnot, 50 ans, le remplace à la présidence de la République (3 décembre).

● Bulgarie : Ferdinand Ier de Saxe-Cobourg élu roi.

● Empire britannique : les Maldives sous protectorat anglais.

1888

● France : *27 mars*, mise à la retraite du général Boulanger.

❍ *Décembre* : lancement du premier emprunt russe à la Bourse de Paris. ❍ Fernand Forest invente le moteur à essence à partir du moteur à pétrole de Lenoir.

● Allemagne : *9 mars*, mort de l'empereur Guillaume Ier ; avènement de son fils Frédéric II, qui, malade, ne règne que 99 jours et meurt le 15 juin. Guillaume II lui succède (règne jusqu'en 1918 - mort en 1941).

❍ Lois militaires pour répondre aux armements en France et Russie.

● Empire britannique : Brunei et Bornéo sous protectorat anglais. ❍ John Dunlop, un vétérinaire, invente le pneumatique. ❍ *22 mars* : premier match de l'*English Football League*. ❍ Création de la *Lawn Tennis Association*.

● États-Unis : William Henry Harrisson élu président.

1889

● France : *27 janvier*, le général Boulanger est élu triomphalement député à Paris, mais refuse, à la tête de ses partisans nationalistes et monarchistes, de marcher sur l'Élysée. ❍ *4 février* : la Compagnie du canal de Panama est liquidée ; créée par Ferdinand de Lesseps en 1879, elle émet de nombreux emprunts avant de faire faillite, les ingénieurs et Ferdinand de Lesseps ayant sous-estimé les difficultés du percement du canal. De nombreuses personnalités politiques, qui tentent d'étouffer le scandale (jusqu'à l'ouverture d'une enquête, en 1891), sont compromises. De Lesseps et les ingénieurs sont condamnés à des peines de prison (qu'ils ne subissent pas, le jugement ayant été cassé pour vice de forme). Les Américains, en 1904, reprennent la concession et achèvent le percement de l'isthme. ❍ *1er avril* : menacé d'arrestation, le général Boulanger s'enfuit en Belgique tandis que le boulangisme s'effondre lors des élections législatives. ❍ Construction de la tour Eiffel pour l'Exposition universelle. ❍ Découverte de la fonction des glandes à sécrétion interne.

● Accord entre l'Italie et l'Éthiopie.

● Le Brésil devient une république, après l'abdication de l'empereur Pedro II (15 novembre).

1890

● France : *17 août*, entente franco-russe ; signature d'une convention militaire. ❍ *9 octobre* : Clément Ader réalise le premier vol (50 m) en aéroplane. ❍ L'Angleterre reconnaît la souveraineté française sur l'Afrique du Nord et Madagascar.
● Allemagne : Guillaume II renvoie Bismarck. ❍ La Grande-Bretagne cède l'Héligoland à l'Allemagne.
● États-Unis : Sherman Act, loi antitrust.

1891

● France : *1er mai*, défilé d'ouvriers grévistes à Fourmies (Nord) : l'armée tire sur la foule : 9 morts. En 1890, le Ier congrès de la IIe Internationale socialiste, réuni à Paris, a instauré le 1er mai fête des Travailleurs. ❍ *30 septembre* : suicide à Bruxelles du général Boulanger sur la tombe de sa maîtresse. ❍ Ouverture d'une ligne téléphonique entre Paris et Londres. ❍ Mort à Paris du peintre Georges Seurat, à 32 ans
● Vatican : *15 mai*, l'encyclique *Rerum novarum* du pape Léon XIII définit la doctrine sociale de l'Église.
● Russie : début de la construction du chemin de fer transsibérien (jusqu'en 1906). ❍ Grande famine.

1892

● France : *février*, fédération des Bourses du travail. ❍ *2 novembre* : loi limitant le travail des enfants et des femmes.
● États-Unis : Stephen Grover Cleveland réélu président après le mandat. de William Henry Harrisson.

1893

● France : *août/septembre*, les républicains modérés remportent les élections législatives, marquées par le scandale de Panama.
❍ *2 décembre* : l'anarchiste Auguste Vaillant jette une bombe à la Chambre des députés ; il est exécuté, comme l'a été, l'année précédente, un autre anarchiste, Ravachol. ❍ Devenu protectorat français, le Laos entre dans l'Union indochinoise.
● Turquie : massacre des Arméniens par des fanatiques musulmans, qui provoque leur exode vers la Russie et les Balkans.
● Empire britannique : définition de la frontière entre l'Inde et l'Afghanistan. ❍ Les îles Salomon sous protectorat britannique.

1894

● *24 juin* : le président de la République Sadi Carnot est assassiné à Lyon par l'anarchiste italien Caserio. Jean Casimir-Perier lui succède (27 juin). ❍ *Juillet* : Vote de lois dites “scélérates” par les socialistes contre les anarchistes et la presse. ❍ *Septembre* : début de l'affaire Dreyfus : un capitaine juif soupçonné d'espionnage est condamné (22 décembre) à la déportation.

● Japon : guerre gagnée contre la Chine pour le protectorat de la Corée.

1895

● France : *15 janvier*, démission du président de la République Jean Casimir-Périer, qui juge ses pouvoirs insuffisants ; lui succède Félix Faure (17 janvier). ❍ *1er octobre* : traité plaçant Madagascar sous protectorat français. ❍ Création du gouvernement général de l'Afrique-Occidentale française (AOF). ❍ Les frères Lumière fabriquent le premier appareil cinématographique.

● Allemagne : ouverture du canal entre la mer du Nord et la Baltique. ❍ Le physicien Conrad Roentgen découvre les rayons X.

● Autriche : Le chimiste Karl Auer met au point le bec à gaz.

● Grande-Bretagne : tension avec le Transvaal à propos d'un chemin de fer devant relier Le Cap au Caire. ❍ Mort à Londres du philosophe allemand Freidrich Engels, 75 ans.

1896

● France : *août*, l'île de Madagascar est annexée et devient une colonie ; la reine Ranavalona III est déportée (en 1897). ❍ Pierre de Coubertin fonde les Jeux olympiques modernes.

● Italie : conquête manquée de l'Abyssinie : le corps expéditionnaire italien est défait à la bataille d'Adoua (1er mars) par les troupes du négus Ménélik II.

● La Crète se soulève contre la domination turque.

● Soudan : les forces anglaises commandées par Kitchener reprennent l'offensive contre les madhistes.

● États-Unis : William McLinley élu président.

● Canada : ruée vers l'or au Klondyke, après la découverte de graviers aurifères dans la rivière Bonanza.

1897

● France : l'Union indochinoise devient le Gouvernement général de l'Indochine.
● Guerre entre la Grèce et la Turquie pour la Crète. Défaite des Grecs. La Crète obtient une administration autonome, sous contrôle turc.

1898

● France : *13 janvier*, parution dans le journal *L'Aurore* de l'article *J'accuse* rédigé par Émile Zola en faveur d'Alfred Dreyfus ; il accuse certains militaires d'avoir falsifié des preuves afin de faire condamner Dreyfus. La gauche républicaine, qui soutient la thèse de l'erreur judiciaire, s'oppose à la droite monarchiste et patriotique, qui défend l'intégrité de l'armée. *8/22 mai* : élection à la Chambre des députés qui se répartit en trois blocs : la gauche (235 élus), les républicains modérés (254 élus) et la droite (98 élus). ❍ *10 juillet* : affaire de Fachoda (Soudan) ; Jean-Baptiste Marchand, un officier français, qui a traversé l'Afrique d'ouest en est jusqu'au haut Nil refuse d'évacuer Fachoda lorsque le général anglais Kitchener, qui est en train de reconquérir le Soudan (bataille décisive d'Omdourman, 2 septembre), y parvient. Londres proteste ; l'affaire est portée sur le terrain diplomatique, et le ministre des Affaires étrangères, Delcassé, s'incline, et ordonne à Marchand d'évacuer Fachoda (3 novembre) provoquant la colère de la droite nationaliste. ❍ Pierre et Marie Curie découvre le radium.
● États-Unis : *24 avril*, l'Espagne déclare la guerre aux États-Unis qu'elle accuse de soutenir l'insurrection de Cuba. Le traité de Paris (10 octobre) met fin à une suite d'opérations militaires confuses, mais à l'avantage des Américains. L'Espagne cède Cuba, Porto-Rico, Guam et les Philippines moyennant une compensation financière. ❍ Annexion des îles Hawaï.
● Chine : les Occidentaux se partagent des territoires chinois ; l'Allemagne annexe le Shandong ; la Grande-Bretagne obtient la concession de Hong-Kong pour un siècle ; la France prend le Guangdong ; la Russie occupe Port-Arthur et la presqu'île de Liaodong.
● Russie : tension avec le Japon au sujet de la Corée. ❍ Lénine et Martov fondent le Parti social ouvrier.

1899

● France : *16 février*, mort à l'Élysée de Félix Faure ; Émile Loubet lui succède à la présidence de la République (18 février). ❍ *23 février* : le nationaliste Paul Déroulède échoue dans une tentative de coup d'État. ❍ *Avril* : création de l'Action Française. ❍ *Septembre* : révision du procès du capitaine Alfred Dreyfus, qui est condamné à nouveau à 10 ans de réclusion. Il est gracié dix jours plus tard par le président de la République, et réintégré, une fois son innocence reconnue (*13 juillet 1906*) dans l'armée. Mort à Moret-sur-Loing du peintre Alfred Sisley, 60 ans.

● Pays-Bas : création de la Cour de la paix à La Haye afin de résoudre les conflits internationaux.

● Afrique du Sud : seconde guerre des Boers (du 11 octobre au 31 mai 1902) contre la Grande-Bretagne à la suite d'un différent territorial. Privés d'appuis européens, face à une armée anglaise rompue aux guerres coloniales (Inde, Égypte, Soudan…), les Boers voient leurs États du Transvaal et d'Orange annexés à la couronne d'Angleterre (traité de Vereening 31 mai 1902) pour former, avec la colonie anglaise du Cap, l'Union sud-africaine (*1910*).

1900

● France : *avril*, Exposition universelle de Paris. ❍ *Juin* : ouverture des Jeux olympiques à Paris. ❍ *Juillet* : la première ligne du métropolitain parisien est inaugurée entre Vincennes et Neuilly. ❍ *Juin/septembre* : participation de la France à l'expédition internationale lancée pour étouffer à Pékin la révolte des Boxers, une société secrète nationaliste qui veut chasse de Chine les Occidentaux. ❍ *30 septembre* : loi Millerand abaissant la durée maximum du travail à onze heures.
❍ *16 décembre* : accord secret de neutralité concernant le Maroc et la Tripolitaine entre la France et l'Italie. ❍ Mort, à Paris, de l'écrivain irlandais Oscar Wilde, à 46 ans.

● Grande-Bretagne : fondation du *Labour Party*. ❍ L'archéologue John Evans met à jour les ruines du palais de Cnossos (civilisation minoenne) en Crète.

● Italie : règne de Victor-Emmanuel III (jusqu'en 1944).

● Russie : le Tibet est placé sous la protection de la Russie qui occupe la Mandchourie.

● Les États-Unis remportent, en tennis, la première coupe Davis.

1901

● France : *1er juillet*, loi sur la formation et l'organisation des associations. ❍ Mort, en Gironde, du peintre Henri de Toulouse-Lautrec, 37 ans.
● Suède : attribution des premiers prix Nobel de littérature, chimie, physique, médecine et paix.
● Grande-Bretagne : *22 janvier*, mort de la reine Victorian ; règne (jusqu'en 1910) du roi Édouard VII, 59 ans. ❍ *1er janvier* : les colonies anglaises d'Australie sont réunies en un dominion britannique. ❍ *Juin* : campagne contre les camps d'internement dans lesquels, au Transvaal, les Anglais enferment des femmes et des enfants.
● États-Unis : après l'assassinat par un anarchiste de William McKinley, Theodore Roosevelt devient président. ❍ Une révolte aux Philippines est étouffée. ❍ *12 décembre* : l'Italien Gullielmo Marconi réussit à établir une liaison radio entre l'Angleterre (Cornouailles) et l'Amérique (Terre-Neuve).

1902

● France : *avril/mai*, victoire du bloc des gauches aux élections législatives. ❍ *Juin/juillet* : les écoles des congrégations non autorisées sont fermées. ❍ Réforme de l'enseignement secondaire.
❍ Mort à Paris de l'écrivain Émile Zola, à 62 ans. ❍ Fondation de l'académie Goncourt.
● Égypte : achèvement des travaux du barrage d'Assouan, sur le Nil.
● Espagne : règne (jusqu'en 1931) du roi Alphonse XIII.

1903

● France : *mai*, visite officielle à Paris du roi Édouard VII pour renouer l'entente cordiale, après Fachoda ❍ *Juillet* : départ du premier Tour de France cycliste. ❍ Pierre et Marie Curie et Henri Becquerel reçoivent le prix Nobel de physique. ❍ Mort, aux Marquises, de Paul Gauguin, à 55 ans. ❍ Mort, à Paris, du peintre Camille Pissarro, 73 ans.
● États-Unis : l'industriel Henri Ford fonde à Detroit (Michigan) sa première usine d'automobiles.
● Russie : scission au sein du parti social-démocrate russe entre parti de la majorité (bolcheviks), dirigé par Lénine, et parti de la minorité modérée (mencheviks). ❍ Première grève générale.
● En Macédoine, les soldats turcs massacrent des Bulgares.
● Serbie : Alexandre Ier assassiné ; Pierre Ier lui succède (jusqu'en 1912).

1904

● France : *8 avril*, signature d'un accord colonial entre la France et l'Angleterre concernant l'Égypte, le Siam, le Maroc et Terre-Neuve. ❍ *Avril* : fondation par Jean Jaurès du journal *L'Humanité*. ❍ *7 juillet* : loi interdisant aux membres des congrégations religieuses d'enseigner. ❍ *30 juillet* : rupture de la France et de la papauté. ❍ Mort, dans l'Orne, du peintre Henri Fantin-Latour, 68 ans. ❍ Mort, à Paris, du sculpteur Frédéric Bartholdi, auteur de la statue de la Liberté, 70 ans.

● États-Unis : les Américains reprennent les travaux de Ferdinand de Lesseps, et continuent le creusement du canal de Panama (achevé en 1914). Panama est reconnu république indépendante mais le “couloir” du canal est sous administration américaine. ❍ Les troupes américaines se retirent de Cuba. ❍ Theodore Roosevelt est réélu président.

● Guerre entre la Russie et le Japon (contentieux sur la Corée et la Mandchourie) qui se termine à l'avantage du Japon, victorieux à Port-Arthur et à Moukden (les soulèvements révolutionnaires dans les grandes villes de Russie mobilisent des troupes russes). Au traité de Porsmouth (5 septembre 1905) les Japonais prennent aux Russes l'île de Sakhaline, Port-Arthur, et obtiennent le droit d'établir un protectorat en Corée. La Mandchourie revient à la Chine. ❍ Mort de l'écrivain russe Anton Tchekhov, à 44 ans.

● Chine : fondation du Kouo Min Tang par Sun Yat Sen.

1905

● France : *18 janvier*, démission du gouvernement Émile Combes ; gouvernement Maurice Rouvier (24 janvier). ❍ *21 mars* : service militaire réduit à deux ans. ❍ *29 juin* : loi limitant à huit heures par jour le travail dans les mines. ❍ *9 décembre* : loi de séparation de l'Église et de l'État et fin du concordat de 1801. ❍ Mort, à Amiens, du romancier Jules Verne, à 77 ans.

● Hollande : la reine Wilhelmine succède à Guillaume III.

● Maroc : *31 mars*, Guillaume II se rend à Tanger et ouvre une crise franco-allemande en soulignant l'intérêt allemand sur cette région.

● Russie. *22 janvier*, émeutes à Saint-Pétersbourg. ❍ Formation des premiers soviets ouvriers. ❍ *27 juin* : mutinerie des marins du *Potemkine*. ❍ *30 décembre* : révolte des étudiants et des ouvriers à Moscou. Les meneurs sont déportés en Sibérie, ou exilés (Lénine, Trotski...).

● Norvège : unie au Danemark depuis 1397 et à la Suède depuis 1814, la Norvège reprend son indépendance. Le prince Charles de Danemark devient roi de Norvège sous le nom de Haakon VII.

● Inde : tremblement de terre ; plus de 10 000 victimes.

1906

● France : *17 janvier*, Armand Fallières est élu président de la République (jusqu'en 1913). ❍ *Janvier/avril* : conférence d'Algésiras reconnaissant l'intégrité du royaume marocain, et les droits prioritaires de la France. ❍ *Février* : le pape Pie X condamne la loi de séparation de l'Église et de l'État tandis que débute l'inventaire des biens de l'Église. ❍ *10 mars* : catastrophe de la mine de Courrières ; plus de 1 000 morts. ❍ *12 juillet* : le capitaine Alfred Dreyfus est réhabilité. ❍ *13 juillet* : loi rendant le repos hebdomadaire obligatoire. ❍ *25 octobre* : Georges Clemenceau dans son gouvernement crée un ministère du Travail. ❍ Mort à Paris du physicien Pierre Curie, à 47 ans.

● Grande-Bretagne : le biochimiste Frederick Hopkins découvre les vitamines de la croissance.

● Russie : première Douma (parlement élu avec des pouvoirs limités). ❍ Échec des grèves de Moscou.

● États-Unis : San Francisco détruite par un tremblement de terre et un gigantesque incendie.

1907

● France : *juin,* émeutes des viticulteurs du Midi ; le 17e de ligne fraternise avec les manifestants.

● Grande-Bretagne : signature d'un accord avec la Russie au sujet de l'Afghanistan, du Tibet et de la Perse. La Perse du Nord est sous l'influence russe et la Perse du Sud sous l'influence anglaise.

● Pays-Bas : seconde conférence de la paix de La Haye.

● Belgique : le gouvernement annexe le Congo belge, jusqu'alors propriété personnelle du roi.

● Suède : mort du roi Oscar II ; règne de Gustave V (jusqu'en 1950) qui favorisera une politique de neutralité.

● Russie : influence grandissante du moine Raspoutine à la Cour.

● Jamaïque : un tremblement de terre détruit Kingston.

1908

● Grande-Bretagne : importante manifestation des suffragettes au "Hyde Park" de Londres. ❍ Organisation des Jeux olympiques en Angleterre. ❍ Baden-Powell fonde le scoutisme.

● Italie du Sud : un tremblement de terre fait plus de 200 000 morts.

● Turquie : révoltes des nationalistes, les "Jeunes Turcs". Le sultan Abdul Hamid modifie la Constitution mais n'arrête pas la décadence et

ne peut empêcher la perte de la Bosnie, de la Roumélie orientale et de l'Herzégovine. L'Autriche annexe la Bosnie-Herzégovine.
● États-Unis : William Howard Taft élu président. ❍ Sortie des usines Ford de la "Model T". ❍ Fondation de la General Motors.

1909

● France : *9 février*, accord avec l'Allemagne concernant le Maroc. ❍ *Mars* : le gouvernement refuse d'accorder le droit de grève aux fonctionnaires. ❍ *24 juillet* : Aristide Briand forme le nouveau gouvernement. ❍ *25 juillet* : Louis Blériot traverse la Manche en avion.
● Belgique : règne d'Albert Ier (jusqu'en 1934).
● Russification de la Finlande (annexée à la Russie depuis 1809).
● Turquie : le sultan Abdul Hamid, trop despotique, est destitué par les "Jeunes Turcs" et remplacé par son frère Mohamed V (jusqu'en 1918).
● L'explorateur américain Pery atteint le Pôle Nord.

1910

● France : *mars/avril,* élections législatives ; les radicaux restent majoritaires. ❍ Création du gouvernement général de l'Afrique Équatoriale française. ❍ Mort à Paris du peintre Henri Rousseau, à 66 ans.
● Grande-Bretagne : mort d'Édouard VII ; son fils George V lui succède (jusqu'en 1936)
● Portugal : abdication du roi Manuel II ; proclamation de la république.
● Russie : mort de l'écrivain Léon Tostoï, à 82 ans.
● Le Monténégro proclame son indépendance et devient un royaume.
● Le Japon annexe la Corée.
● Afrique du Sud : *31 mai*, les colonies anglaises du Transvaal et d'Orange (anciens États boers annexés à la couronne d'Angleterre en 1902) deviennent, avec la colonie anglaise du Cap, indépendantes, et forment l'Union sud-africaine.
● États-Unis : mort dans le Connecticut de Mark Twain, à 75 ans.

1911

● France : *27 juin*, Joseph Caillaux forme un nouveau gouvernement. ❍ *1er juillet* : après une intervention française pour mater un début de révolte, et sous prétexte de protéger ses ressortissants, l'Allemagne envoie une canonnière en rade d'Agadir (Maroc). ❍ *4 novembre* : traité avec l'Allemagne qui abandonne ses ambitions sur le Maroc et reçoit une partie du Congo en échange. ❍ Marie Curie prix Nobel de chimie.

● L'Italie envahit et annexe la région de Tripoli. La Turquie cède à l'Italie, au traité de Lausanne (18 octobre 1912), la Cyrénaïque et la Tripolitaine.
● Russie : accords militaires et navals entre la France et la Russie dont l'influence est croissante dans les Balkans.
● Chine : une révolution chasse la dynastie manchoue du pouvoir et instaure une république ; élection de Sun Yat Sen à la présidence de la République.
● Mexique : *25 mai*, le dictateur Porfirio Diaz est déposé par les rebelles menés par Franscico Madero. Insurrection paysanne derrière l'Indien Emiliano Zapata.
● Antarctique : le Norvégien Roald Amundsen atteint le pôle Sud (14 décembre).

1912

● France : *14 janvier*, Raymond Poincaré forme un nouveau gouvernement et devient président du Conseil et ministre des Affaires étrangères. ○ *30 mars* : le Maroc devient protectorat français. ○ Mort à Paris du musicien Jules Massenet, à 70 ans.
● Balkans : alliance de la Bulgarie, de la Serbie, du Monténégro et de la Grèce contre la Turquie. Défaite totale de la Turquie, entérinée par le traité de Londres (30 juin 1913) permettant aux Grecs d'occuper une partie des îles de la mer Égée.
● États-Unis : Woodrow Wilson élu à la présidence
● Atlantique : *15 avril*, naufrage du *Titanic*, 1 513 morts.
● Antarctique : l'Anglais Robert Scott atteint le pôle Sud le 18 janvier, ignorant qu'Amundsen l'a précédé de quelques jours ; il meurt avec ses compagnons sur le chemin du retour.

1913

● *17 janvier*, Raymond Poincaré est élu président de la République.
○ *23 septembre* : l'aviateur français Roland Garros réussit la première traversée de la Méditerranée en avion. ○ *9 décembre* : Gaston Doumergue forme un nouveau gouvernement.
● Grèce : le roi Georges Ier est assassiné à Salonique ; Constantin Ier lui succède (jusqu'en 1917).
● Balkans : Serbie, Grèce et Roumanie s'opposent à la Bulgarie, leur ancien alliée, lors du partage des territoires turcs. Les Turcs, menés par Enver Pacha, reprennent Andrinople, et obligent les Bulgares, pris

entre deux fronts, à céder. Au traité de paix de Bucarest (10 août 1913), la Bulgarie cède les territoires acquis au traité de Londres (1913); la Grèce acquiert la Crète et presque toute l'Épire, ainsi qu'une partie de la Macédoine avec Salonique, Seres, Drama et Kawala. La Serbie obtient Monastir, lstib, Usküb, Prischtina, Doiran. La Bulgarie obtient les régions de Stroumitza, Melnik, Xanthi et Dedeagatsch, mais rend Dimotika, Andrinople et Kirklisse aux Turcs.
● La Russie reconnaît la souveraineté chinoise sur la Mongolie, qui conserve son autonomie administrative.

1914

● France: *16 mars*, suite à une campagne de presse mettant en cause son mari, Mme Caillaux tue Gaston Calmette, directeur du *Figaro*.
❍ *15 juillet*: vote de la loi instituant l'impôt sur le revenu.
● Amérique centrale: inauguration du canal de Panama.

PREMIÈRE GUERRE MONDIALE (1914)

● *28 juin*: assassinat à Sarajevo (Bosnie-Herzégovine) du prince héritier au trône d'Autriche-Hongrie, l'archiduc François-Ferdinand, et de son épouse.
● *23 juillet*: ultimatum de l'Autriche à la Serbie pour le châtiment des meurtriers. ❍ *28 juillet*: l'Autriche-Hongrie déclare la guerre à la Serbie. ❍ *31 juillet:* en France, assassinat de Jean Jaurès par un nationaliste. ❍ Russie: mobilisation générale.
● *1er août*: mobilisation générale et déclaration de guerre de l'Allemagne (alliée à l'Autriche-Hongrie) à la Russie (alliée à la Serbie).
❍ L'Allemagne lance un ultimatum à la France pour qu'elle reste neutre, mais celle-ci décrète cependant la mobilisation générale.
❍ *2 août*: alliance secrète de la Turquie avec l'Allemagne. ❍ L'armée allemande pénètre dans le Luxembourg. Ultimatum de l'Allemagne à la Belgique, exigeant le passage des troupes allemandes.
❍ *3 août*: l'Allemagne déclare la guerre à la France.
❍ *4 août*: l'invasion de la Belgique oblige l'Angleterre à déclarer la guerre à l'Allemagne. ❍ *6/12 août*: déclarations de guerre de l'Autriche-Hongrie à la Russie, de la Serbie à l'Allemagne, de la France et de l'Angleterre à l'Autriche-Hongrie. ❍ *20 août*: entrée des troupes allemandes à Bruxelles puis sur le territoire français, jusque sur la Marne qu'elles atteignent début septembre, en menaçant Paris.

❍ L'Italie déclare la guerre à la Turquie. ❍ *26 août*: en France, formation d'un gouvernement faisant appel à l'Union sacrée contre l'ennemi. ❍ *26/31 août*: bataille de Tannenberg au cours de laquelle Hindenburg, général en chef de la 8e armée allemande, et Ludendorff détruisent l'armée russe à Narev; l'armée russe de l'Est (Niémen) est repoussée aux lacs de Mazurie.

● *2 septembre*: le gouvernement français se réfugie à Bordeaux.

❍ *5/12 septembre*: bataille de la Marne; la contre-offensive de l'armée française (transportée depuis Paris dans des taxis mobilisés) bloque l'avance des Allemands qui se replient sur l'Aisne.

❍ En Belgique, les Allemands ne parviennent pas à franchir l'Yser.

● *1er novembre*: la Turquie entre en guerre du côté de l'Allemagne.

❍ *Novembre*: le front se stabilise de la mer du Nord à la Suisse; début de la guerre de tranchées.

● *Décembre*: les gouvernement et Parlement français regagnent Paris.

● Mort au front des romanciers français Alain-Fournier (Les Éparges), 28 ans, Charles Péguy (Villeroy), 41 ans, et Louis Pergaud (Verdun), 32 ans.

1915

● France: *29 octobre*, le gouvernement Viviani démissionne; Aristide Briand forme un nouveau gouvernement (30 octobre). ❍ *Novembre*: lancement d'un emprunt d'État pour la Défense nationale.

Première Guerre mondiale (1915)

● *4/22 février*: une armée russe pénètre en Prusse orientale mais est détruite près des lacs de Mazurie. ❍ L'Allemagne déclenche la guerre sous-marine. ❍ Offensive française en Champagne.

● *22 mars*: défaite russe en Prusse mais les troupes russes entrent en Hongrie.

● *Avril*: à Ypres (Belgique), l'Allemagne emploie pour la première fois les gaz asphyxiants.

● *1/3 mai*: offensive victorieuse austro-allemande en Galicie.

❍ Le paquebot britannique *Lusitania* est torpillé par un sous-marin allemand au large de l'Irlande (7 mai). ❍ Retraite des troupes russes qui quittent aussi la Pologne et la Lituanie. Le tzar prend le commandement des troupes russes. ❍ Les alliés attaquent les Dardanelles où les Turcs, aidés militairement par l'Allemagne, opposent une grande résistance.

● *Mai/juin*: offensive française en Artois.

● *5 octobre*: les forces françaises et anglaises débarquent à Salonique ❍ Les Anglais occupent Bagdad.

● *Septembre/octobre*: offensive française en Champagne et Artois. ❍ Les Russes attaquent la Bulgarie. ❍ Les Italiens, sur la rivière Isonzo (Slovénie) subissent de lourdes pertes face aux Austro-Hongrois.

● *Novembre*: les forces allemandes, autrichiennes et bulgares occupent la Serbie.

● *2 décembre*: le général Joseph Joffre est nommé commandant en chef des armées françaises.

1916

● France: *octobre*, lancement d'un 2e emprunt pour la Défense nationale.

● Pologne: *novembre*, l'Allemagne rétablit la monarchie.

● Autriche-Hongrie: *21 novembre*, mort de l'empereur François-Joseph à qui succède son neveu, l'empereur Charles, 29 ans, qui recherche une paix séparée.

● États-Unis: *mars*, intervention militaire au Mexique contre le rebelle Pancho Villa. ❍ Woodrow Wilson réélu président. ❍ Mort en Californie de l'écrivain Jack London, à 40 ans.

● Russie: *30 décembre*, des nobles assassinent Raspoutine, le moine-guérisseur de la famille impériale.

● Grande-Bretagne: *avril*, les nationalistes irlandais provoquent des émeutes urbaines pendant la semaine pascale, réprimée par l'armée anglaise (les leaders sont exécutés). ❍ Le Qatar devient protectorat britannique (jusqu'en 1971) ❍ Mise au point, par l'ingénieur Harry Brearley, de l'acier inoxydable. ❍ Mort à Londres de l'écrivain (né américain, mais naturalisé anglais) Henry James, à 73 ans.

Première Guerre mondiale (1916)

● *21 février/juin-24 octobre/15 décembre*: batailles de Verdun (360 000 morts français, 335 000 morts allemands).

● *19 avril*: à El-Amara, le colonel anglais Lawrence soulève les tribus bédouines contre les Turcs.

● *Juillet/novembre*: combats indécis et meurtriers sur la Somme pour les troupes franco-anglaises. Les Russes mettent les Turcs en déroute à Erzincan (27 juillet).

● *10 août*: Les Italiens prennent Gorizia (Frioul).

● *28 août* : la Roumanie entre en guerre aux côtés des Alliés.
● *Septembre* : premiers chars d'assaut britanniques sur la Somme.
❍ Les Alliés lancent une nouvelle offensive dans les Balkans.
● *Octobre* : les Alliés occupent Athènes.
● *Décembre* : l'Allemagne fait des offres de paix par l'intermédiaire des États-Unis ; le président Wilson propose une médiation que l'Allemagne rejette (20 décembre). ❍ *12 décembre* : le général Joffre est remplacé par le général Robert Nivelle à la tête des armées françaises.

1917

● France : *janvier*, grèves dans les usines d'armement. ❍ *17 mars* : Aristide Briand démissionne ; Alexandre Ribot lui succède (20 mars).
❍ *12 septembre* : Paul Painlevé forme un nouveau gouvernement qui met un terme à l'Union sacrée. ❍ *16 novembre* : Georges Clemenceau forme un nouveau gouvernement après le renversement du gouvernement Paul Painlevé. ❍ *Novembre* : lancement d'un 3e emprunt pour la Défense nationale. ❍ Mort à Meudon du sculpteur Auguste Rodin, à 77 ans, et du peintre Edgar Degas, à 83 ans, à Paris.
● Russie : *16 mars*, suite aux grandes grèves de Petrograd et à l'insurrection des militaires chargés de les réprimer (février) le tzar Nicolas II abdique ; formation d'un gouvernement provisoire libéral.
❍ *16 avril* : les Allemands favorisent le retour à Petrograd de Lénine qui prend la tête des bolcheviks extrémistes. ❍ *Juillet* : le gouvernement provisoire tente d'écraser le mouvement bolchevique en pleine expansion. Alexandre Kerensky Premier ministre. ❍ *Août* : réunion de tous les partis politiques, à l'exception des bolcheviks. ❍ *Septembre* : Kerenski, avec l'aide de Lénine (réfugié en Finlande) fait échec au coup d'État du général Kornilov. ❍ Proclamation de la république (*15*) ; l'ex-tzar et sa famille sont déplacés en Sibérie.
❍ *Octobre/novembre* : révolution d'Octobre ; les bolcheviks, qui contrôlent les soviets de Petrograd et Moscou, déclenchent l'insurrection. Kerenski est chassé du pouvoir, et remplacé par des commissaires du peuple, dont Lénine et Trotsky.
● Finlande : *6 décembre*, annexée à la Russie depuis 1809, elle proclame son indépendance.
● Palestine : *2 novembre*, la déclaration Balfour reconnaît la Palestine "foyer national" des Juifs.

PREMIÈRE GUERRE MONDIALE (1917)

● *1er février*: rupture des relations diplomatiques entre les États-Unis et l'Allemagne, qui pratique la guerre sous-marine.

● *6 avril*: déclaration de guerre des États-Unis à l'Allemagne et à l'Autriche.

● *Avril/mai*: offensive de l'armée française en Champagne sur le Chemin des Dames. Des soldats se mutinent. ❍ *15 mai*: le général Nivelle est remplacé par le général Philippe Pétain à la tête des armées françaises. Fin des mutineries.

● *28 juin*: la première division américaine débarque en France.

● *20 août*: les Français brisent le front allemand à Verdun.

● *17 septembre*: les Allemands expulsent les Russes de Riga.

● *Octobre*: victoire française sur l'Aisne (23). ❍ Les Italiens battus par les Autrichiens à la bataille de Caporetto (24).

● *Novembre*: le front allemand de l'Ouest (ligne Hindenburg) enfoncé sur une vingtaine de kilomètres.

● *Décembre*: Jérusalem prise par les Britanniques (9). ❍ Armistice russo-allemand (15). ❍ Débarquement franco-anglais dans les détroits turcs et à Constantinople.

1918

● France: *octobre*, 4e emprunt pour la Défense nationale ("emprunt de la victoire"). ❍ Morts à Paris du poète Guillaume Apollinaire, à 38 ans, et du musicien Claude Debussy, à 56 ans.

● Autriche-Hongrie: *16 novembre*, abdication de l'empereur Charles Ier et dissolution de l'Autriche-Hongrie, ce qui va entraîner l'indépendance de plusieurs de ses provinces. ❍ La Hongrie devient un État indépendant. ❍ Pologne: *novembre*, elle proclame son autonomie et devient une république; les soldats polonais combattant dans les rangs austro-hongrois ont déserté. ❍ Tchécoslovaquie: *28 octobre*, le pays est déclaré indépendant; Thomas Masaryk président. ❍ *23 novembre*: Serbie, Croatie, Slovnie et Monténégro se réunissent pour former la Yougoslavie, avec pour roi Pierre Ier, 74 ans (jusqu'en 1921). ❍ Mort à Vienne des peintres Gustav Klimt, 56 ans, et Egon Schiele, à 28 ans.

● Allemagne: *10 novembre*: insurrections d'ouvriers et de soldats dans les grandes villes et à Berlin; abdication de l'empereur Guillaume II qui part pour l'exil en Hollande; la république est proclamée.

● Russie soviétique: *28 janvier*, Lénine crée l'armée rouge. ❍ *Juin*: premiers affrontements entre l'armée rouge et les "Blancs" contre-révolutionnaires. ❍ *16 juillet*: la famille impériale massacrée à Ekaterinbourg. ❍ *Novembre*. l'amiral Koltchak prend la tête des armées contre-révolutionnaires.

● *Octobre/novembre*: une grande et meurtrière épidémie de grippe espagnole ravage l'Europe.

PREMIÈRE GUERRE MONDIALE (1918)

● *3 mars*: traité de Brest-Litovsk entre l'Allemagne, l'Autriche, la Turquie et la Russie; les Russes se retirent des pays baltes, de la Finlande, de la Pologne, de l'Ukraine et de la Géorgie.

● *21 mars*: début des grandes offensives de l'armée allemande (qui a reçu des renforts libérés du front de l'Est par le traité de Brest-Litovsk) sur la Somme, sans résultat décisif.

● *9 avril/1er mai*: offensive des forces allemandes en Flandre.

● *14 avril*: le maréchal Foch commandant en chef des forces alliées.

● *27 mai/5 juin*: offensive allemande sur le Chemin des Dames

● *15/17 juillet*: offensive allemande repoussée en Champagne.

● *18 juillet*: deuxième bataille de la Marne. Contre-offensive alliée en Picardie, soutenue massivement par l'aide américaine.

● *8 août*: l'armée allemande se replie sur la ligne Siegfried, qui va d'Anvers à la Meuse.

● *29 septembre*: Hindenburg et Ludendorff, les chefs de l'armée allemande, entament des pourparlers de paix.

● *30 septembre*: la Bulgarie signe l'armistice.

● *30 octobre.*: la Turquie signe l'armistice.

● *3 novembre*: l'Autriche signe l'armistice.

● *11 novembre*: l'Allemagne capitule sans conditions et signe l'armistice dans la forêt de Compiègne (Rethondes).

● *Décembre*: les Alliés occupent la Rhur.

1919

● France: *18 janvier,* conférence de la Paix à Paris, présidée par Georges Clemenceau. L'Allemagne cède l'Alsace-Lorraine à la France; la Sarre décidera de son appartenance (Allemagne ou France) par un référendum dans 15 ans. ❍ *23 avril*: loi sur la journée de travail de huit heures. ❍ *28 juin*: signature du traité de Versailles avec l'Allemagne. ❍ *10 septembre*: traité de Saint-Germain-en-Laye avec l'Autriche, qui devient un État indépendant (et non pas rattaché à l'Allemagne [Anschluss], comme le réclament les Autrichiens allemands). ❍ *27 novembre*: signature du traité de Neuilly avec la Bulgarie, qui cède la Thrace occidentale à la Grèce. ❍ *Novembre*: les élections législatives donnent une Chambre “bleu horizon” à majorité conservatrice. ❍ Mort à Cagnes-sur-mer du peintre Auguste Renoir, à 78 ans.

● Allemagne: *2 janvier,* grève générale déclenchée par les communistes du groupe “Spartakus” et émeutes à Berlin. L'armée écrase l'insurrection; les deux meneurs, Karl Liebknecht et Rosa Luxemburg sont assassinés (11-15 janvier). ❍ *Juin*: sabordage de la flotte de guerre allemande retenue en rade de Scapa Flow (Angleterre). ❍ *31 juillet*: Constitution de Weimar; l'Allemagne devient une république parlementaire démocratique.

● Italie: fondation du parti fasciste par Benito Mussolini.

● Grande-Bretagne: Lloyd-George, Premier ministre, propose un plan de partition de l'Irlande. ❍ Création, à Dublin, de l'IRA (*Irish Republican Army*). ❍ Première désintégration de l'atome (Rutherford).

● Russie soviétique: création de la IIIe Internationale à Moscou. ❍ Succès final de l'armée rouge de Trotski contre les armées contre-révolutionnaires de Denikine-Wrangler (qui ont reconquis l'Ukraine et menacent un temps Moscou) et de Koltchak qui depuis l'est parvient au bord de la Volga avant d'être repoussé (renversé par une émeute le 4 janvier 1920, Koltchak est fusillé le 2 février 1920).

● Inde: *13 avril*, à Amritsar, capitale des sikhs, l'armée anglaise massacre 400 manifestants et en blesse 1 200. ❍ Début de la campagne de désobéissance civile du Mahatma Gandhi.

1920

● France: *17 janvier,* Paul Deschanel président de la République. ❍ *18 janvier*: démission du gouvernement de Georges Clemenceau ; Alexandre Millerand forme un nouveau gouvernement (20 janvier). ❍ *1er mai*: manifestations syndicales, et grève des mineurs dans le Nord. ❍ Le pape Benoît XV canonise Jeanne d'Arc (brûlée en 1431). ❍ *5/16 juillet*: conférence de Spa concernant les réparations de guerre allemandes dont les montants seront fixés à Londres en mai. ❍ *10 août*: par le traité de Sèvres, l'Empire ottoman est démantelé. ❍ *25 septembre*: Alexandre Millerand succède à Paul Deschanel, démissionnaire pour raison de santé, comme président de la République. ❍ *11 novembre*: mise en place solennelle de la tombe du soldat inconnu sous l'Arc de triomphe à Paris. ❍ *25/30 décembre*: lors du congrès de Tours, scission du parti socialiste; d'un côté la SFIO de Léon Blum et Paul Faure, de l'autre le Parti communiste. ❍ Mort, à Paris, du peintre italien Amedeo Modigliani, à 36 ans.

● Genève: fondation de la Société des Nations (SDN) destinée à promouvoir la paix et la collaboration entre les peuples, sur un projet du président Wilson; mais le Sénat américain refuse d'y participer.

● Grande-Bretagne: en Irlande, l'IRA tue quatorze soldats britanniques. ❍ Le Kenya, ancien protectorat allemand, devient colonie britannique.

● États-Unis: Warren Harding élu président. ❍ Début de la prohibition, après le vote d'un amendement interdisant la vente d'alcool.

1921

● France: *16 janvier,* Aristide Briand forme un nouveau gouvernement. ❍ Mort à Rueil de l'auteur dramatique George Feydeau, à 59 ans.

● Irlande: *6 décembre*, traité de Londres; l'île est partagée en deux: une partie catholique, qui devient un État libre, et une partie à majorité protestante, la province d'Ulster, qui reste anglaise (ce que les extrémistes de l'IRA refusent).

● Russie soviétique: annexion de la Géorgie. ❍ Pour mettre fin à une situation économique catastrophique, Lénine inaugure la "nouvelle économie politique" (NEP) qui réhabilite, de façon restreinte, la libre entreprise. ❍ Mutinerie des marins de la base de Kronstadt.

● Turquie: *septembre*, dans les Dardanelles, combats entre les Turcs et les Grecs d'Asie Mineure. La fermeté des Occidentaux évite une extension du conflit vers l'Europe, mais les Turcs obtiendront, au traité de Lausanne (1923), la révision du traité de Sèvres (1920), dont ils refusent les conditions, trop sévères à leur égard.

● Maroc: début de la guerre du Rif; les rebelles d'Abd el Krim attaquent et battent les Espagnols, qui doivent envoyer des renforts.

● États-Unis: *25 août*, paix séparée signée avec l'Allemagne. ❍ Condamnation à mort des anarchistes Sacco et Vanzetti (exécutés en 1927).

1922

● France: le Niger devient colonie de l'AOF. ❍ Mort à Paris du romancier Marcel Proust, à 51 ans.

● Vatican: élection du pape Pie XI (jusqu'en 1939), qui condamnera le communisme et le nazisme, mais pas le franquisme.

● Irlande: l'Irlande est proclamée État libre.

● Égypte : *6 février*, fin du protectorat anglais ; Fouad Ier roi (16 mars).
● La Palestine sous mandat britannique (jusqu'en 1948).
● Russie soviétique : création de l'Union des Républiques socialistes soviétiques (URSS). ❍ *16 avril* : accord de Rappallo, qui restaure les relations diplomatiques avec l'Allemagne.
● Italie : *29 octobre*, marche sur Rome des “chemises noires”, Benito Mussolini s'empare du pouvoir et instaure une dictature.

1923

● France : *11 janvier*, Poincaré, malgré l'opposition internationale, fait occuper la Ruhr, l'Allemagne n'ayant pas versé ses dommages de guerre. ❍ *1er avril* : le service militaire obligatoire est réduit à dix-huit mois. ❍ Mort à Paris de la tragédienne Sarah Berhardt, à 79 ans, et de l'ingénieur Gustave Eiffel, à 91 ans.
● Allemagne : crise économique et inflation galopante, malgré les tentatives américaines de renforcer l'économie allemande. ❍ Putsch manqué d'Adolf Hitler à Munich (8/9 novembre ; il est incarcéré jusqu'à fin 1924).
● Espagne : coup d'État militaire ; dictature du général Primo de Rivera (jusqu'en 1925).
● Turquie : Moustafa Kemal (Ataturk) qui a renversé le sultan obtient au traité de Lausanne la restitution de l'Asie Mineure et la reconnaissance de son indépendance, notamment par la Grèce.
● Arabie : Ibn Saoud fonde le royaume d'Arabie Saoudite.
● La Transjordanie devient un État sous mandat britannique.
● Iran : le Premier ministre Risa Chan devient shah de Perse sous le nom de Reza Schah Pahlevi ; il entreprend la modernisation du pays.
● URSS : *3 avril*, Staline à la tête du Parti communiste.
● États-Unis : Calvin Coolidge président à la mort de Harding.
● Japon : tremblement de terre à Tokyo et Yokohama ; 300 000 morts.

1924

● France : *11 mai*, victoire du Cartel des gauches aux élections législatives. ❍ *11 juin* : démission d'Alexandre Millerand ; Gaston Doumergue lui succède à la présidence de la République (13 juin) ; Édouard Herriot forme un nouveau gouvernement (15 juin) qui est confronté à des spéculations financières importantes contre le franc. ❍ *Juillet* : ouverture à Paris des Jeux olympiques. ❍ *28 octobre* : la France reconnaît l'URSS. ❍ Mort à Paris du compositeur Gabriel Fauré, à 79 ans. ❍ Mort de l'écrivain Anatole France, 80 ans.

● URSS : *21 janvier*, mort de Lénine, 53 ans ; la lutte pour le pouvoir oppose Staline et Trotski, qui sera exilé (1929) et assassiné (1940).
● Italie : *juin*, assassinat par les fascistes du leader socialiste Matteoti. ○ Après la violente répression dont ils sont l'objet, les députés antifascistes abandonnent leur siège, laissant le champ libre à Mussolini.
● Turquie : abolition du califat, et laïcisation complète de l'État turc
● Grèce : *24 mai*, déposition du roi George II ; la république est proclamée.
● États-Unis : interdiction de l'immigration japonaise.
● Grande-Bretagne : mort dans le Kent de l'écrivain de langue anglaise (d'origine polonaise) Joseph Conrad, 67 ans.
○ Autriche : mort dans un sanatorium près de Vienne de l'écrivain de langue allemande (d'origine tchèque) Franz Kafka, à 41 ans.

1925

● France : *10 avril*, Édouard Herriot démissionne ; Paul Painlevé lui succède (17 avril). ○ *Juillet* : l'armée française finit d'évacuer la Ruhr. ○ *28 novembre* : Aristide Briand forme un nouveau gouvernement.
● Allemagne : le maréchal Hindenburg élu président de la République. ○ Publication de *Mein Kampf*, d'Adolph Hitler.
● Europe : *5/16 octobre*, traité de Locarno : France, Allemagne et Belgique reconnaissent leurs frontières de 1919 et s'engagent à faire arbitrer leurs différends frontaliers par une commission spéciale. Accords identiques entre l'Allemagne, la Pologne et la Tchécoslovaquie.
● Maroc, guerre du Rif ; en avril, Abd-el-Krim, qui se bat contre les Espagnols depuis 1921, attaque des postes français ; riposte militaire française en juillet, conjointement à une offensive espagnole. Abd el Krim se rendra aux Français le 27 mai 1926.

1926

● France : *23 juillet,* gouvernement d'Union nationale présidé par Raymond Poincaré. ○ Stabilisation de la monnaie. ○ *Décembre* : le pape condamne le journal monarchiste *L'Action française*, de Charles Maurras. ○ Mort, à Giverny, du peintre Claude Monet, 86 ans.
● Grande-Bretagne : *27 janvier,* à Londres, première démonstration de télévision. ○ *21 avril* : naissance de la future Élisabeth II.
● Allemagne : admission à la Société des Nations (SDN). ○ Fondation des Jeunesses hitlériennes.
● Pologne : coup d'État, avec l'appui de l'armée, de Josef Pilsudski, Premier ministre puis dictateur (jusqu'en 1935).

● Portugal : coup d'État du général Carmona (qui appelle Salazar en 1929).
● Japon : Hiro-Hito, 25 ans, empereur.

1927

● France : *mai,* arrivée triomphale à l'aéroport du Bourget de l'Américain Charles Lindbergh, premier à avoir réussi la traversée de l'Atlantique en avion. *Novembre* : fondation des Croix-de-Feu, organisation regroupant les anciens combattants.
● Maroc : Mohammed V, 17 ans, sultan (jusqu'en 1957 ; il sera ensuite roi jusqu'en 1961).
● Chine : Tchang Kai-chek établit une dictature à Nankin ; Mao Tsé-toung et les communistes s'installent dans la clandestinité après la rupture avec le Guomindang de Tchang Kai-chek. Combats victorieux de Tchang Kai-chek dans les provinces du nord ; prise de Pékin.

1928

● France : *31 mars,* loi réduisant la durée du service militaire à un an ; loi sur les assurances sociales. ❍ *25 juin* : le franc est indexé sur le cours de l'or. ❍ *27 août* : signature à Paris du pacte Briand-Kellogg, dans lequel 60 nations s'engagent à renoncer à la guerre.
● Grande-Bretagne : *mars,* Alexandre Fleming découvre la pénicilline.
● URSS : début de la collectivisation de l'agriculture (kolkhozes et sovkhozes) et mise en œuvre d'un plan quinquennal.
● Grèce : un tremblement de terre détruit Corinthe.
● États-Unis : Herbert Hoover élu président. ❍ Walt Disney invente son personnage de Mickey.
● Chine : Tchang Kai-chek président de la République.

1929

● France : *26 juillet,* Raymond Poincaré démissionne du gouvernement ; Aristide Briand lui succède. ❍ *3 novembre* : gouvernement André Tardieu. ❍ *Décembre* : loi décidant la construction de la ligne Maginot.
● Vatican : *11 février,* signature des accords du Latran entre la papauté et l'Italie, créant l'État neutre et indépendant du Vatican.
● États-Unis : *février,* massacre de la Saint-Valentin entre gangsters, à Chicago. ❍ *24 octobre,* krach boursier à New York ; début d'une crise économique américaine (15 millions de chômeurs en 1932) qui provoquera une crise mondiale
● Yougoslavie : le roi Alexandre Ier s'empare du pouvoir et s'autoproclame dictateur de son royaume.

1930

● URSS : Staline, seul au pouvoir après l'élimination de ses adversaires, accélère la collectivisation de l'agriculture en liquidant tous les paysans propriétaires, en dépit de la grande famine qu'elle provoque.
● Brésil : Getulio Vargas prend le pouvoir à la suite d'une insurrection provoquée par la crise économique (jusqu'à son suicide en 1954).
● L'Uruguay vainqueur de la première coupe du monde de football.

1931

● France : *26 janvier*, Pierre Laval forme un nouveau gouvernement.
○ *6 mai* : inauguration à Vincennes de l'Exposition coloniale.
○ *13 mai* : Paul Doumer est élu président de la République. ○ Crise industrielle ; un million de chômeurs.
● Espagne : après le succès de la gauche aux élections (accompagné d'une vague d'anticléricalisme), le roi Alphonse XIII s'exile. Proclamation d'une République parlementaire. ○ La Catalogne obtient son autonomie.
● Japon : *septembre*, les Japonais entrent en Mandchourie (et débarquent à Changhai en janvier 1932).
● États-Unis : emprisonnement du gangster Al Capone pour fraude fiscale. ○ inauguration à New York de l'*Empire State Building*, le plus grand gratte-ciel du monde. Mort de l'inventeur Thomas Edison, 84 ans ; on lui doit de nombreuses inventions, de la lampe électrique à incandescence au microphone et au phonographe...

1932

● France : *16 février*, Pierre Laval démissionne et André Tardieu forme un nouveau gouvernement (20 février). ○ *11 mars* : loi sur les allocations familiales pour tous les salariés. ○ *6 mai* : assassinat du président Paul Doumer par le russe Gorgoulov. Albert Lebrun lui succède (*10 mai*). ○ *3 juin* : Édouard Herriot forme un nouveau gouvernement, renversé le 14 décembre.
● Allemagne : *10 avril*, Hindenburg est réélu président de la République, avec le soutien du parti national allemand de Hitler (qui a la majorité parlementaire). Plusieurs chanceliers se succèdent sans parvenir à maîtriser la débâcle économique du pays.
● Autriche : *20 mai*, Engelbert Dollfuss chancelier.
● Portugal : Oliveira Salazar président du Conseil (il va instaurer une dictature qui ne s'achèvera qu'à sa mort en 1974).

● États-Unis : Franklin Delano Roosevelt élu président (il sera réélu en 1936, 1940 et 1944). ❍ Les îles Philippines sont déclarées indépendantes. ❍ Reconnaissance de l'URSS.

● Extrême-Orient : *février*, création d'un État autonome de Mandchoukouo, sous protectorat japonais, auquel l'URSS cède le chemin de fer de l'Est mandchourien. ❍ Le Japon se retire de la SDN (1933).

1933

● Allemagne : *3 janvier*, Hindenburg nomme Adolf Hitler Chancelier du Reich ; le pays compte 6 millions de chômeurs. ❍ *27 février* : incendie du Reichstag à Berlin. Nouvelles élections : le parti d'Adolf Hitler obtient 288 mandats. ❍ *24 mars* : Hitler se fait accorder les pleins pouvoirs et met un terme à la République parlementaire. ❍ *14 juillet* : le national-socialisme devient parti unique. ❍ *Août* : création des camps de concentration pour les Juifs et les opposants au régime.

❍ *Octobre* : l'Allemagne se retire de la SDN en raison de son opposition avec la France sur le désarmement (conférence de Genève).

● États-Unis : le "New Deal" : série de mesures contre la crise économique. ❍ Fin de la prohibition.

1934

● France : *3 janvier*, début de l'affaire Stavisky, escroc qui a émis des bons gagés sur de bijoux volés par l'intermédiaire du Crédit municipal de Bayonne, établissement qu'il a pu fonder grâce à ses relations avec le milieu politique ; il se suicide le 9 janvier, et le magistrat chargé de l'enquête est retrouvé mort le 20 février ; l'extrême-droite prend cette affaire comme prétexte pour dénoncer la démocratie parlementaire, et appelle à des manifestations violentes. ❍ *6 février* : la police ouvre le feu sur des manifestants d'extrême-droite qui marchent sur le Palais-Bourbon ; une vingtaine de morts. ❍ *7 février* : Édouard Daladier et son gouvernement démissionnent ; Gaston Doumergue forme un gouvernement d'union nationale (9 février). ❍ *9 octobre* : le roi de Yougoslavie Alexandre Ier en visite officielle et le ministre français des Affaires étrangères Louis Barthou sont assassinés à Marseille par des terroristes croates. ❍ *7 novembre* : Gaston Doumergue démissionne, après son échec de réforme constitutionnelle. ❍ Mort à Sallanches de la physicienne Marie Curie, à 67 ans.

● Belgique : *février*, mort du roi Albert Ier ; avènement de Léopold III.

● Allemagne : *26 janvier*, traité de non-agression germano-polonais. La France s'oppose à l'augmentation du potentiel militaire allemand.

❍ *14 juin*: entrevue de Venise, entre Hitler et Mussolini. ❍ *30 juin*: “nuit des longs couteaux”: les SS d’Adolf Hitler éliminent physiquement les opposants au régime (dont les SA, milice nazie commandée par Röhm, qui avait aidé Hitler à prendre le pouvoir). ❍ *2 août*: mort de maréchal Hindenburg; Hitler cumule les fonctions de président, chancelier du Reich et commandant suprême de l’armée allemande.
● Autriche: le chancelier Engelbert Dollfuss refuse l’union douanière avec l’Allemagne et interdit le parti socialiste et le parti national-socialiste. ❍ *25 juillet*: le chancelier Dollfuss est assassiné par des nazis après un putsch national-socialiste. Nouveau chancelier, Schuschnigg rétablit le service militaire obligatoire.
● URSS: entrée à la Société des Nations. ❍ Staline purge le Parti communiste d’URSS et fait régner la terreur.
● Chine: Mao Tsé-toung et les communistes débutent la “Longue Marche” vers le nord-ouest (achevée en 1936).

1935

● France: *15 mars*, décret-loi amenant la durée du service militaire à dix-huit mois. ❍ *11/14 avril*: conférence de Stresa entre l’Italie, la France et la Grande-Bretagne, confirmant l’opposition des trois États à toute violation du traité de Versailles. ❍ *2 mai*: traité franco-soviétique d’assistance mutuelle pour isoler l’Allemagne.
● Allemagne: *janvier*, la Sarre demande son rattachement à l’Allemagne par référendum (vote favorable à 90 %). ❍ *Mars*: Adolf Hitler, en opposition avec le traité de Versailles, rétablit le service militaire obligatoire. ❍ *15 septembre*: lois antisémites de Nuremberg; instauration d’un régime de terreur contre les Juifs, spoliés de leurs biens.
❍ *octobre/novembre*: Hitler signe des traités avec l’Italie et le Japon.
● Italie: *3 octobre*, sans déclaration de guerre préalable, l’Italie entreprend la conquête de l’Éthiopie; son négus, Hailé Sélassié, doit s’exiler. La SDN accuse l’Italie d’agression, et décide des sanctions (abrogées l’année suivante).
● URSS: alliance avec la Tchécoslovaquie. ❍ Début du stakhanovisme (de Stakhanov, un mineur au rendement exemplaire, dont la propagande fait un héros).
● Tchécoslovaquie: *décembre,* Edvard Bénès président de la République en remplacement de Tomas Masaryk, démissionnaire.

1936

● France : *26 avril et 3 mai*, élections législatives donnant la victoire au Front populaire. ❍ *25 mai* : grève générale touchant tous les secteurs de l'économie. ❍ 4 *juin* : Léon Blum forme un nouveau gouvernement. Signature des accords Matignon (7/8 juin) et vote de la loi instituant deux semaines de congés payés (11 juin) et la semaine de travail de quarante heures (12 juin). ❍ *18 juin* : dissolution des ligues fascistes. Le colonel de La Rocque fonde le Parti social français et Jacques Doriot, ancien communiste, le Parti populaire français (28 juin), tous deux de tendance fasciste. ❍ *13 août* : l'école obligatoire jusqu'à 14 ans. ❍ *25 septembre* : dévaluation du franc. ❍ *17 novembre* : à la suite d'une campagne de presse diffamatoire de l'extrême-droite (l'accusant, faussement, d'avoir déserté en 1916), le ministre de l'Intérieur Roger Salengro se suicide ; il a 46 ans .

● Belgique : *octobre*, Léopold III et Paul-Henri Spaak, ministre des Affaires étrangères, annoncent le retour à la neutralité de la Belgique ; l'accord est ratifié par la France, l'Allemagne et l'Angleterre.

● Espagne : *18 juin*, élection du "Frente Popular". Le général Franco débarque du Maroc avec des troupes rebelles ; début de la guerre civile. Franco est soutenu par l'Allemagne et l'Italie, le gouvernement républicain de Madrid recevra l'aide de la France et de l'URSS.

● Grande-Bretagne : *20 janvier* : mort du roi George V. Édouard III lui succède mais abdique (10 décembre) afin de pouvoir épouser Wallis Simpson, une Américaine divorcée (3 juin) ; son frère George VI lui succède. ❍ Mort à Londres du romancier Rudyard Kipling, 71 ans.

● URSS : nouvelle Constitution soviétique. ❍ Grandes et sanglantes purges staliniennes, notamment dans l'armée rouge, pendant deux ans.

● Éthiopie : *mai,* les troupes italiennes prennent Addis-Abeba ; Mussolini proclame l'annexion de l'Éthiopie qu'il réunit à la Somalie et à l'Érythrée pour constituer un État africain italien. Prenant le titre d'empereur d'Éthiopie, le roi d'Italie est reconnu par l'Allemagne, l'Autriche et la Hongrie.

1937

● France. *12 mars*, l'État lance un emprunt de défense nationale.

❍ *22 juin* : Léon Blum démissionne ; Camille Chautemps forme un nouveau gouvernement. ❍ *30 juin* : dévaluation du franc. ❍ *31 août* : les compagnies de chemin de fer sont nationalisées et réunies au sein de la SNCF ❍ Ouverture de l'Exposition internationale à Paris. ❍ Mort à Paris du compositeur Maurice Ravel, à 62 ans.

● Espagne : Franco prend Malaga (8 février) est battu à Guadalajara (18 mai) puis prend Bilbao (19 juin), Santander (26 août) et Gijon (20 octobre). ❍ *27 avril* : l'aviation allemande bombarde Guernica.
● L'Italie et le Japon quittent la SDN (*décembre*).
● Chine : *7 juillet,* début de la guerre sino-japonaise (jusqu'en 1945). Les Japonais occupent Pékin, Shangai, Nankin (1937), débarquent à Hong-Kong, prennent Han-Keou et Canton (1938). ❍ *22 septembre* : front uni : Tchang Kai-chek s'allie aux communistes et signe un pacte de non-agression avec l'URSS.
● Birmanie : nouvelle Constitution ; la Birmanie est séparée de l'Inde.

1938

● France : *13 mars au 8 avril*, second ministère Léon Blum.
❍ *10 avril* : Édouard Daladier forme un gouvernement.
❍ *Octobre* : rupture du Front populaire. ❍ *30 novembre* : échec d'une grève générale.
● Autriche : *février*, devant les menaces d'annexion d'Adolf Hitler, le chancelier autrichien Schuschnigg organise un plébiscite afin que l'Autriche reste libre ; mais Hitler l'oblige à démissionner. ❍ *15 mars* : les troupes allemandes envahissent l'Autriche ; l'*Anschluss* (annexion) de l'Autriche au Reich allemand est proclamé.
● Allemagne : Hitler exige l'autonomie pour la minorité allemande des Sudètes (Tchécoslovaquie) ; Neville Chamberlain, Premier ministre britannique, rencontre Adolf Hitler à Berchtesgaden (septembre) puis à Godesberg où Hitler exige le territoire des Sudètes pour le 1er octobre, ce que refuse Prague. ❍ *29 septembre* : accord de Munich, à la demande de Hitler, avec Mussolini, Édouard Daladier et Chamberlain. L'Allemagne annexe les Sudètes mais garantit les nouvelles frontières de la Tchécoslovaquie. ❍ *Novembre* : lors de la "nuit de cristal", les maisons des Juifs sont dévastées et pillées.
● Tchécoslovaquie : *1er octobre*, les troupes allemandes occupent le territoire des Sudètes. Le président Bénès démissionne et s'exile aux États-Unis. ❍ Création de l'État fédéral tchécoslovaque (Bohême, Moravie, Ruthénie subcarpathique) ; les territoires slovaques sont cédés à la Hongrie. Emil Hacha devient président de l'État tchécoslovaque.
● Espagne : *février*, Teruel, est reprise par les franquistes, qui atteignent l'embouchure de l'Èbre (15 avril).
● Turquie : *10 novembre*, mort de Mustapha Kémal Atatürk, à 57 ans.

1939

● France : *5 avril*, Albert Lebrun est réélu président de la République.
○ *26 septembre* : dissolution du Parti communiste français après l'annonce de la signature du pacte entre Staline et Hitler (23 août).
○ *30 novembre* : pouvoirs spéciaux accordés au gouvernement Daladier pendant la durée des hostilités.

● Tchécoslovaquie : *14 mars,* soutenus par Hitler, les Slovaques proclament l'indépendance de la Slovaquie. Le président Hacha est contraint de "remettre le destin du peuple et du pays tchèque" entre les mains du Führer. ○ *16 mars* : les troupes allemandes occupent la Bohême et la Moravie qui deviennent protectorats allemands.

● Allemagne : *7 avril*, les troupes italiennes de Mussolini occupent l'Albanie ; l'Angleterre soutient la Grèce, et les États-Unis exigent qu'Hitler et Mussolini cessent leurs agressions. Devant l'assemblée du Reichstag, Hitler refuse ces sommations et signe avec l'Estonie, la Lettonie et le Danemark des pactes de non-agression, et dénonce l'accord germano-polonais de 1934. ○ *22 mai* : alliance militaire entre l'Allemagne et l'Italie, appelée "pacte d'acier". ○ *23 août* : pacte de non-agression germano-soviétique accompagné d'un accord commercial et de clauses secrètes répartissant pays et territoires : Estonie, Lettonie, Finlande, Bessarabie et Pologne orientale vont à la Russie tandis que la Pologne occidentale et la Lituanie reviennent à l'Allemagne.

● Grande-Bretagne : *24 mars*, accord anglo-polonais de mutuelle assistance. ○ *Mai* : institution de la conscription. ○ Mort à Londres du psychanalyste autrichien Sigmund Freud, à 83 ans.

● Pologne : *29 août*, Hitler exige la Haute-Silésie polonaise et le corridor de Dantzig. Refus de la Pologne qui organise la mobilisation.
○ *1er septembre* : les troupes allemandes entrent en Pologne ; l'Italie se déclare neutre.

● Espagne : *janvier/mars*, à Barcelone, Madrid et Valence (janvier) sont prises par les troupes franquistes ce qui met un terme à la guerre civile d'Espagne ; 400 000 morts environ, et autant de prisonniers. ○ *Mai* : l'Espagne se retire de la SDN.

● Vatican : *février*, mort de Pie XI ; Pie XII, qui a été nonce en Allemagne et dont les sympathies pro-allemandes sont toujours sujettes à polémique, lui succède (jusqu'en 1958).

SECONDE GUERRE MONDIALE (1939)

● *3 septembre,* la France et l'Angleterre (avec Inde, Canada, Australie, Afrique du Sud et Nouvelle-Zélande) déclarent la guerre à l'Allemagne. ❍ *6 septembre*: débarquement des Britanniques en France.

● *17 septembre*: offensive soviétique en Pologne de l'Est.

● *27 septembre*: Varsovie capitule; l'Allemagne annexe les bouches de la Vistule et Dantzig; la Pologne de l'Est est partagée entre l'Ukraine et la Biélorussie. La Lettonie, l'Estonie et la Lituanie reçoivent des bases militaires soviétiques, ce que la Finlande refuse.

● *14 octobre*: torpillage par les Allemands du *Royal Oak* (810 morts).

● *Novembre*: la Finlande est attaquée par l'URSS. La guerre finno-russe s'achève avec la paix de Moscou (12 mars 1940); la Finlande cède le territoire de la Carélie orientale.

● *13/17 décembre*: les Britanniques coulent au large de Montevideo le cuirassé allemand *Graf Spee.*

1940

● France: *20 janvier*, déchéance des élus communistes. ❍ *20 mars*: Daladier démissionne; Paul Reynaud lui succède (21 mars).

❍ *19 mai*: limogeage du général Gamelin remplacé par le général Weygand, commandant en chef des armées françaises. ❍ *11 juin*: le gouvernement quitte Paris pour Tours et Bordeaux. ❍ *16 juin*: Paul Reynaud démissionne et fait appel au maréchal Pétain qui, président du Conseil (nuit du 16), demande aussitôt l'armistice à l'Allemagne (17).

❍ *18 Juin*: appel radiophonique, depuis Londres, du général de Gaulle aux Français. Naissance de la France libre à Londres, où le général de Gaulle organise les Forces françaises libres (Tchad, Cameroun, Congo, Gabon, et Tahiti, Nouvelle-Calédonie, et les comptoirs de l'Inde se rallient progressivement à lui, en septembre/octobre). ❍ *11 juillet*: fin de la IIIe République; Philippe Pétain, investi des pleins pouvoirs par le Parlement, institue à Vichy, en "zone libre", l'État français, un régime autoritaire, avec l'aide de Pierre Laval, vice-président du Conseil.

❍ *3 octobre*: la loi sur le statut des Juifs. ❍ *24 octobre*: Pétain et Hitler se rencontrent à Montoire. ❍ *9 novembre*: les organisations syndicales sont dissoutes par le gouvernement de Vichy. ❍ *2 décembre*: loi sur l'organisation corporative de l'agriculture. ❍ *13 décembre*: Pierre Laval est remplacé par Pierre-Étienne Flandin à la tête du gouvernement de Vichy.

SECONDE GUERRE MONDIALE (1940)

● *9 avril* : débarquement allemand en Norvège. Le roi Haakon constitue à Londres un gouvernement en exil. L'Angleterre occupe l'Islande et les îles Féroé ; la France envoie un corps expéditionnaire en Norvège (débarquement à Narvik, 28 mai) mais doit le rapatrier le 7 juin. Les Allemands occupent le pays.

● *10 mai* : offensive allemande contre la Belgique, la Hollande et le Luxembourg. Bombardements de Tournai, Rotterdam et Nivelles.

● *14 mai* : la Hollande capitule et la reine Wilhelmine s'exile à Londres avec son gouvernement. ❍ Les blindés allemands arrivent à Abbeville et franchissent les lignes du front allié.

● *28 mai* : le roi Léopold III de Belgique capitule ; son gouvernement se réfugie en France puis en Angleterre. ❍ Les troupes allemandes percent les Ardennes ; l'armée française se replie. ❍ *28 mai/4 juin* : les troupes franco-britanniques sont évacuées à Dunkerque.

● *10 juin* : l'Italie entre en guerre ; ses troupes pénètrent dans le Midi de la France. ❍ *14 juin* : les troupes allemandes entrent dans Paris.

● *22 juin* : le gouvernement français de Pétain signe l'armistice à Compiègne avec l'Allemagne et la paix avec l'Italie (24). Les 3/5 du territoire français sont occupés, dont la totalité de la côte atlantique.

● *Juin* : la Lettonie, la Lituanie et l'Estonie sont annexés par l'URSS. ❍ La Roumanie abandonne aux Russes une partie de son territoire mais se rallie, ainsi que la Hongrie, la Slovaquie et la Croatie, au pacte liant l'Allemagne, le Japon et l'Italie.

● *3 juillet* : les Anglais coulent la flotte française basée à Mers el-Kébir (Oran) afin qu'elle ne tombe aux mains des Allemands. ❍ *10 juillet* : bataille d'Angleterre ; les villes anglaises sont bombardées, de nuit, par l'aviation allemande ; l'aviation anglaise parvient à écarter le risque d'une invasion. L'Allemagne décrète le blocus de l'Angleterre.

● *Juillet* : les Italiens pénètrent en Somalie britannique et en Égypte d'où ils sont expulsés par les troupes britanniques. Grâce à l'Afrikakorps de Rommel, les Italiens reprennent la Cyrénaïque et arrivent à la frontière égyptienne.

● *7 août* : l'Alsace et la Lorraine sont annexées par l'Allemagne.

● *Septembre* : les Japonais s'emparent de l'Indochine.

● *Octobre* : les Italiens attaquent la Grèce mais sont repoussés. Les Britanniques débarquent en Crète et dans les îles de la mer Égée.

1941

SECONDE GUERRE MONDIALE (1941)

● *22 janvier*: les forces britanniques prennent Tobrouk. ❍ *Février*: les Britanniques prennent Benghazi (7) et Mogadiscio en Somalie (26). ❍ L'Afrikakorps de Rommel débarque à Tripoli. ❍ *1er mars*: les Forces françaises libres (FFL) s'emparent de l'oasis de Koufra (Libye).

● *Mars*: occupée par l'armée allemande, la Bulgarie adhère au pacte tripartite, ainsi que la Yougoslavie, laquelle le rejette lorsque le roi Pierre est mis au pouvoir par des officiers anti-allemands (27).

● *28 mars*: la flotte italienne détruite par la flotte britannique en Crète.

● *6 avril*: les troupes allemandes entrent en Yougoslavie. Le 17, la Yougoslavie capitule. L'armée allemande neutralise l'armée grecque, et s'empare de la Crète d'où elle chasse les Anglais (20 mai). Pacte de non-agression entre Hitler et la Turquie.

● *11 avril*: Les États-Unis s'emparent du Groenland et remplacent les troupes britanniques en Islande (8 juin).

● *10 mai*: fuite de Rudolf Hess en Écosse. ❍ Bombardement de Londres.

● *22 juin*: les troupes allemandes attaquent l'Union soviétique.

● *4 août*: Roosevelt et Churchill signent la charte de l'Atlantique reconnue par quinze nations. ❍ *25 août*: les forces franco-britanniques occupent la Syrie. ❍ *Fin août*: Russes et Anglais occupent l'Iran.

● *9 septembre*: siège de Léningrad. ❍ *19 septembre*: prise de Kiev par les Allemands.

● *24 septembre*: création à Londres par le général de Gaulle du Comité national de la France libre.

● L'armée allemande attaque Moscou (6) obligeant le gouvernement soviétique à quitter la ville (20), et prend Kharkov en Ukraine (25).

● *Novembre*: offensive britannique en Libye. ❍ La contre-offensive des troupes soviétiques bloque l'avance des troupes allemandes et les oblige à une guerre défensive.

● *7 décembre*: attaque surprise de Pearl Harbor par le Japon; la base américaine est en partie détruite; 19 navires de guerre sont coulés.
❍ *8 décembre*: les États-Unis et la Grande-Bretagne déclarent la guerre au Japon. ❍ La Grande-Bretagne déclare la guerre à la Finlande, la Roumanie et la Hongrie.

● *Décembre*: le Japon débarque en Malaisie (8) et aux Philippines (10).

● *11 décembre*: l'Allemagne et l'Italie déclarent la guerre aux États-Unis

● *24 décembre*: Saint-Pierre et Miquelon se rallient à la France libre.

1942

● France : *Janvier*, le préfet Jean Moulin coordonne les mouvements de résistance clandestine en zone sud. ❍ *18 avril* : Pierre Laval à nouveau chef du gouvernement de Vichy. ❍ *29 mai* : port obligatoire de l'étoile jaune pour les Juifs de la zone occupée. ❍ *16/17 juillet* : grande rafle du Vélodrome d'hiver à Paris. ❍ Début du STO (Service du Travail Obligatoire) destiné à fournir l'Allemagne en main-d'œuvre ouvrière. ❍ *25 août* : mobilisation des Alsaciens dans l'armée allemande. ❍ *9, 11 et 26 novembre* : les troupes allemandes, en réponse au débarquement américain en Afrique du Nord, envahissent la zone libre, poussant les marins français à saborder la flotte de guerre dans la rade de Toulon (27) ; l'armée allemande occupe Tunis. ❍ L'Afrique-Occidentale française et la Réunion (occupée par les Alliés le *28 novembre*) se rallient au général de Gaulle. ❍ *24 décembre* : l'amiral François Darlan, chef des forces militaires du gouvernement de Vichy (jusqu'au 16 novembre), qui est entré en contact avec les Américains, est assassiné à Alger. Les Américains lui choisissent comme successeur le général Giraud, plutôt que de traiter avec le général de Gaulle.

Seconde Guerre mondiale (1942)

● *Janvier* : les Japonais prennent Manille (2), débarquent en Nouvelle-Guinée et dans les îles Salomon (*23*). ❍ Les forces de l'Axe (Allemands et Italiens) prennent Benghazi. ❍ Les Allemands se replient devant Moscou.

● *Février* : les Japonais prennent Singapour (15).

● *Mars* : Java se rend aux Japonais (9). ❍ Les commandos britanniques font sauter l'écluse du port de Saint-Nazaire, où sont basés les sous-marins allemands (27/28). ❍ Bombardements aériens britanniques sur l'Allemagne.

● *Avril* : l'aviation américaine bombarde Tokyo.

● *Mai* : L'URSS et la Grande-Bretagne concluent une alliance de vingt ans (*26*). ❍ Rommel reprend l'offensive en Libye (27). ❍ Mille avions de la RAF bombardent Cologne.

● *Juin* : Rommel, après un siège de huit mois, reprend Tobrouk (20) et arrive à 100 km d'Alexandrie ; les FFL (Forces Françaises Libres) du général Koenig lui résistent pendant seize jours (27 mai/11 juin) à Bir-Hakeim ; il se replie à Benghazi après la contre-attaque britannique menée par Montgomery (El Alamein, 30). ❍ Dans le Pacifique, la bataille navale de Midway (4/5) gagnée par les Américains sur les Japonais marque un renversement de situation, et met fin à l'extension militaire nippone : les Américains vont reconquérir une à une les îles occupées, après de durs combats. ❍ URSS : offensive allemande contre Sébastopol (6). ❍ Tchécoslovaquie : les Allemands rasent la ville de Lidice en représailles à l'assassinat par la résistance de Reinhard Heydrich, leur représentant à Prague.

● *Juillet* : Sébastopol prise par les Allemands. ❍ Bombardements de la Ruhr par la RAF.

● *Août* : l'armée allemande avance vers Stalingrad. ❍ Débarquement américain dans les îles Salomon. ❍ Rommel, qui tente de briser la ligne Le Caire-El Alamein, est battu par Montgomery.

● *Septembre* : résistance soviétique à l'avance allemande ; début de la bataille de Stalingrad et du Caucase. ❍ Madagascar occupée par les forces britanniques.

● *Novembre* : fin de la bataille d'El Alamein (23 octobre/4 novembre) définitivement perdue par Rommel. ❍ Débarquement allié en Algérie et au Maroc, sous la direction du général américain Eisenhower (7/8).

1943

● France : *30 janvier*, Joseph Darnand créé la Milice. ❍ *27 mai* : Jean Moulin fonde le Conseil national de la résistance (CNR). ❍ *3 juin* : de Gaulle fonde le Comité français de Libération nationale (CFLN) représenté par le général Henri Giraud à Alger. ❍ *21 juin* : Jean Moulin est arrêté et exécuté. Georges Bidault lui succède à la direction du CNR. ❍ *Septembre/octobre* : la Corse libérée par les Alliés. ❍ *17 septembre* : création d'une Assemblée consultative provisoire à Alger.

❍ *2 octobre* : le général de Gaulle unique président du CFLN.

● Allemagne : les centres urbains et industriels (Cologne, Wuppertal, Hambourg, Berlin, Dresde) sont bombardés sans relâche par l'aviation anglo-américaine. ❍ Himmler nommé ministre de l'Intérieur (août) instaure un régime de terreur en Allemagne comme dans les pays occupés. Des milliers d'étrangers sont contraints de travailler dans les usines. Exécutions, déportations en camps de concentration, où l'on procède à des éliminations massives.

SECONDE GUERRE MONDIALE (1943)

● *Janvier*: *du 14 au 27*, conférence de Casablanca (Britanniques, Américains et Français combattants) où est évoquée la “capitulation sans condition” de l’Allemagne, du Japon et de l’Italie. ❍ Montgomery prend Tripoli (23). ❍ Premier bombardement de l’Allemagne par des avions américains (27). ❍ L’armée allemande encerclée à Stalingrad.

● *Février*: bataille de Guadalcanal (9): les Japonais chassés des îles Salomon. ❍ Capitulation allemande à Stalingrad (2).

● *Mars*: l’Afrikakorps cerné par les troupes alliées; l’Axe a perdu un million d’hommes. ❍ Kharkov reprise par les troupes soviétiques.

● *Avril*: insurrection du ghetto de Varsovie (19) dont la population est exterminée par les Allemands.

● *Juillet*: débarquement des Alliés en Sicile (10). ❍ Destitution et captivité de Mussolini (25) qui, libéré par l’armée allemande (12 septembre), organise un contre-gouvernement.

● *Août*: La Sicile occupée par les Alliés. ❍ Conférence de Québec (11/24) entre États-Unis, Grande-Bretagne, Canada et Chine, où sont évoqués un débarquement en Normandie et l’ouverture d’un front en Chine.

● *Septembre*: débarquement allié au sud de l’Italie; le gouvernement du maréchal Badoglio signe la capitulation de l’Italie (3). ❍ Les Allemands occupent les villes italiennes et désarment les Italiens (10).
❍ Les Soviétiques reprennent Smolensk (25). ❍ Signature d’un armistice entre l’URSS et la Finlande qui a rompu ses relations diplomatiques avec l’Allemagne. ❍ L’URSS déclare la guerre à la Bulgarie (5) et occupe son territoire (armistice signé le 28 octobre). ❍ La Roumanie est occupée par l’armée rouge, le roi Michel destitué, l’armistice signé le 12.

● *Octobre*: les Américains entrent à Naples (1er). ❍ les armées soviétiques et les partisans yougoslaves de Tito occupent Belgrade (20).
❍ Offensive russe contre la Hongrie occupée par les troupes allemandes.
❍ Bataille navale des Philippines remportée par les Américains.

● *Novembre*: l’armée soviétique libère Kiev (6) et atteint la frontière polonaise. ❍ Conférence de Téhéran, entre Roosevelt, Staline et Churchill qui décident d’un débarquement à l’ouest (28).

● *Décembre*: Dwight D. Eisenhower nommé commandant suprême des forces alliées en Europe (24). ❍ Tito renverse le roi de Yougoslavie et prend la tête du gouvernement (23) ❍ Pologne: création d’un Conseil national populaire dirigé par les communistes (31).

1944

● France : *30 janvier/8 février*, conférence de Brazzaville, autour de De Gaulle, sur la place des colonies dans le futur système législatif français.
❍ *2 février* : création des Forces françaises de l'intérieur (FFI).
❍ *Février/mars* : l'armée allemande liquide le maquis du plateau des Glières. ❍ *15 mars* : publication du programme du CNR. ❍ *2 avril* : les Allemands massacrent 86 personnes à Ascq. *26 avril* : le maréchal Philippe Pétain visite Paris. *9 avril* : le général de Gaulle reconnu par les Alliés comme chef des Forces françaises libres. ❍ *Juin* : le CFLN devient un gouvernement provisoire de la République française (GPRF) dont le général Charles de Gaulle est le président (2). Débarquement allié en Normandie (6) ; les Allemands pendent 99 personnes à Tulle, et massacrent 642 personnes à Oradour-sur-Glane. ❍ La Milice exécute Jean Zay, ancien ministre (21 juin), la Résistance exécute Philippe Henriot, responsable de la Propagande de Vichy (28 juin) ; la Milice exécute l'ancien ministre Georges Mandel (7 juillet). ❍ *Juillet* : l'armée allemande liquide le maquis du Vercors.❍ *Août* : débarquement allié en Provence (15) ; les Allemands massacrent 100 personnes à Saint-Genis-Laval, 126 à Maillé. Pierre Laval tente de négocier avec d'anciens parlementaires pour former un gouvernement provisoire. Les Allemands l'assignent à résidence en Allemagne, avec Philippe Pétain et d'autres responsables de la collaboration, à Siegmaringen (20 août). *25 août* : la IIe division blindée du général Leclerc libère Paris. ❍ *Septembre* : le gouvernement provisoire s'installe à Paris, sous l'autorité du général de Gaulle (9). ❍ *23 septembre* : décret incorporant les FFI dans l'armée. Création de cours de justice chargées de l'épuration afin d'endiguer la vague de règlements de compte et d'exécutions sommaires.
❍ *Octobre* : droit de vote accordé aux femmes (5). Dissolution des Milices patriotiques communistes (6). Interdiction des journaux qui ont continué de paraître pendant l'occupation dans la zone nord (30).
❍ 23 novembre : libération de Strasbourg. ❍ *Décembre* : nationalisation des Houillères du Nord et du Pas-de-Calais.

SECONDE GUERRE MONDIALE (1944)

● *Janvier* : débarquement allié près d'Anzio-Nettuno (22/25), derrière les lignes allemandes. Bataille de Monte Cassino (jusqu'en mai).
❍ L'armée soviétique brise le siège de Leningrad (19).
● *Février* : débarquement des Américains dans les îles Marshall.

❍ Destruction, en Ukraine, de dix divisions allemandes. ❍ Bombardement intensif des villes allemandes.

● *Avril* : les forces soviétiques chassent les Allemands de Crimée.

● *Mai* : Sébastopol reprise par les Soviétiques (9). ❍ Les forces françaises et américaines gagnent la bataille de Monte Cassino (18).

● *Juin* : Rome est libérée par les alliés (9). ❍ Débarquement allié en Normandie : 6400 unités de troupes avec leur matériel, protégé par la marine et l'aviation. ❍ Les premières V1 s'abattent sur Londres (18).

● *Juillet* : libération de l'ouest de la France. Minsk reprit par les Soviétiques (3). ❍ Attentat manqué contre Hitler (20). Exécution de tous les conspirateurs sauf Rommel qui se suicide (14 octobre). ❍ Les forces américaines prennent l'île de Guam.

● *Août* : Varsovie se soulève ; sanglante répression allemande. ❍ Les alliés entrent dans Florence. ❍ Débarquement allié en Provence (15). ❍ Libération de Paris (25).

● *Septembre* : libération de Bruxelles (4) ; le roi Léopold III est déchu, son frère le prince Charles devient régent. ❍ Des V2 sur Londres.

❍ Les premières unités alliées pénètrent en Allemagne (11) ; enrôlement forcé dans la garde territoriale allemande de tous les hommes capables de porter les armes, de 16 à 60 ans. ❍ Pays-Bas : bataille d'Arnheim (19/28). ❍ Les Américains attaquent Manille. ❍ Les Britanniques débarquent en Grèce (Athènes libérée le 14 octobre).

● *Octobre* : l'armée rouge libère Belgrade (20). ❍ Bataille navale américano-nippone des Philippines (23/25).

● *Novembre* : l'armée rouge remonte le Danube ; elle traversera la Pologne et la Lituanie et entrera en Allemagne. ❍ À l'exception du Japon, tous les ex-Alliés de l'Allemagne lui déclarent la guerre.

● *Décembre* : début de la guerre civile à Athènes entre résistants communistes, soutenus par Staline, et monarchistes, soutenus par Churchill. ❍ L'armée rouge encercle Budapest (26). ❍ Bataille de Bastogne : le maréchal von Rundstedt tente, sans résultat, une contre-offensive dans les Ardennes belges (décembre/janvier).

1945

● France : *16 janvier*, les usines Renault sont nationalisées. ❍ *26 avril* : le maréchal Philippe Pétain se constitue prisonnier. ❍ *8/12 mai* : émeutes antifrançaises dans le Constantinois. ❍ *22 juin* : création de l'École nationale d'administration (ENA) et nationalisation des transports aériens (Air France) le 26 juin. ❍ *23 juillet* : début du procès du maréchal Philippe Pétain. ❍ *15 août* : le maréchal Pétain est condamné à mort ; sa peine est commuée en détention à perpétuité. ❍ *4/15 octobre* : Pierre Laval est jugé et exécuté. ❍ *4/19 octobre* : ordonnances créant la Sécurité sociale. ❍ *21 octobre* : référendum constitutionnel et élection d'une Assemblée constituante. ❍ *21 novembre* : Charles de Gaulle forme un gouvernement regroupant communistes, socialistes et chrétiens-démocrates. ❍ *2 décembre* : nationalisation de la Banque de France et des grandes banques.

Seconde Guerre mondiale

● *Janvier* : l'armée rouge à Varsovie (17) et au camp de concentration d'Auschwitz (27). ● *Février* : l'armée rouge entre dans Budapest (13). ❍ *4/11 février* : à Yalta (où la France n'est pas invitée) conférence réunissant Roosevelt, Staline et Churchill qui organisent les ultimes manœuvres militaires, estiment les réparations à exiger de l'Allemagne vaincue et se partagent le monde. Les pays de l'Est restent sous le contrôle de l'URSS tandis qu'une organisation internationale garantira la liberté et la sécurité du monde (future ONU). La France obtient néanmoins une zone d'occupation en Allemagne. ❍ Bombardement de Dresde (14). ❍ Débarquement américain à Iwo Jima (19).

● *Mars* : l'armée rouge arrive au-delà de la Vistule ; les Américains rejoignent Cologne (6) et passent le Rhin. ❍ Création de la Ligue arabe regroupant l'Égypte, la Syrie, l'Irak, le Liban, l'Arabie Saoudite, le Yemen et la Transjordanie (22).

● *Avril* : débarquement américain à Okinawa (1) et destruction de la flotte japonaise (6/7). ❍ À la mort du président Roosevelt (12), Truman son vice-président lui succède. ❍ Les troupes américaines arrivent sur les bords de l'Elbe. ❍ L'armée rouge entre dans Vienne (13), et attaque Berlin (qui se rendra le 2 mai). ❍ Les troupes russes et les troupes américaines opèrent leur jonction à Torgau sur l'Elbe (25). ❍ Mussolini, fuyant vers la Suisse, est arrêté près de Côme et exécuté par des partisans italiens (28). ❍ Après avoir désigné l'amiral Dönitz pour lui succéder, Hitler se suicide dans son bunker de Berlin (30).

● *Mai* : l'amiral Dönitz signe la capitulation du IIIe Reich (4) tandis que Jodl signe la capitulation générale à Reims au cours d'une cérémonie renouvelée le 9 mai à Berlin. Les principaux responsables nazis sont incarcérés, hormis Goebbels et Himmler, qui se suicident.

● *Juin* : l'Allemagne reprend ses frontières de 1937. Elle est divisée en quatre zones d'occupation et soumise au contrôle des Alliés. Berlin est également occupée par les forces des quatre puissances victorieuses. La Saxe et la Thuringe reviennent aux Soviétiques. ❍ Création à San Francisco de l'Organisation des Nations unies (26). Cette organisation internationale, qui remplace la SDN, est fondée par cinquante et un pays et se donne pour but la paix et la confiance entre toutes les nations, la coopération dans les domaines scientifique, social, politique et culturel.
● *17 juillet/2 août* : rencontre des Alliés à Potsdam (à laquelle Charles de Gaulle n'est pas invité) afin d'entériner les accords de Yalta.
● *Août* : bombe atomique américaine lancée sur Hiroshima (6).
❍ L'URSS déclare la guerre au Japon (8) et entame une campagne en Mandchourie. Le front japonais s'effondre. ❍ Bombe atomique américaine lancée sur Nagasaki (9). ❍ Les troupes japonaises quittent le Tonkin ; le Viêt-minh (mouvement révolutionnaire communiste) destitue l'empereur Bao-Daï et installe à Hanoï un gouvernement communiste.
● *Septembre* : capitulation définitive du Japon, qui met un terme à la Seconde Guerre mondiale en Extrême-Orient (2). Les troupes américaines occupent le Japon ; l'empereur Hiro-Hito n'a plus qu'un rôle représentatif. La Mongolie extérieure, les îles Kouriles et le sud de Sakhaline sont inclus dans la zone d'influence de l'URSS. La Chine retrouve la Mandchourie, Hai-Nan, la Mongolie intérieure et Formose.
❍ Hô Chi Minh, déclare le Vietnam indépendant (2).
● *Octobre* : les troupes françaises du général Leclerc remplacent les troupes britanniques au Vietnam.
● *Novembre* : ouverture (20) du procès des dignitaires nazis à Nuremberg (jusqu'en octobre 1946).

1946

● France : *20 janvier*, Charles de Gaulle démissionne du gouvernement provisoire ; Félix Gouin lui succède. ❍ *6 mars* : accord entre Hô Chi Minh et Sainteny sur l'indépendance du Vietnam dans le cadre de l'Union française. ❍ *19 mars* : la Guyane, la Réunion, la Guadeloupe et la Martinique obtiennent le statut de départements d'outre-mer. ❍ *8 avril* : nationalisation du gaz et de l'électricité (EDF-GDF) puis le 25, nationalisation des grandes compagnies d'assurance. ❍ *17 mai* : nationalisation de toutes les mines de charbon. ❍ Prêt de trois millions de dollars des États-Unis pour aider à la reconstruction. ❍ *2 juin* : élection de la seconde Assemblée constituante.

❍ *12 juin* : fondation du Conseil national du patronat français (CNPF).
❍ *23 juin* : Georges Bidault devient chef du gouvernement provisoire.
❍ *Juin* : le haut-commissaire français Thierry d'Argenlieu constitue un gouvernement provisoire de la Cochinchine à Saïgon ; protestation du gouvernement d'Hanoï. ❍ *14 septembre* : fin sur un échec de la conférence de Fontainebleau concernant l'Indochine. ❍ *13 octobre* : réponse positive au référendum demandant l'approbation d'une nouvelle Constitution (promulguée le 27 octobre) ; l'Assemblée nationale est la seule représentation populaire et son vote de confiance décide de la présidence du conseil. ❍ *Novembre*, élection de l'Assemblée nationale (10) d'où émergent trois principaux partis : le Parti communiste, la SFIO (socialistes) et le MRP (chrétiens-démocrates). ❍ Les forces françaises bombardent Haïphong. ❍ *Décembre* : bataille de Hanoï, et échec du soulèvement Viêt minh. Hô Chi Minh, avec le soutien des communistes chinois, entre dans la clandestinité.
● États-Unis : *10 janvier,* l'ONU se réunit pour la première fois à New York. ❍ Lors d'une conférence dans le Missouri, Winston Churchill désigne comme "rideau de fer" la frontière établie par Staline en Europe entre États libres et États du bloc communiste.
❍ *4 juillet* : indépendance des Philippines, où les États-Unis conservent des bases militaires.
● Argentine : réformes économiques et sociales annoncées par le général Juan Domingo Peron, élu président de la République (26 février).
● Italie : la république est proclamée après l'abdication du roi Victor Emmanuel III et un référendum (2 juin). ❍ Accord avec l'Autriche sur Tyrol méridional (5 septembre).
● Grèce : le pays retrouve un régime monarchique ; les forces américaines ont participé à la répression de la guerre civile.
● Jérusalem : des terroristes juifs font sauter l'hôtel du Roi-David, QG des forces britanniques (22 juillet).
● Chine : guerre civile entre communistes de Mao Tsé-toung et nationalistes de Chang Kai-shek, auxquels les États-Unis, qui donnent la priorité à l'Europe, ont suspendu leur aide, en raison de leur corruption.
● L'Islande adhère à l'ONU (9 novembre).

1947

● France : *16 janvier* : début de la IVe République. Vincent Auriol est élu président (jusqu'en 1953) et Paul Ramadier nommé président du Conseil. ❍ *7 février* : traités de paix entre la France et la Hongrie, la Bulgarie, la Finlande, la Roumanie et l'Italie. ❍ *29 mars* : insurrection dans l'île de Madagascar ; intervention de l'armée française et retour au calme. ❍ *5 mai* : Paul Ramadier exclut les ministres communistes (le PC a voté contre lui) du gouvernement. ❍ *7 avril* : création du Rassemblement du peuple français (RPF) destiné à soutenir l'action de Charles de Gaulle. ❍ *17 juin* : la France accepte le plan Marshall.
❍ *Octobre* : succès du RPF (gaulliste) aux élections municipales.
❍ *22 novembre* : Robert Schuman forme un nouveau gouvernement.
❍ *Novembre/décembre* : nombreuses et violentes grèves dans les houillères et la métallurgie. ❍ *19 décembre* : scission du syndicat CGT ; création du syndicat Force ouvrière.

● URSS : *5 octobre*, création à Belgrade du Kominform, "bureau d'informations des partis communistes européens", qui regroupe, sous l'autorité de celui d'URSS, les partis communistes de Pologne, Bulgarie, Roumanie, Yougoslavie, Tchécoslovaquie, Hongrie, Italie et France.

● Allemagne de l'Ouest : avec l'accord des ministres des États occidentaux, le parlement de Bonn est constitué (septembre). ❍ Allemagne, zone d'occupation soviétique : un Congrès populaire Allemand constitue le premier élément de la République démocratique allemande (décembre).

● Les États du Benelux – Hollande, Belgique et Luxembourg – signent une alliance économique et douanière (janvier).

● États-Unis : *12 mars*, la doctrine Truman promet assistance aux peuples libres menacés dans leur liberté. ❍ *5 juin* : Georges C. Marshall, secrétaire d'État américain, propose un plan d'aide économique à l'Europe qui l'accepte, hormis l'URSS.

● Palestine : l'ONU supervise sa partition en une partie arabe et l'autre juive ; Jérusalem devient une zone internationale.

● Inde : conférence à New-Delhi concernant vingt-quatre pays asiatiques. Le gouvernement anglais (dont les troupes se retirent) garantit l'indépendance aux peuples de l'Inde séparés entre hindous et musulmans (15 août) : l'Inde devient dominion de l'empire britannique avec Jawaharial Nehru comme Premier ministre ; le Pakistan est coupé en Pakistan occidental et Pakistan oriental (devenu Bangladesh).

1948

● France : *Avril*, élections législatives en Algérie. ❍ *19 juillet* : fin du gouvernement de Robert Schuman ; l'instabilité ministérielle va durer jusqu'en 1951. ❍ *17 octobre* : dévaluation du franc.
❍ *Octobre/novembre* : nouvelle vague de grèves dans les houillères.
● Europe de l'Ouest : fondation de l'OECE réunissant les pays bénéficiaires du plan Marshall (16 avril), qui deviendra en 1960 l'Organisation de coopération et de développement Économiques (OCDE).
● Europe de l'Est : sous l'égide de l'URSS, création d'un conseil économique (Comecon), pendant du plan Marshall.
● Chrétienté : création à Amsterdam (août) du Conseil mondial des Églises (Conseil œcuménique des Églises) réunissant toutes les composantes du christianisme (Églises luthériennes réformées, vieille-catholique, anglicane et orthodoxe).
● Allemagne de l'Ouest : création du Deutsch Mark par l'autorité militaire (20 juin). ❍ Blocus de Berlin par les Soviétiques (juin 48/mai 49) ; les États-Unis organisent un pont aérien pour approvisionner la ville.
● Pays-Bas : *4 septembre*, abdication de la reine Wilhelmine en faveur de sa fille Juliana.
● Portugal : *20 septembre*, reconduction pour dix ans du pacte d'amitié liant le Portugal à l'Espagne (première signature en 1939).
● Finlande : accord d'assistance mutuelle avec l'URSS (6 avril).
● Tchécoslovaquie : *20 février*, "coup de Prague" ; les communistes noyautent la police, interdisent toute manifestation et gagnent les élections avec une liste unique.
● Israël : *14 mai*, proclamation de l'indépendance de l'État hébreu ; début des affrontements avec la Ligue arabe.
● États-Unis : Harry Truman élu président.
● Amérique latine : fondation de l'OEA (Organisation des États Américains), associant les objectifs militaires et l'établissement de relations économiques et culturelles entre ses membres (30 avril).
● Inde : *30 janvier* : assassinat de Gandhi, opposé à la partition de l'Inde et du Pakistan, par un brahmane fanatique.
● Corée du Nord : *9 septembre*, le président Kim Il-sung proclame le pays République démocratique populaire (régime communiste). En Corée du Sud, adoption d'une Constitution républicaine démocratique ; Syngman Rhee président de la République (20 juillet).
● ONU : *10 décembre*, Déclaration universelle des droits de l'homme.

1949

● France : *27 avril*, dévaluation du franc (suivie d'une nouvelle dévaluation le 19 septembre). ❍ *27 juillet* : adhésion de la France au pacte Atlantique. ❍ *30 décembre* : Vietnam, Cambodge et Laos deviennent des États indépendants au sein de l'Union française.

● Europe : *5 mai*, fondation du Conseil de l'Europe. ❍ *4 avril* : fondation du pacte de l'Atlantique Nord (OTAN) constitué par dix pays européens plus le Canada et les États-Unis. La Turquie et la Grèce adhèrent à la nouvelle organisation.

● Grande-Bretagne : *18 avril*, l'Irlande devient république indépendante et se sépare du Commonwealth.

● Allemagne de l'Ouest : *23 mai*, constitution provisoire de la République fédérale allemande (RFA) ; Bonn capitale ; Konrad Adenauer chancelier. ● Allemagne de l'Est : *30 mai*, constitution de la République démocratique allemande (RDA.).

● Indonésie : *2 novembre*, la Hollande reconnaît la république des États-Unis d'Indonésie. Cet État indépendant, dont le président est Achmed Soekarno, est réuni à la couronne de Hollande.

● Chine : *1er octobre*, Mao Tsé-toung proclame la République populaire. Chang Kai shek, vaincu par les communistes, se réfugie sur l'île de Taiwan (Formose).

1950

● France : *11 février*, instauration du salaire minimum (SMIG).
❍ *Février/avril* : grèves et manifestations sociales violentes. ❍ *9 mai* : Robert Schuman propose un pool charbon/acier à l'Allemagne fédérale.
❍ *27 octobre* : loi portant la durée du service militaire à dix-huit mois.

● Europe : *11 avril*, première réunion des ministres du Conseil de l'Europe à Strasbourg. En plus des États de l'Europe occidentale, le Conseil de l'Europe regroupe aussi les trois pays scandinaves, l'Irlande et l'Italie.

● Allemagne de l'Ouest : *août*, fondation de la Ville-État de Berlin (avec un sénat), à laquelle la République fédérale accorde son aide.
❍ Reconnaissance officielle de la République fédérale allemande (RFA). par les ministres des Affaires étrangères des États-Unis, de Grande-Bretagne et de France (19 septembre). Son gouvernement sera le seul légal de l'Allemagne jusqu'à sa réunification.

● République démocratique allemande : *23 juin*, approbation de la ligne Oder-Neisse avec la Pologne. ❍ Signature de traités d'amitié avec les

démocraties populaires de l'Est puis adhésion au plan Molotov.
● URSS : *14 février*, pacte d'amitié et d'assistance avec la République démocratique chinoise ; retour à la Russie du chemin de fer de Mandchourie. ❍ *1er mars* : création d'une "zone rouble" similaire aux zones dollar et sterling. ❍ *14 juin* : accord économique avec la Finlande.
● Inde : *26 janvier*, proclamation de la république de l'Union indienne, constituée de quatorze États et six territoires ; président Jawaharial Nehru.
● Corée : *25 juin*, la Corée du nord attaque la Corée du Sud. Sur ordre de l'ONU, des troupes américaines, commandées par le général MacArthur, bloquent l'avance communiste (juillet) ; Pyongyang (capitale de la Corée du Nord) est prise par MacArthur (octobre), mais reprise par les troupes chinoises après une massive contre-offensive communiste (novembre/décembre).
● Vietnam : l'URSS reconnaît le contre-gouvernement communiste Viêt-minh d'Hô Chi Minh. L'offensive des troupes du Viêt-minh s'étend à tout le pays. ❍ *Octobre* : bataille de Cao Bang ; les troupes françaises évacuent le haut Tonkin.
● La Chine envahit le Tibet (7 octobre).

1951

● France : *18 avril*, traité de Paris fondant la Communauté européenne du charbon et de l'acier (CECA). ❍ *23 juillet* : le maréchal Philippe Pétain meurt à l'île d'Yeu. ❍ *8 août* : René Pleven forme un nouveau gouvernement. ❍ *21 septembre* : lois Marie et Barangé sur l'aide à l'enseignement privé. ❍ *1er novembre* : manifestations anti-françaises à Casablanca (Maroc). ❍ *Décembre* : découverte du gisement de gaz de Lacq, près de Toulouse. ❍ Mort à Paris de l'écrivain André Gide, à 82 ans.
● Grande-Bretagne : *1er mai*, l'Iran nationalise la compagnie pétrolière Anglo-Iranian Oil. ❍ *25 octobre* : victoire électorale des conservateurs qui forment un gouvernement dirigé par Winston Churchill.
● Europe du Nord : création de la Fédération nordique constituée par les États scandinaves hormis la Finlande.
● Belgique : *16/17 juillet*, après son retour demandé par référendum, le roi Léopold III abdique en faveur de son fils, Baudouin 1er.
● États-Unis : une modification de la Constitution limite à deux mandats (huit ans) le pouvoir présidentiel. ❍ Les époux Rosenberg condamnés à mort (exécutés en 1953) pour espionnage au profit de l'URSS.
● Déclaration d'indépendance de la Libye (24 décembre).

● Asie : signature du pacte de sécurité du Pacifique entre les États-Unis, la Nouvelle-Zélande et l'Australie (1er septembre).
● Japon : signatures de traités de paix entre le Japon et quarante-huit États (septembre).
● Viêt Nam : *février,* les troupes françaises de De Lattre de Tassigny reprennent Hanoï et Hoà Binh (novembre).
● Corée : *4 janvier*, les communistes s'emparent de Séoul. ❍ Le général MacArthur est limogé pour avoir suggéré d'attaquer directement la Chine (avril). ❍ Cessez-le-feu en juin, accord en novembre sur la frontière entre les deux Corée : le 38e parallèle.

1952

● France : *17 janvier,* émeutes à Bizerte (Tunisie) ; arrestation du chef nationaliste Habib Bourguiba. ❍ *6 mars* : Antoine Pinay forme un nouveau gouvernement. ❍ *20 mai* : lancement d'un emprunt d'État indexé sur l'or (emprunt Pinay). ❍ *27 mai* : traité de Paris instituant la Communauté européenne de défense (CED). ❍ *7/8 décembre* : soulèvement à Casablanca (Maroc). ❍ *23 décembre* : Antoine Pinay démissionne du gouvernement. ❍ Mort à Paris du poète Paul Éluard, 57 ans.
● Allemagne de l'Ouest : acceptation du plan Schuman sur le charbon et fin des restrictions de la production industrielle de la Ruhr.
● Grande-Bretagne : *6 février*, mort du roi George VI ; Élisabeth II lui succède (couronnée 2 juin 1953).
● États-Unis : Dwight D. Eisenhower élu président.
● L'Union sud-africaine quitte le Commonwealth et prend le nom de République sud-africaine. ❍ Émeutes anti-aparthied.
● Bolivie : nationalisation des mines d'étain.
● Égypte : un coup d'État du général Neguib chasse le roi Farouk qui abdique en faveur de son fils.

1953

● France : *23 décembre*, René Coty est élu président de la République (jusqu'en 1959).
● URSS : *5 mars*, mort de Joseph Staline, à 73 ans ; après quelques mois de direction collégiale, Nikita Krouchtchev devient premier secrétaire du parti (7 septembre). ❍ *17 décembre* : Béria, ancien chef de la police stalinienne, est exécuté.
● République démocratique allemande : *17 juin*, émeutes contre les hausses de production ; intervention de l'armée, arrestations et exécutions.

● Espagne : accord avec les États-Unis qui disposent pour dix ans de bases militaires dans le pays. ○ Arrêt du boycott de l'Espagne décidé par les Nations unies en 1946.
● Égypte : *13 janvier*, proclamation de la République égyptienne par le général Neguib.
● Jordanie : début du règne de Hussein II, mort en 1999.
Corée : *27 juillet*, signature de l'armistice à Panmunjon.

1954

● France : *février*, grande campagne nationale de l'abbé Pierre contre la misère. ○ *17 juin* : Pierre Mendès-France forme un nouveau gouvernement. ○ *31 juillet* : reconnaissance de l'autonomie interne de la Tunisie. ○ *13 août* : Mendès-France obtient les pleins pouvoirs pour les questions économiques. ○ *21 octobre* : accord entre l'Inde et la France qui cède les comptoirs qu'elle possède dans le pays.
○ *23 octobre* : accords de Paris créant l'Union de l'Europe occidentale (UEO) ; le traité met un terme à l'occupation de l'Allemagne et rétablit la souveraineté allemande. ○ *1er novembre* : en Algérie, une série d'attentats marque le début de la guerre. ○ Mort à Nice du peintre Henri Matisse, 85 ans, et à Bandol d'Auguste Lumière, 92 ans, inventeur du cinématographe avec son frère Louis (1864-1948).
● Europe du Nord : occupation du Groenland par le Danemark. Les Iles Féroé obtiennent l'autonomie. Norvège et Danemark précisent leurs accords d'assistance mutuelle.
● *9 août* : pacte des Balkans entre la Grèce, la Yougoslavie et la Turquie, garantissant l'assistance mutuelle pour vingt ans.
● Égypte : *novembre*, Gamal Abdel Nasser prend le pouvoir.
● Inde : *28 juin*, rencontre entre Nehru et Chou-En-lai, Premier ministre chinois, à New Delhi ; accord de coexistence pacifique.
● Vietnam : *7/13 mars*, les forces françaises encerclées et défaites à Dien Bien Phu. ○ *21 juillet* : à Genève, accord franco-vietnamien mettant fin au conflit indochinois et partageant le pays (17e parallèle) entre le Vietnam du Sud, dirigé par Ngo Dinh Diem, et le Vietnam du Nord, dirigé par le Viêt-minh.
● *8 septembre* : pacte du Sud-Est asiatique (OTASE) entre les États-Unis, la France, la Grande-Bretagne, la Nouvelle-Zélande, l'Australie, les Philippines, le Pakistan et la Thaïlande.

1955

● France : *5 février*, fin du gouvernement Pierre Mendès-France et formation d'un nouveau gouvernement par Edgar Faure (23 février). ❍ *29 mai* : accord sur l'autonomie interne de la Tunisie et retour de Habib Bourguiba à Tunis (juin). ❍ *20/21 août* : massacre d'Européens à Philippeville (Algérie). ❍ *5/6 novembre* : entretiens Antoine Pinay-Mohammed V (qui est restauré comme sultan) à la Celle-Saint-Cloud sur la fin du protectorat français au Maroc, afin de préparer son accession à l'indépendance. ❍ *2 décembre* : Edgar Faure dissout l'Assemblée nationale. ❍ Mort à Gif-sur-Yvette du peintre Fernand Léger, 74 ans, et au Vésinet du peintre Maurice Utrillo, 72 ans.

● Grande-Bretagne : *avril*, Winston Churchill quitte ses fonctions gouvernementales ; Anthony Eden lui succède.

● Chypre : violentes manifestations autonomistes anti-britanniques.

● Allemagne de l'Ouest : *8 mai*, la RFA adhère à l'OTAN. ❍ *9/13 septembre* : visite du chancelier Adenauer à Moscou et rétablissement des relations diplomatiques avec l'URSS. La réunification allemande est l'un des thèmes des discussions.

● Autriche : *15 mai*, les troupes d'occupation quittent le pays. L'Autriche redevient un État indépendant et neutre, avec ses frontières de 1938. ❍ *14 décembre* : admission à l'ONU.

● URSS : *15 janvier*, levée l'état de guerre avec l'Allemagne (mais refus de la réunification allemande). ❍ *14 mai* : création du pacte de Varsovie, traité de défense mutuelle, plaçant les armées d'URSS, Hongrie, Pologne, Bulgarie, RDA, Roumanie, Tchécoslovaquie et Albanie sous commandement unique. ❍ *Mai* : l'URSS restitue Port-Arthur à la Chine.

● États-Unis : premières manifestations des Noirs pour les droits civiques en Alabama. ❍ Mort de l'acteur James Dean, à 24 ans, dans un accident d'automobile ; mort à Princeton où il enseignait, du physicien d'origine allemande Albert Einstein, à 76 ans.

● Argentine : *19 septembre*, l'armée renverse Juan Domingo Peron, mais son influence sur la vie politique du pays subsiste.

● Vietnam : *octobre*, Ngo Dinh Diem proclame la république au Vietnam du Sud ; les catholiques s'opposent aux bouddhistes. Au Nord, la réforme agraire d'Hô Chi Minh provoque des insurrections paysannes.

1956

● France : *26 janvier*, Guy Mollet forme un nouveau gouvernement.
❍ *28 février* instauration de la 3e semaine de congés payés annuels.
❍ *2 mars* : la France puis l'Espagne reconnaissent l'indépendance du Maroc (qui se déclare solidaire de l'Algérie). ❍ *12 mars* : loi instituant des pouvoirs spéciaux en Algérie, pour faire face à la rébellion.
❍ *20 mars* : indépendance de la Tunisie, dirigée par Habib Bourguiba, chef du Néo-Destour. ❍ *Mars* : le gouvernement déclare l'Algérie partie intégrante de la France, et y envoie des renforts de troupes.
❍ *20 juin* : loi-cadre Defferre qui crée huit Républiques semi-autonomes en Afrique-Occidentale française, et quatre en Afrique-Équatoriale française. ❍ *22 octobre* : l'avion qui transporte le chef nationaliste algérien Ben Bella est détourné par l'aviation française.

● Soudan : *1er janvier*, proclamation de l'indépendance avec l'accord de l'Égypte ; adhésion à la Ligue arabe (19 janvier), et à l'ONU (6 février).

● Égypte : *18 juin*, le colonel Nasser exige le départ des troupes britanniques du canal de Suez. ❍ *26 juillet* : Nasser, pour financer le barrage d'Assouan sur le haut Nil, nationalise le canal de Suez. Il entreprendra la construction du barrage d'Assouan avec l'aide de l'URSS ❍ *20 octobre* : Israël intervient contre l'Égypte et gagne la bataille du Sinaï. ❍ *31 octobre* : attaque aérienne des forces franco-anglaises. ❍ *5/6 novembre* : la France et la Grande-Bretagne reprennent militairement le canal de Suez. Les menaces d'intervention de l'URSS gèlent les opérations et provoquent l'intervention de l'ONU. ❍ *8 novembre* : cessez-le-feu entre les belligérants. ❍ *23 novembre* : retrait franco-britanniques sous la pression des États-Unis.

● URSS : *du 14 au 25 février*, au XXe congrès du Parti communiste, les crimes du stalinisme ainsi que le culte de la personnalité sont dénoncés.
❍ *19 octobre* : fin de l'état de guerre avec le Japon et ouverture de relations diplomatiques entre les deux États.

● Pologne : *28 juin*, grèves et émeutes à Poznan pour des élections libres et le départ des troupes soviétiques. ❍ *20 octobre* : Gomulka, qui avait été écarté du pouvoir et emprisonné en 1951 par les Soviétiques, est triomphalement réélu secrétaire général du Parti communiste polonais. La politique antireligieuse et la collectivisation forcée sont abandonnées, mais la Pologne reste sous la surveillance de l'armée soviétique. ❍ *14 novembre* : Gomulka en visite à Moscou “normalise” la situation : un traité garantit comme frontière la ligne Oder-Neisse et instaure une assistance mutuelle entre l'URSS et la Pologne.

● Hongrie : *23 octobre*, émeutes à Budapest contre le Parti communiste hongrois (resté stalinien), qui fait tirer sur la foule, et demande l'aide de l'armée soviétique. Imre Nagy, exclu du Parti, prend la tête d'un gouvernement libéral et exige la neutralité de la Hongrie et son indépendance envers le pacte de Varsovie ; les troupes soviétiques se retirent de Hongrie (28 octobre). ❍ *4 novembre* : retour de l'armée soviétique qui écrase dans le sang les manifestations tant à Budapest que dans les villes de province ; plus de 25000 morts. Janos Kadar constitue un gouvernement prosoviétique, ce qui provoque l'exil de milliers de Hongrois ; les chefs de l'insurrection, dont Nagy, sont fusillés.

● Cuba : Fidel Castro lance la rébellion contre le président Batista, soutenu par les Américains.

1957

● France : *janvier,* début de la bataille d'Alger (jusqu'en septembre). Affrontements entre les Français d'Algérie, soutenus par l'armée, et la rébellion algérienne. En métropole, la guerre d'Algérie divise les Français. ❍ *6 novembre* : Félix Gaillard forme un nouveau gouvernement dans un climat de crise provoqué par la situation algérienne et les difficultés économiques. ❍ Mort du couturier Christian Dior, à 52 ans.

● Europe : *25 mars*, les traités de Rome créent la Communauté économique européenne (CEE) et l'Euratom.

● Allemagne de l'Ouest : *1er janvier*, le traité franco-allemand réintègre la Sarre à la RFA.

● Yougoslavie : *7 janvier*, la Yougoslavie de Tito, qui s'est mise à l'écart du bloc communiste, reprend des relations diplomatiques avec la RDA et les rompt avec la RFA.

● URSS : *4 octobre*, lancement de Spoutnik, premier satellite terrestre artificiel.

● Proche-Orient : *7 mars*, Israël évacue la bande de Gaza et le Sinaï. ❍ Réouverture du canal de Suez.

● Tunisie : *25 juillet,* après l'abdication du bey de Tunis, Habib Bourguiba accède à la présidence de la République.

● Indépendance du Ghana qui adhère au Commonwealth.

1958

● France : *15 avril*, Félix Gaillard démissionne du gouvernement ; Pierre Pflimlin lui succède (8 mai). ○ *13 mai* : putsch militaire à Alger et création par le général Jacques Massu d'un comité de salut public en raison de la crise algérienne. Troubles dans la métropole. ○ *28 mai* : démission de Pierre Pflimlin qui est remplacé par le général de Gaulle à la présidence du Conseil et investi des pleins pouvoirs par l'Assemblée nationale (2 juin). ○ *4/7 juin* : le général de Gaulle en visite officielle en Algérie se prononce pour l'Algérie française. ○ *19 septembre* : création par les nationalistes algériens du gouvernement provisoire de la République algérienne (GPRA). ○ *1er octobre* : fondation de l'Union pour la nouvelle République (UNR), parti politique gaulliste. ○ *3 octobre* : présentation du plan de Constantine destiné au développement de l'Algérie. ○ *28 octobre* : référendum sur l'approbation d'une nouvelle Constitution (Ve République) qui accroît les pouvoirs du président de la République. L'Union française se transforme en une Communauté française (sauf la Guinée qui devient indépendante), dont les membres sont volontairement associés et ont en commun des intérêts économiques et culturels. ○ *23/30 novembre* : victoire des gaullistes aux élections législatives. ○ *21 décembre* : le général de Gaulle élu président de la République et de la Communauté (jusqu'en 1969). ○ Mort de l'écrivain et philosophe Albert Camus, à 47 ans.

● Europe : traité d'union économique entre les États du Benelux (Belgique, Hollande et Luxembourg).

● Vatican : *28 octobre*, à la mort de Pie XII, élection de Jean XXIII (jusqu'en 1963).

● *1er février* : création de la République arabe unie (RAU) constituée de la Syrie, de l'Égypte et du Yémen (jusqu'en 1961).

● États-Unis : *1er février*, lancement du satellite Explorer 1 autour de la terre. ○ L'Alaska devient le 49e État. ○ Le sous-marin à propulsion nucléaire *Nautilus* passe sous la calotte glaciaire.

1959

● France : *6 janvier*, ordonnance prolongeant la scolarité jusqu'à 16 ans. ○ *8 janvier* : début de la Ve République. Succédant à René Coty, Charles de Gaulle est investi dans les fonctions de président de la République ; Michel Debré est nommé Premier ministre.

○ *16 septembre* : de Gaulle propose l'autodétermination au peuple d'Algérie. ❍ *24 décembre* : loi Debré sur l'aide (favorable) de l'État à l'enseignement privé.

● URSS : *2 janvier*, lancement de Lunik, fusée à deux étages qui tourne autour de la Lune.

● Laos : guerre civile entre pro- et anticommunistes.

● Tibet : soulèvement contre la Chine écrasé par l'armée chinoise (*mars*). Le dalaï-lama s'exile en Inde. Le Tibet devient une province chinoise (septembre).

● États-Unis : Hawaï devient le 50e État.

● Cuba : Fidel Castro, 32 ans, chasse Batista et prend le pouvoir.

1960

● France : le franc est dévalué et remplacé par le nouveau franc sur la base de 100 anciens francs pour 1 nouveau. ❍ *13 janvier* : Antoine Pinay démissionne du gouvernement. ❍ *24 janvier/1er février* : semaine des barricades à Alger : des Français d'Algérie opposés à l'indépendance échouent dans leur tentative de putsch. ❍ *13 février* : première explosion nucléaire française à Reggane, au Sahara. ❍ *Mars* : pour la première fois, le général de Gaulle emploie l'expression "Algérie algérienne". ❍ *Avril à septembre* : indépendance du Cameroun, de la Côte-d'Ivoire, du Congo, du Dahomey, du Gabon, de la Haute-Volta, de Madagascar, du Mali, de la Mauritanie, du Niger, de la République centrafricaine, du Sénégal, de la Somalie, du Tchad et du Togo. Ces États indépendants concluent pour la plupart des accords avec la France.

● Belgique : émeutes au Congo belge et voyage du roi Baudouin. ❍ *30 juin* : indépendance du Congo, avec le progressiste Patrice Lumumba comme président. Début de luttes internes, tribales et séparatistes. La province minière du Katanga, dirigée par Moïse Tshombé, fait sécession (jusqu'en janvier 1963). L'armée prend le pouvoir (septembre) ; Lumumba est arrêté (les Katangais l'abattront en février 1961).

● Chypre : *16 août*, proclamation de l'indépendance de la république de Chypre par son nouveau président, l'archevêque Makarios.

● Iran : distribution des biens fonciers de la Couronne aux paysans sans terres.

● URSS : *16 août*, Khrouchtchev rappelle de Chine, qui accuse l'URSS de "révisionnisme", tous les techniciens soviétiques et supprime tous les contrats de coopération signés avec Mao Tsé-toung.

● États-Unis : un avion U2 de reconnaissance américain abattu au-dessus de l'URSS fait échouer la conférence de Paris entre les grandes puissances. ❍ *20 janvier*, pacte de sécurité entre les États-Unis et le Japon, concédant aux Américains des bases militaires. ❍ John F. Kennedy élu président.

● Brésil : inauguration de la nouvelle capitale Brasilia.

● Amérique latine : fondation d'une zone de libre-échange associant le Mexique, le Chili, l'Argentine, le Pérou, le Paraguay et l'Uruguay.

● Cambodge : réforme constitutionnelle ; le roi Norodom Sihanouk devient président.

1961

● France :. *8 janvier*, réponse positive au référendum proposant l'autodétermination en Algérie. ❍ *Février* : fondation de l'Organisation de l'armée secrète (OAS) composée des partisans de l'Algérie française. ❍ *22/25 avril* : putsch des généraux partisans de l'Algérie française ; le contingent refuse de les suivre dans la rébellion. ❍ *20 mai* : ouverture à Évian de négociations entre les nationalistes algériens et le gouvernement français.

● Europe : premiers pourparlers entre la Grande-Bretagne et les pays du Marché commun pour une éventuelle participation, à laquelle la France est opposée. ❍ Le Danemark demande son entrée dans le Marché commun. ❍ La Grèce s'associe au Marché commun.

● Allemagne de l'Est : *13 août*, pour endiguer l'émigration vers la RFA, la RDA entreprend la construction du mur de Berlin, haut de 3 m et long de 55 km, qui coupe la ville en deux. Symbole de la division entre les deux Allemagne, il sera abattu en 1989.

● URSS : *12 avril*, Youri Gagarine, cosmonaute soviétique, premier homme à faire le tour de la terre à bord d'un satellite artificiel.

● Albanie : *10 décembre*, rupture des relations diplomatiques avec l'URSS. L'Albanie se désengage du Comecon et signe un traité de coopération économique et technique avec la Chine (13 janvier 1962).

● Syrie : *28 octobre*, après un coup d'État militaire, fin de la République arabe unie.

● Israël : condamnation à mort et exécution (en 1962) pour crimes de guerre d'Adolf Eichman, dignitaire nazi enlevé en Argentine par les services secrets israéliens.

● États-Unis : Fidel Castro ayant choisi le camp soviétique, suppression de l'aide accordée jusque-là à Cuba et rupture des relations diplomatiques. ❍ *17 avril* : débarquement manqué, dans la baie des Cochons, d'exilés cubains soutenus par les Américains pour renverser le régime castriste. ❍ *3/4 juin*: rencontre Kennedy-Khrouchtchev à Vienne.

● République de Saint-Domingue: assassinat du dictateur Trujillo au pouvoir avec sa famille depuis 1924.

● Afrique: indépendance du Tanganyika. ❍ Indépendance de la Sierra Leone.

● *18 décembre*: l'Inde s'empare de Goa, Daniao et Diu (Indes portugaises).

1962

● France: *janvier/mars*, série d'attentats OAS en France et en Algérie. ❍ *8 février*, à Paris, la police charge au métro Charonne des manifestants contre la guerre d'Algérie: 8 morts, 200 blessés.

❍ *18 mars* : signature des accords d'Évian pour l'indépendance de l'Algérie et cessez-le-feu. ❍ *8 avril*: par référendum, les Français approuvent les accords d'Évian. ❍ *14 avril*: le Premier ministre Michel Debré, hostile à l'indépendance algérienne, démissionne; Georges Pompidou lui succède. ❍ *3 juillet*: début de l'exode des "pieds-noirs" d'Algérie, rapatriés en métropole. ❍ *22 août*: attentat manqué du Petit-Clamart contre le général de Gaulle. ❍ *5 octobre*: Georges Pompidou et son gouvernement sont renversés par l'Assemblée nationale ❍ *10 octobre*: dissolution de l'Assemblée nationale.

❍ *28 octobre* : référendum approuvant l'élection du président de la République au suffrage universel. ❍ *18/25 novembre*: les gaullistes gagnent les élections législatives. ❍ Début d'une politique agricole commune au sein du Marché commun.

Vatican: *11 octobre*, le pape Jean XXIII ouvre le concile Vatican II (qui va supprimer le latin dans la liturgie et ouvrir certaines charges aux laïcs).

● Algérie: *4 octobre*, après avoir obtenu son indépendance, l'Algérie adhère à la Ligue arabe et à l'ONU.

● Afrique: indépendance de l'Ouganda. ❍ L'ex-Somalie italienne et la Somalie britannique se réunissent et constituent la république de Somalie.

● Cuba: *23-24 octobre*, découverte à Cuba de rampes de lancement installées par les Soviétiques et dirigées contre les États-Unis; le président Kennedy menace Cuba d'un débarquement et de couler un cargo soviétique qui apporte des fusées. URSS et États-Unis sont au bord d'un conflit armé. Le président Khrouchtchev ordonne finalement (28 octobre) la destruction des rampes de lancement déjà installées contre la promesse que les États-Unis n'interviendront pas à Cuba.

● Pakistan : *1er mars*, adoption d'un système où seuls les musulmans peuvent devenir présidents de la République. Accord avec la Chine.
● Vietnam du Sud : pour faire face aux infiltrations du Viêt-minh communiste, puis à la création du Viêt-cong, maquis communiste qui regroupe les opposants au régime dictatorial de Ngô Dinh Diem, les États-Unis augmentent leur aide militaire (envoi de "conseillers") au Vietnam du Sud.
● Laos : *juillet,* conférence internationale (dont États-Unis et URSS) à Genève sur le Laos qui conclut à sa neutralité sous le contrôle d'une commission internationale. Le Viêt-minh n'en continue pas moins ses infiltrations, dans un pays partagé entre procommmunistes, proaméricains (au pouvoir) et neutralistes.
● Espace : *20 février*, l'astronaute américain John Glenn fait le tour de la terre à bord d'un engin spatial. ❍ Un engin spatial américain, "Mariner II", se rapproche de la planète Vénus. ❍ *14 juin* : fondation de l'Organisation européenne pour la recherche spatiale.

1963

● France : *14 janvier*, veto français à l'admission de la Grande-Bretagne dans le Marché commun. ❍ *Janvier* : grèves dans les charbonnages. ❍ *22 janvier* : traité d'alliance et de coopération entre l'Allemagne et la France. ❍ Création de la DATAR, chargé de l'aménagement du territoire. ❍ *27 juillet* : droit de grève et obligation d'un préavis dans les services publics ❍ *12 septembre* : ministre des Finances, Valéry Giscard d'Estaing propose un plan de stabilisation de l'économie (blocage des prix). ❍ Mort, à Paris, de la chanteuse Édith Piaf, à 48 ans, du compositeur Francis Poulenc, à 64 ans, du peintre Georges Braque, à 81 ans ; de Jean Cocteau, 74 ans, à Milly-la-Forêt.
● Grande-Bretagne : *janvier*, Kim Philby, agent secret britannique, se réfugie à Moscou. *5 juin* : découverte d'une liaison entre le secrétaire d'État à la Guerre, John Profumo, et une call-girl travaillant pour l'URSS.
● Vatican : *21 mai*, élection de Paul VI à la mort du pape Jean XXIII.
● URSS : *25 juillet* : traité de Moscou entre les États-Unis, la Grande-Bretagne et l'URSS pour l'arrêt des expériences nucléaires. La Chine et la France refusent de parapher cet accord.
● Chypre : *décembre*, violents affrontements entre les communautés grecque et turque de l'île. L'ONU envoie une force d'interposition.
● Proche-Orient : *avril,* nouvelle République arabe unie (RAU) regroupant l'Égypte, la Syrie et l'Irak.

● Afrique : indépendance de Zanzibar qui, réunie avec le Tanganyika, forme la Fédération de Tanzanie.

● États-Unis : *5 avril*, installation d'une ligne téléphonique directe entre Washington et Moscou (téléphone rouge). ○ *août* : 200 000 Noirs entreprennent une grande marche de protestation contre la ségrégation raciale à Washington ; leur leader, le pasteur Martin Luther King, est arrêté en Alabama lors d'une marche pacifique contre les discriminations raciales et pour l'égalité des droits civiques.

○ *22 novembre* : assassinat, à Dallas, du président Kennedy ; le vice-président Lindon B. Johnson lui succède. Lee Harvey Oswald, soupçonné du meurtre, est abattu lors de son arrestation par Jack Ruby, un tenancier de boîte de nuit, qui lui-même mourra peu après d'un cancer en prison. On ignore toujours qui commandita l'assassinat.

● République dominicaine : après la dictature Trujillo, les réformes sociales du président Bosch suscitent un coup d'État de l'armée.

● La Corée du Nord revendique son indépendance vis-à-vis de la Chine.

● Vietnam du Sud : *1er novembre*, assassinat du président Ngô Dinh Diem ; les militaires prennent le pouvoir ; pour faire face aux désordres politiques (émeutes bouddhiques) et à la guérilla communiste menée par le Viêt-cong et le Vietnam du Nord, ils demandent un accroissement de l'aide militaire des États-Unis.

1964

● France : *27 janvier*, reconnaissance officielle du régime communiste chinois. ○ *14 mars* : redécoupage administratif et création des 21 régions.

○ *6/7 novembre* : scission du syndicat CFTC et création du syndicat CFDT.

● URSS : *14 octobre*, Nikita Khrouchtchev est écarté du pouvoir. Kossyguine nommé président et Leonid Brejnev secrétaire du Parti.

● *20 avril* : États-Unis, Grande-Bretagne et URSS annoncent la réduction des armements nucléaires.

● Algérie : *8 septembre*, Constitution acceptée par référendum. Ben Bella élu président de la République (15).

● Afrique : *22 au 25 mai*, sommet des États africains, à Addis-Abeba, qui amène la fondation de l'Organisation de l'unité africaine (OUA) couvrant les domaines économique, culturel et politique.

● Afrique du Sud : condamnation et emprisonnement du leader noir anti-aphartheid Nelson Mandela (jusqu'en 1990).

● États-Unis : *2 juillet*, loi sur les droits des citoyens. Les discriminations raciales sont interdites dans les écoles et les institutions publiques. ❍ *3 novembre* : Lyndon Johnson réélu à la présidence. ❍ Martin Luther King prix Nobel de la paix.
● Vietnam : *5 août*, les Nord-Vietnamiens ayant attaqué leurs destroyers dans le golfe du Tonkin, les États-Unis lancent leur premier raid aérien sur le Nord-Vietnam (soutenu par la république populaire de Chine), et envoient des troupes pour soutenir l'armée du Sud-Vietnam.
● Inde : *27 mai*, mort de Jawaharial Nehru. Lal Bahadur Shastri est son successeur. ❍ Conflit avec le Pakistan à propos du Cachcmire (terminé, après intervention de la Chine et de l'URSS en 1966).

1965

● France : *1er juillet*, le gouvernement, qui veut garder une politique agricole autonome, refuse de siéger à l'assemblée de la CEE (jusqu'en janvier 1966). ❍ *9 juillet* : loi fixant la durée du service militaire à seize mois. ❍ *29 octobre* : enlèvement à Paris, et disparition de Ben Barka, homme politique marocain, opposant au régime du roi Hassan II (couronné le 7 juin). ❍ *5 et 19 décembre* : réélection de Charles de Gaulle à la présidence de la République ; échec de François Mitterrand.
● Grande-Bretagne : *24 janvier* : mort de sir Winston Churchill. ❍ Appui du gouvernement britannique à la politique américaine au Vietnam. ❍ *Décembre*, accord commercial avec l'Eire.
● Espagne : revendications sur Gibraltar, territoire britannique.
● Vatican : *8 décembre*, le pape Paul VI clôt les travaux du concile Vatican II dont les principales décisions concernent la réforme du droit romain et de la Curie, la réforme liturgique, l'ouverture vers l'œcuménisme chrétien et la tolérance envers les autres religions.
● Roumanie : *8 décembre*, Nicolas Ceausescu est élu chef du Parti, puis président du Conseil (jusqu'à son exécution en 1989). Sous son impulsion, la Roumanie affirme son indépendance au sein des pays socialistes.
● Algérie : *19 janvier*, le colonel Boumediene renverse le président Ben Bella et prend le pouvoir. Des experts économiques et des techniciens soviétiques interviennent en Algérie ; la France et l'Algérie exploitent cependant ensemble les réserves de pétrole et de gaz naturel.
● Afrique centrale : la Fédération de l'Afrique centrale (dépendante du Commonwealth) est dissoute ; trois nouveaux États : Malawi (Nyassaland), Rhodésie du Sud et Zambie (Rhodésie du Nord).

❍ *11 novembre* : la Rhodésie du Sud proclame son indépendance, en dépit des pressions britanniques (la République rhodésienne sera définitivement proclamée en 1970).

● États-Unis : assassinat à New York du militant noir Malcom X.

❍ Émeutes raciales à Los Angeles. ❍ *24 septembre* : le Panama obtient la souveraineté dans la zone du canal (jusqu'alors sous contrôle américain), ratifiée par un traité avec les États-Unis. ❍ Intervention des forces américaines en République dominicaine après le soulèvement des partisans des réformes sociales du président Bosch.

● URSS : *5 février,* voyage à Pékin du président de l'URSS, Alexis Kossyguine, qui met fin à des années de brouilles idéologiques et économiques. ❍ *11 février* : Kossyguine en visite officielle à Hanoï.

● Vietnam du Sud : *19 juin*, le général Nguyen Van Thieu est désigné chef de l'État et le général Nguyen Cao Ky chef du gouvernement.

❍ Les Américains intensifient leurs bombardements des zones militaires et économiques du Vietnam du Nord.

1966

● France : *mars,* en désaccord sur des points concernant sa souveraineté, la France se retire de l'OTAN (à partir du 1er juillet). ❍ *1er septembre* : le général de Gaulle à Phnom Penh (Cambodge) condamne l'intervention militaire américaine au Vietnam. ❍ Mort à Paris de l'écrivain André Breton, l'un des fondateurs du surréalisme, 70 ans.

● Espagne : *31 mars*, blocus de Gibraltar.

● La Tunisie reconnaît l'État d'Israël.

● Égypte : *mai*, inauguration du barrage d'Assouan, construit avec l'aide soviétique.

● Congo : *25 novembre*, le général Mobutu renverse le président de la République et réorganise le pays. Léopoldville prend le nom de Kinshasa (la République démocratique du Congo devient Zaïre en 1971).

❍ *31 décembre* : nationalisation des mines de cuivre du Haut-Katanga.

● Afrique : indépendance du Botswana (Betschuanaland) et du Lesotho (Basutoland).

● Inde : mort du Premier ministre Lal Bahadur Shastri ; la fille de Nehru, Indira Gandhi, Premier ministre de l'Inde.

● Chine : Mao Tsé-toung, pour éliminer la direction du Parti communiste chinois avec laquelle il est en désaccord, proclame la révolution culturelle : les gardes rouges, agitant *Le Petit Livre rouge* des pensées de Mao, prennent pour cible les intellectuels qu'ils massacrent parfois ; leurs abus provoqueront une intervention de l'armée, dirigée par Lin Biao (1968) pour rétablir l'ordre.

● Espace : *3 février,* un engin spatial soviétique atterrit sur la Lune.
❍ *15 août* : les Américains reçoivent les premières photos en direct du sol lunaire depuis leur satellite Lunar Orbiter 1.

1967

● France : *5/12 mars*, élections législatives ; les gaullistes gardent de justesse la majorité. ❍ *29 mars* : lancement à Cherbourg du sous-marin nucléaire *Le Redoutable*. ❍ *Mars/avril* : naufrage du pétrolier *Torrey Canyon* et première grande pollution des côtes bretonnes. ❍ *13 juillet* : création de l'Agence nationale pour l'emploi (ANPE). ❍ Déménagement, de Paris à Bruxelles, du siège de l'OTAN. ❍ *26 septembre* : accord avec le Royaume-Uni et la RFA pour la construction de l'avion Airbus. ❍ *11 décembre* : présentation de l'avion franco-britannique *Concorde* à Toulouse. ❍ *19 décembre* : vote de la loi Neuwirth sur la régulation des naissances et l'autorisation des contraceptifs.

● Espagne : *10 octobre* : premières élections directes depuis 1936 pour les Cortès (Parlement).

● Grèce : *21 avril* : prise du pouvoir par une junte militaire.
❍ *14 décembre* : exil à Rome du roi Constantin II après une tentative de prise du pouvoir ; le colonel Papadopoulos et le général Zoïtakis se partagent le pouvoir d'une dictature dite “des colonels”.

● Proche-Orient : *15 mai-5 juin*, guerre des Six Jours entre Israël et les pays arabes qui l'encerclent. Israël détruit l'aviation égyptienne, occupe le Sinaï, la bande de Gaza, la Cisjordanie et le Golan (syrien). Des cessez-le-feu sont signés avec la Jordanie (7 juin), avec l'Égypte (9 juin), et la Syrie (10 juin). ❍ *29 août/1er septembre* : à Khartoum, sommet des pays arabes qui refusent toute négociation avec Israël. Les pays arabes producteurs décrètent un embargo sur le pétrole à direction de la Grande-Bretagne et des États-Unis.

● Sud-Yémen : *30 novembre,* fondation de la république.

● Nigeria : *19 avril*, sécession de l'Ouest du pays, peuplé d'Ibos ; le nouvel État prend le nom de Biafra et proclame son indépendance (30 mai) ; début d'une guerre civile (jusqu'en 1970).

● Bolivie : Ernesto (Che) Guevara, héros de la révolution cubaine, est tué par des militaires lors d'une opération antiguérilleros.

● Chili : mise en place de la réforme agraire.
● États-Unis : *juillet*, émeutes raciales dans plusieurs grandes villes ; le mouvement de protestation des Noirs se radicalise (Black Panthers).
❍ Conversations Johnson-Kossyguine à Glassboro concernant la guerre du Vietnam et le conflit israélo-arabe.
● Canada : *26 juillet*, à Montréal, le général de Gaulle conclut un discours par “Vive le Québec libre” ; tensions entre Canadiens francophones et anglophones.
● Vietnam : Nguyen Van Thieu président ; la guerre s'intensifie au Nord et au Sud, où stationnent 543 000 soldats américains.
● *8 août* : Singapour, la Malaisie, les Philippines, la Thaïlande et l'Indonésie constituent l'Union des nations sud-asiatiques.
● Espace : *27 janvier*, traité sur la démilitarisation et l'utilisation pacifique de la recherche spatiale, signé par les États-Unis, l'URSS et la Grande-Bretagne, auxquels s'ajouteront plus tard d'autres États.
❍ *18 octobre* : une sonde spatiale soviétique sur la planète Vénus.

1968

● France : *22 mars*, incidents à la faculté de Nanterre ; agitation grandissante dans les universités. ❍ *Mai* : les étudiants occupent les universités (3). Le général de Gaulle est alors en visite officielle en Roumanie. Barricades étudiantes dans Paris, puis grève générale dans le pays (13) ; violentes échauffourées entre manifestants et forces de l'ordre. ❍ *26 mai* : signature entre gouvernement, patronat et syndicats des accords de Matignon. ❍ *29 mai* : le général de Gaulle dissout l'Assemblée nationale. Son allocution est suivie d'une grande manifestation gaulliste sur les Champs Élysées, à Paris. ❍ *23/30 juin* : triomphe des candidats gaullistes aux élections législatives. ❍ *10 juillet* : Georges Pompidou, Premier ministre, démissionne ; Maurice Couve de Murville lui succède. ❍ *24 août* : la France fait exploser sa première bombe H dans le Pacifique à Mururoa.
● Algérie : la France abandonne la base de Mers-el-Kébir.
● Portugal : Marcello Caetano est nommé ministre-président sur proposition de Salazar, au pouvoir depuis trente-cinq ans.
● Tchécoslovaquie : printemps de Prague ; orientation du pays vers un socialisme plus libéral ; Dubcek est élu à la tête du Parti communiste
❍ *Août* : Moscou étant opposé à la relative libéralisation du pays, les troupes de l'armée soviétique et du pacte de Varsovie entrent en Tché-

coslovaquie ; les dirigeants sont arrêtés et transférés à Moscou où ils doivent accepter la “normalisation” ; résistance passive de la population. Moscou exige le rétablissement immédiat de la censure et le renoncement à tout libéralisme. ❍ *14 octobre* : les troupes russes stationnent en Tchécoslovaquie afin de garantir la “normalisation”.

● Hongrie : *7 septembre* : traité d'assistance avec l'URSS ; le dirigeant hongrois Jànos Kadar initie des réformes économiques et politiques.

● États-Unis : *4 avril*, Martin Luther King est assassiné à Memphis. ❍ *Juin* : assassinat à Los Angeles de Robert Kennedy, candidat démocrate à l'élection présidentielle. ❍ *5 novembre* : le républicain Richard Nixon élu président. La campagne présidentielle a été émaillée de violentes manifestions des étudiants contre la guerre du Vietnam . ❍ *25 décembre* : trois astronautes américains sont les premiers humains à faire le tour de la Lune dans une capsule spatiale Apollo 8.

● Vietnam : offensive du Têt ; le Viêt-cong prend d'assaut plusieurs grandes villes du Sud, d'où il est repoussé après de violents et sanglants combats. ❍ *10 mai* : ouverture à Paris de négociations entre délégués américains, nord-vietnamiens, du Sud-Vietnam et du Viêt-cong en vue de mettre un terme au conflit. ❍ *31 octobre* : le président Johnson (qui a annoncé qu'il ne se représenterait pas à la présidence) ordonne l'arrêt des bombardements sur le Nord-Vietnam.

● Mexique : organisation des Jeux olympiques d'été à Mexico.

1969

● France : *2 février*, le général de Gaulle annonce l'organisation d'un référendum sur la régionalisation. ❍ *27 avril* : le “non” étant majoritaire au référendum sur la régionalisation, Charles de Gaulle quitte ses fonctions. Le président du Sénat, Alain Poher, assure l'intérim. ❍ *15 juin* : Georges Pompidou est élu au second tour président de la République, contre Alain Poher. ❍ *23 juin* : Jacques Chaban-Delmas, nommé Premier ministre, lance le projet de “nouvelle société”. ❍ *8 août* : dévaluation du franc.

● Irlande du Nord : *28 septembre*, en Ulster, de violents affrontements entre catholiques et protestants (août) entraînent la construction d'un mur à Belfast pour séparer les deux communautés.

● Tchécoslovaquie : *1er janvier*, division du pays en deux États fédérés, la Tchéquie et la Slovaquie, possédant chacun leur langue et leur culture. ❍ L'étudiant Jan Pach s'immole par le feu pour protester contre la présence de l'armée soviétique à Prague.

● La Grèce, sous dictature militaire, quitte le Conseil de l'Europe et dénonce la Convention des droits de l'homme.
● Israël : Golda Meir président.
● Palestine : Yasser Arafat chef du mouvement de libération.
● Libye : après un putsch militaire, le colonel Khadafi détrône le roi Idris 1er, et prend le pouvoir.
● Le Biafra indépendantiste en proie à la famine.
● États-Unis : *21 juillet*, l'astronaute américain Neil Armstrong premier homme à marcher sur la Lune ; les trois hommes de l'équipage d'Apollo 11 rapportent des échantillons de roches lunaires. ❍ *Août* : visite officielle du président Nixon en Roumanie.
● Vietnam : *juin*, le président américain Nixon annonce un premier retrait des troupes américaines et les remplace par des divisions constituées de Sud-Vietnamiens, appuyées par l'aviation américaine.
❍ *10 juin* : fondation d'un "gouvernement provisoire révolutionnaire de la république du Vietnam" rassemblant le Viêt-cong et les adversaires du régime du président Thieu. ❍ *3 septembre* : mort, à Hanoï (Vietnam du Nord) de Hô Chi Minh ; Lê Duc Tho lui succède.

1970

● France : *juillet* : le service militaire réduit à douze mois. ❍ *9 novembre* : mort à Colombey-les-Deux-Églises de Charles de Gaulle, 80 ans.
● Belgique : l'État devient communautaire, constitué de communautés française, néerlandaise et allemande, dans quatre régions linguistiques (bilingue pour la capitale Bruxelles). Parité linguistique parmi les ministres.
● Espagne : *mai*, reconduction du pacte liant le Portugal à l'Espagne. ❍ *22 juin* : accord militaire franco-espagnol. ❍ *29 juin* : accord avec la CEE ❍ *Décembre* : l'ETA provoque une insurrection au Pays basque.
● Portugal : *27 juillet,* mort d'Antonio Oliveira Salazar.
● Allemagne de l'Ouest : *7 décembre*, traité de Varsovie ; la RFA ne remet plus en cause la frontière Oder-Neisse.
● Pologne : *14 décembre*, soulèvement des travailleurs à Dantzig et autres villes. ❍ *20 décembre*, Edward Gierek succède à Gomulka pour amener progressivement le pays vers la libéralisation.
● Égypte : *27 septembre*, mort de Gamal Abdel Nasser. ❍ *15 octobre* : Anouar el-Sadate élu président par référendum (90 % des suffrages).
● Syrie : *20 novembre*, Hafez El Asad prend le pouvoir et adhère à la République arabe unie à laquelle se joignent la Libye et le Soudan.

● Nigeria: *15 janvier,* après deux ans de combats, le Biafra capitule.
● États-Unis: reconnaissance de la république populaire de Chine (qui est admise l'année suivante à l'ONU).
● Chili: le président socialiste Salvador Allende forme un gouvernement de front populaire; son programme prévoit des nationalisations.
● Cambodge: *mars*, guerre civile et chute de Norodom Sihanouk qui se réfugie en Chine. Installation d'un gouvernement (Lon Nol) soutenu par les États-Unis. ❍ *30 avril*: les États-Unis interviennent pour couper la piste Hô Chi Minh (qui alimente en armes le Viêt-cong au Vietnam du Sud). ❍ *9 octobre*: le Cambodge devient une république.
● Pakistan, un typhon ravage l'est du pays (Bengale) : 300000 morts.

1971

● France: *février/juin*, l'Algérie nationalise les sociétés pétrolières. ❍ *Juin*: au congrès d'Épinay, François Mitterrand prend la tête du Parti socialiste. ❍ Mort à Paris de la couturière Coco Chanel, 88 ans.
● URSS: *11 septembre*, mort de Nikita Khrouchtchev.
● États-Unis: *15 août,* suspension de la convertibilité du dollar en or.
● Ougandan: le général-dictateur Idi Amin Dada prend le pouvoir.
● Laos: *8 février*: malgré sa neutralité, le pays est entraîné dans la guerre du Vietnam: la piste Hô Chi Minh traverse une partie de son territoire. Appuyées par l'aviation américaine, les troupes sud-vietnamiennes pénètrent au Laos mais se retirent, battues par les Nord-Vietnamiens.
● Pakistan: *1er mars*, gouvernement d'union nationale dirigé par Yahya Khan; agitations dans le Bengale oriental. ❍ *26 mars*: le Bengale oriental, sous le nom de république populaire du Bangladesh, proclame son indépendance; guerre civile, qui dégénère en conflit indo-pakistanais: sept millions de Bengalis, fuyant la répression pakistanaise, se réfugient en Inde, qui intervient militairement, et remet la ville de Dacca, capitale du Bengladesh (3 décembre), aux autonomistes, malgré l'opposition de la Chine et des États-Unis.

1972

● France: *27 juin*, signature du Programme commun de gouvernement entre les partis de gauche. ❍ *5 juillet*: démission du gouvernement Chaban-Delmas; Pierre Messmer Premier ministre. ❍ Mort à Paris du chanteur Maurice Chevalier, 84 ans.
● Europe: *22 janvier*, la Grande-Bretagne adhère à la CEE, ainsi que l'Irlande et le Danemark.

● Allemagne : *12 mai* : premier traité d'État à État (sur les transports) entre les deux Allemagne. ○ *5 septembre* : aux Jeux olympiques de Munich, un commando palestinien tue deux otages israéliens. ○ *Décembre* : la RFA et la RDA sont admises à l'ONU.
● Égypte : *18 juillet,* le président Anouar el-Sadate expulse 15 000 conseillers militaires soviétiques stationnés en Égypte pour non-respect par l'URSS de ses engagements pour la fourniture d'armes.
● Israël : des terroristes japonais massacrent vingt-cinq personnes à l'aéroport de Tel-Aviv.
● Maroc : *16 août*, le roi Hassan II échappe à un attentat ; le général Oufkir, ministre de la Défense, organisateur du complot, se suicide.
● États-Unis : *février*, le président Richard Nixon est le premier président américain à effectuer une visite officielle en Chine. ○ *22-29 mai* : visite de Richard Nixon à Moscou. ○ *7 novembre* : Richard Nixon réélu président triomphalement.
● Tremblement de terre au Nicaragua : 10 000 morts.
● Corée : *30 août*, première rencontre des représentants des deux Corée à Pyong-Yang sous les auspices de la Croix-Rouge.
● Cambodge : *10 mars*, le général Lon Nol est chef de l'État.
● Vietnam : *mars/avril*, offensive généralisée du Nord contre le Sud. L'aviation américaine bombarde Haiphong (15 avril) et Hanoi (16 avril). ○ *26 octobre* : Hanoï annonce prématurément qu'un accord de paix a été conclu avec les États-Unis. ○ *30 décembre* : Nixon décide de mettre un terme aux bombardements américains.
● Philippines : le président Marcos déclare la loi martiale pour combattre la rébellion communiste.

1973

● France : *4/11 mars*, élections législatives ; la droite garde la majorité. Mort, à Mougins de Pablo Picasso, peintre d'origine espagnole, 92 ans.
● Espagne : *20 décembre*, assassinat par l'ETA de l'amiral Carrero Blanco, chef du gouvernement. Carlos Arias Navarro lui succède.
● Grèce : *25 novembre*, révolte étudiante réprimée par les militaires. Le général Ghizikis chasse Papadopoulos et raffermit sa dictature.
● Proche-Orient : guerre du Yom Kippour ; le 17 octobre, les Égyptiens et les Syriens attaquent Israël. L'armée égyptienne passe le canal de Suez, mais les Israëliens marchent en direction du Caire et de Damas ; cessez-le-feu le 25 octobre. ○ Les pays arabes lancent un embargo sur

les produits pétroliers afin d'obliger l'Europe, le Japon et les États-Unis à revoir leurs attitudes dans le conflit arabo-israélien : l'augmentation du prix du baril remet en cause la politique énergétique de l'Europe.

● Khartoum (Soudan) : *21 mars*, un commando palestinien tue deux diplomates occidentaux (américain et belge) pris en otage dans l'ambassade d'Arabie saoudite.

● États-Unis. *avril*, enquête concernant le cambriolage des bureaux du Watergate (quartier général des démocrates, lors de la préparation des élections présidentielles), commis sur l'ordre de Nixon (candidat républicain)

● Chili : *11 septembre*, coup d'État militaire ; le président Allende est tué. Le général Pinochet dirige la junte militaire.

● Argentine : *12 mars*, l'ancien président Péron réélu à la présidence.

● Vietnam : *27 janvier*, cessez-le-feu signé à Paris. ❍ *10/13 février* : le ministre américain des affaires étrangères Henri Kissinger promet à Hanoi l'aide américaine pour la reconstruction du Vietnam du Nord. ❍ *26 février* : début à Paris de la Conférence internationale du Vietnam à laquelle participent l'ONU, les quatre parties en guerre et le Canada, la Chine, la France, la Grande-Bretagne la Hongrie, l'Indonésie, la Pologne et l'URSS. ❍ *29 mars* : départ du dernier soldat américain ; la guerre a coûté aux États-Unis 56 000 hommes et 300 000 blessés.

1974

● France : *30 janvier*, dissolution des organisations autonomistes basque, bretonne et corse. ❍ *1er mars* : EDF commence à construire seize centrales nucléaires. ❍ *8 mars* : inauguration de l'aéroport Roissy-Charles-de-Gaulle. ❍ *2 avril* : mort du président Georges Pompidou. Alain Poher, président du Sénat, assure l'intérim. ❍ *19 mai* : Valéry Giscard d'Estaing est élu président de la République au second tour contre François Mitterrand. Jacques Chirac Premier ministre. ❍ *28 juin* : vote par l'Assemblée nationale de la loi libéralisant la contraception. ❍ *Juin* : abaissement de l'âge de la majorité civile à 18 ans.

● Grèce : les généraux grecs, pris dans les remous diplomatiques de l'affaire chypriote, font appel à l'ex-Premier ministre Constantin Caramanlis (24 juillet), qui rétablit la démocratie et les partis politiques. Un référendum abolit officiellement la monarchie (8 décembre).

● Chypre : les nationalistes grecs fomentent un coup d'État et exilent le président Makarios. Les Turcs débarquent au nord de l'île et y proclament un État autonome.

● Portugal : pacifique “révolution des œillets” ; des officiers de l’armée, opposés à la poursuite de la guerre coloniale en Angola (où les rebelles ont de l’appui de l’URSS et de Cuba) renversent les représentants de la dictature de Salazar et mettent en place un gouvernement démocratique.
● Éthiopie : le négus Haïlé Sélassié renversé par un coup d’État militaire de tendance marxiste.
● États-Unis : *9 août,* le scandale du Watergate contraint le président Nixon à démissionner ; Gérald Ford, son vice-président, lui succède.

1975

● France : *17 janvier,* promulgation de la loi Veil autorisant l’interruption volontaire de grossesse (IVG). ❍ *9 mai* : la France revient dans le serpent monétaire européen. ❍ *6 juillet* : indépendance des îles Comores (sauf Mayotte). ❍ *Août* : après une série d’attentats et de violences commises sur l’île (fusillade d’Aleria, deux gendarmes tués), mise en place d’un plan de développement économique de la Corse.
❍ *15/17 novembre* : sommet des grands pays industrialisés à Rambouillet. ❍ *Novembre* : décret réglementant l’immigration.
❍ *31 décembre* : loi changeant le statut de la mairie de Paris.
● Espagne : *20 novembre*, mort du général Franco (régent à vie du royaume d’Espagne) : Juan Carlos Ier, 37 ans, est couronné roi.
● Portugal : *janvier* : indépendance accordée à l’Angola (où la guerre civile éclatera en novembre). ❍ *11 mars* : l’opposition entre communistes et socialistes, et une tentative de coup d’État du général Spinola met en danger la nouvelle démocratie portugaise. La gauche modérée l’emporte aux élections (25 avril) ; échec d’un second coup d’État d’extrême-gauche (novembre).
● Grande-Bretagne : Margaret Thatcher leader du parti conservateur.
❍ 11 juin : premier puits de pétrole en service dans la mer du Nord.
● Cambodge : les Khmers rouges (communistes) de Pol Pot, soutenus par la Chine, prennent le contrôle du pays et se livrent à un génocide sur les populations urbaines (deux millions et demi de morts).
● Liban : guerre civile entre chrétiens et musulmans.
● Égypte : réouverture du canal de Suez (fermé depuis 1967).
● Vietnam : les troupes du Vietnam du Nord encerclent Saïgon.

1976

● France : *4/8 février*, XXe congrès du Parti communiste français à Paris ; abandon du dogme de la dictature du prolétariat.
❍ *14 mars* : le gouvernement retire le franc du serpent monétaire européen. ❍ *8 avril* : la société des automobiles Peugeot prend le contrôle des établissements Citroën. ❍ *Août* : impôt-sécheresse de solidarité.
❍ *25 août* : Jacques Chirac démissionne ; Raymond Barre lui succède au poste de Premier ministre. ❍ *20 octobre* : l'Assemblée nationale vote le plan de lutte contre l'inflation du gouvernement Barre.
❍ *5 décembre* : l'UDR se transforme en Rassemblement pour la République (RPR) avec Jacques Chirac pour président.
❍ *24 décembre* : le député Jean de Broglie est assassiné.
❍ Mort à Paris du romancier et homme politique André Malraux, 75 ans, et du peintre d'origine allemande Max Ernst, 85 ans.
● Ouganda : des commandos israéliens délivrent 103 passagers d'un avion, pris en otages par des pirates palestiniens à l'aéroport d'Entebbe.
● Afrique du Sud : émeutes contre l'aparthied dans les cités noires.
● États-Unis : Jimmy Carter élu président.
● Vietnam : les troupes du Nord prennent Saïgon (rebaptisée Hô Chi Minh City) et réunissent le Nord et le Sud avec Hanoï pour capitale.
● Chine : *8 janvier* : mort de Chou En-lai, longtemps chef du gouvernement chinois. ❍ *9 septembre* : mort de Mao Tsé-toung, 82 ans ; arrestation de sa veuve et des gauchistes de la Bande des Quatre. Deng Xiaping, successeur de Chou En-lai, prend définitivement le pouvoir (juillet 1977) après en avoir été écarté en avril par l'entourage de Mao.

1977

● France : *30 janvier*, l'ethnologue Françoise Claustre (prise en otage en avril 1974) par des rebelles tchadiens est libérée. ❍ *31 janvier* : inauguration du centre culturel Beaubourg à Paris. ❍ *Mars.* : élections municipales ; Jacques Chirac élu maire de Paris. ❍ *Mars* : un million de chômeurs. ❍ *Juillet* : statut d'autonomie pour la Polynésie française.
● Israël : *17 mai*, après les élections remportées par le Likoud (parti de droite), Menahem Begin Premier ministre. ❍ *19/21 novembre* : le président égyptien Anouar el-Sadate en visite en Israël ; c'est la première fois qu'un chef d'État arabe s'y rend depuis sa création (1948).
● République fédérale allemande : *septembre*, enlèvement de Hans-Martin Schleyer, président du patronat allemand, par des terroristes ;

son corps est retrouvé à Mulhouse (octobre). ❍ Suicide des trois chefs terroristes de la Bande à Bader dans leurs cellules (octobre).
● URSS : Léonid Brejnev cumule les fonctions de chef de l'État et de secrétaire général du PC.

1978

● France : *Ier février*, naissance du parti Union pour la démocratie française (UDF) créé à l'initiative de Valéry Giscard d'Estaing.
❍ *19 mars* : victoire de la majorité RPR et UDF aux élections législatives. ❍ *Mars* : naufrage du pétrolier *Amococadiz* : marée noire en Bretagne. ❍ *19 mai* : un détachement militaire français intervient à Kolwezi (Zaïre) afin de libérer des Européens pris en otage par des rebelles. ❍ Mort à Paris du chanteur belge Jacques Brel, 49 ans.
● Grande-Bretagne : *25 juillet*, naissance du premier bébé-éprouvette, embryon conçu *in-vitro* puis réimplanté dans l'utérus maternel.
● Italie : *16 mars* : Aldo Moro, président de la Démocratie chrétienne, est enlevé par les terroristes des brigades rouges et assassiné (9 mai), le pouvoir ayant refusé de négocier sa rançon. ❍ *Juin* : accusé de corruption, le président de la République démissionne.
● Vatican : *26 août* : élection du pape Jean-Paul Ier à la mort de Paul VI.
❍ *28 septembre* : mort du pape Jean-Paul Ier ; élection de Jean-Paul II, le Polonais Karol Wojtyla, le 16 octobre.
● Liban : guerre civile entre Palestiniens islamistes, Syriens qui veulent annexer le Liban, chrétiens progressistes pro-syriens, chrétiens phalangistes voulant l'autonomie du Liban Sud, et Israéliens qui refusent l'installation des Palestiniens sur leur frontière nord.
● Iran : les islamistes conservateurs provoquent des émeutes et des grèves contre la modernisation du pays. ❍ *8 septembre* : à Téhéran, l'armée tire lors d'une manifestation, faisant mille morts.
● Afghanistan : *27 avril* : coup d'État de jeunes officiers communistes ; Mohamad Taraki nommé président (assassiné le 16 septembre 1979).
● Vietnam : *janvier*, intervention au Cambodge contre les Khmers rouges. ❍ *Juin* : entrée dans le Comecon ❍ *Novembre* : traité d'amitié avec l'URSS. Phnom Penh tombe le 7 janvier 1987.
● Guyana : suicide collectif (ou assassinat) de 923 membres d'une secte californienne intitulée “Temple du peuple”.
● Argentine : violente répression contre les opposants au régime exercée par le régime dictatorial du général-président Videla.

1979

● France : *20/21 septembre* : intervention armée en Centrafrique pour renverser l'empereur Bokassa. ❍ *30 octobre* : suicide du ministre du travail Robert Boulin ❍ Mort du cinéaste Jean Renoir, 85 ans.

● Grande-Bretagne : *4 mai*, Margaret Thatcher, après la victoire des conservateurs sur les travaillistes, devient la première femme Premier ministre (jusqu'en 1990) ❍ *27 août* : lord Mountbatten tué dans un attentat à la bombe de l'IRA.

● Europe : *mars*, application du système monétaire européen (SME). ❍ *10 juin* : premières élections du Parlement européen au suffrage universel (185 millions d'électeurs) ; Simone Veil élue présidente. ❍ *24 décembre* : lancement de la première fusée *Ariane*, à Kourou (Guyane). ❍ Hausse du pétrole par l'OPEP ; second choc pétrolier (juin).

● Algérie : *7 février*, le colonel Chadli Benjedid élu président.

● Iran : *janvier* : le shah est chassé d'Iran par les partisans de l'ayatollah Khomeyni, revenu de quatorze ans d'exil en France. Instauration d'une République islamique sous sa présidence. Les partisans du shah et des membres de la bourgeoisie iranienne sont abattus ❍ *4 novembre* : prise en otage de l'ambassade américaine par les "gardiens de la révolution islamique", et conflit avec les États-Unis.

● Ouganda : *11 avril*, renversement du maréchal Idi Amin Dada.

● États-Unis : *26 mars*, signature à Washington d'un traité de paix entre l'Égypte et Israël, qui rend le Sinaï à l'Égypte. ❍ Le président Carter et Leonid Brejnev signent un accord de limitation des armements (SALT-2). ❍ Mort de l'acteur américain John Wayne, à 72 ans.

● Afghanistan : intervention de l'armée soviétique (jusqu'en 1989).

● Cambodge : *17 février*, le Vietnam (soutenu par l'URSS) étant intervenu contre les Khmers rouges, les Chinois, qui les protègent, investissent le Nord-Vietnam. Fuite des Cambodgiens en Thaïlande, et découverte du génocide auquel se sont livrés les Khmers rouges. Les Vietnamiens du Sud fuient le régime communiste sur des "boat people".

1980

● France : *janvier/février*, une nouvelle hausse du prix du pétrole provoque hausse de l'inflation et chômage. ❍ *2 février* : assassinat (non élucidé) de l'ancien ministre Joseph Fontanet. ❍ *mars/avril* : marée noire en Bretagne après le naufrage du pétrolier *Tanio*. ❍ *3 octobre* : la synagogue de la rue Copernic à Paris cible d'un attentat. ❍ Mort, à Paris, du philosophe Jean-Paul Sartre, à 75 ans.

● République fédérale allemande : *5 octobre*, Helmut Schmidt, chef de file des sociaux-démocrates et des libéraux, chancelier.
● Pays-Bas : *4 septembre*, abdication de la reine Juliana, sa fille Béatrix devient reine.
● Yougoslavie : *4 mai*, mort du maréchal Tito.
● Pologne : *22 septembre*, Lech Walesa, ouvrier aux chantiers navals de Gdansk, fonde le syndicat *Solidarnosc* (Solidarité), après des grèves qui ont obligé le pouvoir communiste à se libéraliser.
● Iran : *27 juillet* : mort du shah en exil au Caire. ○ *22 septembre* : confusion politique en Iran ; l'Irak prend le port iranien de Khorramchahr et déclenche une offensive contre la région pétrolifère d'Abadan. Début d'une guerre de tranchées (jusqu'en 1982). ○ *Décembre* : l'affrontement Iran-Irak provoque une augmentation du prix du pétrole.
● États-Unis : l'ancien acteur Ronald Reagan, républicain, est élu 40e président des États-Unis.

1981

● France : *10 mai* : élection de François Mitterrand (socialiste) au second tour de l'élection présidentielle contre le président sortant Valéry Giscard d'Estaing. Pierre Mauroy Premier ministre ; victoire des socialistes aux élections législatives. Le gouvernement Mauroy comprend quatre ministres communistes. ○ *22 septembre* : ligne ferroviaire du TGV inaugurée entre Paris et Lyon. ○ *18 septembre* : abolition de la peine de mort votée par le Parlement. ○ *4 octobre* : le franc est dévalué. ○ Création d'un impôt sur les grandes fortunes. ○ *9 novembre* : loi autorisant les radios privées. ○ *Novembre* : 2 millions de chômeurs.
● Espagne : *23 janvier*, une tentative de coup d'État est mise en échec par le roi Juan Carlos, qui confirme son attachement à la démocratie.
● Grande-Bretagne : *29 juillet* : mariage du prince Charles et de lady Diana Spencer suivi par 700 millions de téléspectateurs. ○ Grèves de la faim de membres de l'IRA dans les prisons de l'Ulster : dix morts.
● Grèce : *18 octobre*, élections remportées par la gauche ; Andreas Papandreou Premier ministre.
● Rome : *13 mai*, le pape Jean-Paul II grièvement blessé par un terroriste turc.
● Europe : *janvier*, la Grèce entre dans la CEE (dix membres).
● Mexique : *22/23 octobre*, réunion, à Cancun entre les pays industrialisés et les pays en voie de développement.

● Pologne : le général Jaruzelski Premier ministre ; les grèves s'intensifient. ○ *Juin* : premier congrès de Solidarnosc à Gdansk.
○ *décembre* : le général Jaruzelski décrète la loi martiale.
● Égypte : *6 octobre* : assassinat du président Anouar El-Sadate par des islamistes lors d'une parade militaire. Hosni Moubarak lui succède.
● Iran : *20 janvier*, libération des 52 otages américains. ○ *Juin* : le président de la République est déchu par l'imam Khomeiny et s'exile en France. ○ *Août* : son successeur est tué dans un attentat.
● Irak : *7 juin*, l'aviation israélienne détruit l'usine nucléaire de Tamuz.
● États-Unis : *30 mars*, le président Ronald Reagan blessé dans un attentat. ○ *14 avril*, lancement de la navette spatiale *Columbia*.
● Chine : *mai*, la veuve de l'ancien président Mao Tsé-toung condamnée à mort puis graciée.

1982

● France : *13 janvier*, le gouvernement fixe la durée du travail à 39 heures par semaine et accorde une 5e semaine de congés payés.
○ *3 mars* : statut particulier à la Corse qui élit son Assemblée régionale en août. ○ *25 mars* : ordonnance ramenant l'âge de la retraite à 60 ans.
○ *Avril à septembre* : attentats à Paris organisés par divers mouvements terroristes du Proche-Orient, visant un restaurant juif, le secrétaire de l'ambassade d'Israël (*3 avril*), l'ambassade d'Irak (*11 août*), et différents autres lieux publics : 10 morts, de nombreux blessés. ○ *4/6 juin* : à Versailles, sommet des sept plus grands pays industrialisés.
○ *10 juin* : loi Quilliot fixant les rapports entre locataires et propriétaires. ○ *Juin/ juillet* : dévaluation du franc et blocage des prix et des salaires pour quatre mois. ○ *Décembre* : attentats en Corse, revendiqués par le FLNC. ○ Mort à Paris du cinéaste Jacques Tati, 74 ans.
● Allemagne fédérale : *octobre*, victoire des sociaux-démocrates aux élections ; Helmut Kohl chancelier.
● Argentine/Grande-Bretagne : guerre des Malouines (îles Falkland) : *2 avril/14 juin* : l'armée argentine envahit les îles Falkland, dans l'Atlantique sud, colonie britannique depuis 1833, revendiquée par l'Argentine. Margaret Thatcher envoie la marine et un corps expéditionnaire ; un croiseur argentin est torpillé (2 mai), un croiseur britannique atteint par un missile (4 mai) ; violents combats terrestres (21 mai) ; les soldats argentins se rendent le 14 juin. ○ L'échec de la guerre de conquêtes entraîne des bouleversements politiques en Argentine ; les militaires devront abandonner le pouvoir l'année suivante.

● URSS : *10 novembre*, mort de Leonid Brejnev, président de l'Union soviétique ; Youri Andropov, chef du KGB, lui succède.
● Liban : *24 mai*, attentat contre l'ambassade de France : onze morts.
❍ *mai* : l'armée israélienne encercle Beyrouth et les camps palestiniens ; départ vers des pays arabes de 15000 miliciens de l'OLP.
❍ *Mai* : élection à la présidence du chef phalangiste Béchir Gemayel, assassiné deux mois plus tard. ❍ *16/17 septembre* : des miliciens chrétiens massacrent des civils dans les camps palestiniens de Sabra et de Chatila. ❍ *21 septembre* : élection d'Amine Gemayel (jusqu'en 1988).

1983

● France : *5 janvier*, le FLNC corse est interdit. ❍ *Février* : Klaus Barbie, criminel de guerre nazi, est expulsé de la Bolivie vers la France pour y être jugé. ❍ *21 mars*, nouvelle dévaluation du franc. ❍ *Août* : intervention de militaires français au Tchad (jusqu'en novembre 1984).
● Pologne : *du 16 au 23 juin*, le pape Jean-Paul II visite la Pologne et rencontre Lech Walesa (qui reçoit le 5 octobre le prix Nobel de la Paix).
● URSS : *31 août* : la chasse soviétique abat un Boeing civil sud-coréen au-dessus de la presqu'île de Sakhaline : 270 morts.
● Liban : *18 avril*, attentat à la voiture piégée (63 morts) à l'ambassade des États-Unis. ❍ *23 octobre* : attentat meurtrier contre les troupes françaises à Beyrouth : 58 morts. En représailles, l'aviation française bombarde le camp des milices chiites pro-iraniennes de Baalbeck
● Argentine : *31 octobre*, après des élections démocratiques, les militaires sont chassés du pouvoir et poursuivis pour leurs exactions.
● Chili : la dictature du général Pinochet répond par une violente répression aux manifestations contre la faillite économique du régime.

1984

● France : *Mars*, attentats séparatistes au Pays basque. ❍ *24 mai* : vote par l'Assemblée nationale du projet de loi Savary sur l'enseignement libre. Après une grande manifestation des partisans (1 million) de l'école libre à Versailles, François Mitterrand retire le projet de loi (12 juillet). ❍ *17 juillet* : le Premier ministre Pierre Mauroy démissionne du gouvernement ; Laurent Fabius lui succède. Il n'y a pas de ministres communistes dans le nouveau gouvernement. ❍ *18 novembre*, Nouvelle-Calédonie : violentes émeutes après les élections territoriales.
❍ Mort, à Paris, du cinéaste François Truffaut, 52 ans.

● Grande-Bretagne : *12 octobre,* l'IRA (mouvement indépendantiste irlandais) fait exploser une bombe dans un hôtel de Brighton lors d'une réunion du parti conservateur : cinq morts.

● Europe : *31 mars* : mise en place de quotas laitiers. Manifestations paysannes. ❍ *17 juin* : seconde élection du Parlement européen.

● Tunisie : *janvier,* soulèvement populaire contre l'augmentation des prix. Le président Habib Bourguiba annule ces dispositions pour rétablir le calme et gracie plusieurs condamnés à mort.

● URSS : *9 février*, mort de Youri Andropov président de l'Union soviétique ; Constantin Tchernenko lui succède.

● États-Unis : *26 avril*, visite du président Ronald Reagan en Chine. ❍ *12 août* : ouverture des Jeux olympiques à Los Angeles. ❍ *6 novembre* : réélection triomphale du président. ❍ *31 décembre* : les États-Unis quittent l'Unesco. ❍ Découverte du virus du sida.

● Inde : *6 juin*, l'armée indienne prend d'assaut le Temple d'or où se sont retranchés des autonomistes sihks ; une violente répression s'abat sur les sihks. ❍ *31 octobre* : le Premier ministre Indira Gandhi est assassinée par trois sikhs de sa garde. Son fils Rajiv Gandhi lui succède. Massacre de sikhs dans plusieurs villes (1 300 victimes). ❍ L'explosion d'une usine de gaz toxiques, à Bhopal, fait 2 000 morts.

1985

● France : *25 janvier*, le groupe terroriste "Action directe" assassine l'ingénieur René Audran. ❍ *25 février* : à Forbach, accident dans une mine de charbon : 22 morts. ❍ *10 juillet* : affaire du *Rainbow Warrior* : ce navire de l'association écologique Greenpeace (qui devait patrouiller près de Muruora pendant les essais nucléaires français) est coulé dans un port de Nouvelle-Zélande par un commando français (condamnés par la justice néo-zélandaise). Charles Hernu, ministre de la Défense, démissionne (20 septembre). ❍ *Juillet/août* : trois catastrophes ferroviaires consécutives (84 morts). ❍ *7 décembre* : attentats à la bombe dans deux grands magasins parisiens revendiqués par des mouvements islamistes. ❍ *21 décembre* : loi autorisant la création de télévisions privées. ❍ Mort à Saint-Paul de Vence du peintre français d'origine russe Marc Chagall, à 98 ans.

● Grande-Bretagne : au stade du Heysel (Belgique), pendant un match de football des supporters de Liverpool provoquent une émeute (38 morts) ; les clubs anglais sont interdits de coupes d'Europe.

● Liban : *mars/mai*, 5 Français enlevés par des terroristes à Beyrouth.
● URSS : *9 février* : mort de Constantin Tchernenko, président de l'URSS ; Mikhaïl Gorbatchev lui succède ; il sera l'artisan de la *glasnost* (transparence) et la *perestroïka* (reconstruction et modernisme).
● Albanie : *11 avril*, mort d'Enver Hojda (au pouvoir depuis 41 ans) ; Ramiz Alia, numéro 2 du Parti communiste albanais, lui succède.
● Bangladesh : *24 mai*, un cyclone fait 10000 morts.
● Mexique : *19 septembre*, un tremblement de terre fait 10000 morts.
● Colombie : *6 novembre*, une éruption volcanique fait 25000 morts.

1986

● France : *20 janvier*, la construction du tunnel sous la Manche est décidée. ❍ *Février/mars* : atteñtats terroristes à Paris. ❍ *16 mars* : victoire, aux élections législatives (scrutin proportionnel), de la coalition RPR-UDF. ❍ *20 mars* : le Premier ministre Laurent Fabius (PS) démissionne ; Jacques Chirac (RPR) lui succède : première cohabitation.
❍ *6 avril* : dévaluation du franc. ❍ *Juillet/septembre* : attentats à Paris revendiqués par le groupe terroriste "Action directe", qui, le 17 novembre, assassine Georges Besse, PDG des usines Renault.
❍ Mort à Paris de Simone de Beauvoir, 78 ans.
● Europe : *janvier*, entrée de l'Espagne et du Portugal au sein de la CEE (douze membres). ❍ *17/28 février* : signature de l'Acte unique européen, pour un grand marché unique en 1993.
● URSS : *25 avril*, un réacteur de la centrale de Tchernobyl (Ukraine) explose et provoque une catastrophe nucléaire ; un nuage radioactif traverse une partie de l'Europe. ❍ *12 octobre* : rencontre Reagan/Gorbatchev à Reykjavik (Islande) sur le désarmement nucléaire.
● Liban : enlèvements par des islamistes pro-iraniens, de Français, parmi lesquels des journalistes. La présence française dans le cadre de l'ONU est réduite. L'armée syrienne se déploie à Beyrouth pour s'interposer entre miliciens chiites pro-iraniens et réfugiés palestiniens.

1987

● France : *21 février*, arrestation des responsables du groupe terroriste Action directe. ❍ *16 avril* : privatisation de la chaîne de télévision TF1.
❍ *11 mai/4 juillet* : à Lyon procès du nazi Klaus Barbie, condamné à la réclusion à perpétuité. ❍ *13 septembre* : en Nouvelle-Calédonie, succès des anti-indépendantistes au référendum d'autodétermination.
❍ *Octobre/novembre* : émeutes en Polynésie française.

● Europe : *18 juin*, le Parlement européen reconnaît officiellement le génocide arménien commis par les Turcs en 1915.
● Arabie Saoudite : *31 juillet*, des affrontements entre pèlerins intégristes partisans de l'Iran et policiers font 402 morts à La Mecque.
● Tibet : *1er octobre*, émeutes contre la présence chinoise.
● Sri Lanka : *20 décembre*, un ferry fait naufrage (1 500 morts).
● Belgique : un ferry fait naufrage à Zeebrugge (188 morts).

1988

● France : *Avril/mai*, Nouvelle-Calédonie ; prise d'otages à Ouvéa et violences pendant les élections régionales. ❍ *8 mai* : élection présidentielle ; François Mitterrand réélu au second tour. ❍ *4 mai* : libération des trois derniers otages français encore détenus au Liban (l'un d'eux est mort en détention). ❍ *10 mai* : le Premier ministre Jacques Chirac démissionne ; Michel Rocard lui succède. L'Assemblée nationale est dissoute ; les socialistes n'obtiennent qu'une majorité relative aux élections législatives (5 et 12 juin). ❍ *3 octobre* : orages et inondations dans le Gard. ❍ *12 octobre* : loi sur le revenu Minimum d'Insertion (RMI). ❍ *6 novembre* : un référendum approuve le nouveau statut de la Nouvelle-Calédonie.
● Grande-Bretagne : *21 décembre*, une bombe explose dans un avion de ligne au-dessus du village de Lockerbie (Écosse), faisant 270 morts.
● Israël : les Palestiniens des territoires occupés déclenchent la “guerre des pierres” (*Intifada*) contre l'occupation israélienne.
● Iran/Irak : cessez-le-feu après huit ans de conflit.
● Arménie : *novembre,* tremblement de terre (100 000 morts).
● États-Unis : George Bush (républicain) élu président.
● Corée : *17 septembre/2 octobre*, Jeux olympiques d'été à Séoul.
● Monde : la population dépasse les cinq milliards d'individus.

1989

● France : *mars,* avancée sensible du Parti socialiste aux élections municipales. ❍ *4 mai* : Jean-Marie Tjibaou, chef indépendantiste néo-calédonien est assassiné par un extrémiste canaque. ❍ *24 mai* : Paul Touvier, chef de la Milice lyonnaise pendant la guerre, est incarcéré après avoir vécu plus de quarante ans caché dans des monastères.
❍ *14/16 juillet* : 15e sommet des sept pays les plus industrialisés ; commémoration du bicentenaire de la Révolution française. ❍ Grèves dans la fonction publique. Le ministère des Finances s'installe à Bercy.

● Europe : *18 juin*, élection du Parlement européen. ❍ Mort en Autriche du chef d'orchestre Herbert von Karajan, à 81 ans. ❍ Mort en Suisse du romancier belge Georges Simenon, à 86 ans

● Grande-Bretagne : *15 avril*, 95 supporters périssent piétinés lors d'un match de football.

● Espagne : *29 octobre*, aux législatives, Felipe Gonzalez, socialiste, obtient la majorité. ❍ Mort à Figueras de Salvador Dali, à 85 ans

● Pays de l'Est : effondrement du communisme. ❍ Allemagne : *9 novembre*, chute du mur de Berlin, construit par la RDA en 1961.
❍ Pologne : Tadeus Mazowiecki, non-communiste, est nommé Premier ministre. ❍ Tchécoslovaquie : *15 janvier,* manifestations à Prague.
❍ *24 novembre* : abolition du rôle dirigeant du Parti communiste ; Vaclav Havel président de la République et Alexandre Dubcek président du Parlement. ❍ Hongrie : *29 octobre,* fin de la république populaire instaurée par les communistes en 1949. ❍ Bulgarie : l'Assemblée adopte des réformes libérales sous la pression populaire. ❍ Roumanie : *16/21 novembre*, après des émeutes, le dictateur Nicolas Ceausescu est destitué (22 novembre) et exécuté, après un simulacre de procès.

● Iran : l'ayatollah Khomeiny, chef de l'État islamique, lance une *Fatwa* (ordre de tuer) contre l'écrivain Salman Rushdie.

● Afghanistan : les troupes soviétiques se retirent après dix ans d'occupation ; le régime communiste est renversé, les différents chefs de la résistance s'affrontent, au profit des islamistes.

● Chine : l'armée massacre des étudiants qui manifestaient pour davantage de démocratie sur la place Tiananmen, à Pékin.

● Japon : *7 janvier*, mort de l'empereur Hiro-Hito ; son fils Akihito lui succède.

● Cambodge : les Vietnamiens se retirent, après onze ans d'occupation.

1990

● France : *19 novembre*, création de la contribution sociale généralisée (CSG). ● *21 décembre* : fermeture du dernier puits de charbon encore en activité dans le Pas-de-Calais.

● Allemagne : *3 octobre*, réunification des deux Allemagne, Est et Ouest ; Helmut Kohl est chancelier.

● Grande-Bretagne : *20 novembre*, démission de Margaret Thatcher à la suite des manifestations provoquées par un nouvel impôt local ; John Major la remplace ; la politique ultra-libérale de “la Dame de fer” a accentué le fossé entre les classes aisées et les classes défavorisées.

● URSS: *février*, Mikhaïl Gorbatchev promet des réformes, et un régime présidentiel; il est élu président de l'Union pour cinq ans (13 mai). ❍ La Lituanie, la Lettonie et l'Estonie réclament leur indépendance. ❍ *Mai*: la Fédération de Russie demande son autonomie. ❍ *Juillet*: l'Ukraine et la Biélorussie se déclarent indépendantes.
● Israël: *20 mai*, violents affrontements dans la bande de Gaza.
● Irak: *2 août*, l'Irak envahit le Koweït. L'ONU décrète un embargo sur l'Irak; Sadam Hussein garde des Occidentaux en otage avant de les libérer. ❍ Forte augmentation du prix du pétrole en août/septembre.
● Liban: *13 octobre*, le général Aoun, vaincu, se réfugie à l'ambassade de France. Omar Karamé forme un nouveau gouvernement d'union nationale (20 décembre).
● Afrique du Sud: *11 février*, libération de Nelson Mandela, après vingt-sept ans de détention. Redevenu le chef de l'ANC (African National Congress), il négocie avec le président de Klerk l'avenir politique du pays. Sa libération déclenche la levée des sanctions économiques prises contre l'Afrique du Sud à cause de sa politique d'apartheid.
● Chili: *14 décembre*, fin de la dictature d'Augusto Pinochet, remplacé par Patricio Aylwin, démocratiquement élu.

1991

● France: *15 mai*, le Premier ministre Michel Rocard démissionne; Édith Cresson lui succède. ❍ *25 septembre*: Klaus Barbie meurt en prison à Lyon. ❍ *Octobre/novembre*: le scandale du sang contaminé par le virus du sida mais néanmoins distribué en France secoue l'opinion. ❍ *19/21 novembre*: quatrième sommet de la francophonie à Paris.
● Europe: *9/10 décembre*, le sommet de Maastricht adopte un traité afin d'instaurer l'union économique et monétaire dans de la CEE
● URSS: *janvier*: Mikhaïl Gorbatchev fait intervenir l'armée pour ramener l'ordre en Lituanie. ❍ *Février*: Boris Eltsine, président de la Fédération de Russie, mobilise les partisans de l'autonomie.
❍ *18 août*: coup d'État militaire d'anciens dirigeants communistes pour renverser Gorbatchev; Boris Eltsine refuse de s'allier à eux. Les putschistes se rendent. Mais les proclamations d'autonomie s'accélèrent, la situation économique se dégrade. Le *8 décembre*, la Russie, la Biélorussie, l'Ukraine et huit autres républiques se fédèrent. Le *25 décembre*, Mikhaïl Gorbatchev démissionne de ses fonctions.

● Espagne : *30 octobre*, conférence de la paix entre Israël, Palestiniens et pays arabes à Madrid, organisée par la Russie et les États-Unis.
● Yougoslavie : *25 juin*, la Slovénie déclare son indépendance, d'où un conflit armé ; des affrontements ethniques ont lieu en Croatie.
● Guerre du Golfe : à partir du 17 janvier, aux côtés des forces américaines et britanniques, la France participe aux opérations destinées à libérer le Koweït des troupes irakiennes (qui se retirent le 28 février) ; des bombardements détruisent la structure industrielle de l'Irak.
● Afrique du Sud : *juin*, l'apartheid est aboli.
● Philippines : *14 juin*, éruption du volcan Pinatubo : 700 morts.
● Cambodge : *23 octobre* : fin de la guerre et retour du prince Norodom Sihanouk exilé depuis douze années.
● Inde : *21 mai* : assassinat du Premier ministre Rajiv Gandhi par des séparatistes tamouls.

1992

● France : *20 janvier*, un Airbus A320 s'écrase contre le mont Sainte-Odile : 87 morts. ○ *8/23 février* : Jeux olympiques d'hiver à Albertville. ○ *2 avril* : le Premier ministre Édith Cresson démissionne ; Pierre Bérégovoy lui succède. ○ *23 juin* : le Congrès français vote une modification de la Constitution afin de pouvoir ratifier le traité de Maastricht. ○ *7 juillet* : nouveau Code pénal (entrée en vigueur le 1er mars 1994). ○ *20 septembre* : approbation par référendum du traité de Maastricht. ○ *Septembre* : inondations dans le sud de la France, notamment à Vaison-la-Romaine. ○ *2 octobre* : René Monory président du Sénat, en remplacement d'Alain Poher. ○ *Octobre* : premières condamnations des responsables de la distribution du sang contaminé par le virus du sida.
● Europe : *7 février*, les douze pays membres de la CEE ratifient le traité de Maastricht. ○ *21 mai* : réforme de la politique agricole commune.
● Yougoslavie : *janvier*, la CEE reconnaît les républiques de Croatie et de Slovénie. ○ *Mars* : la Bosnie-Herzégovine vote pour l'indépendance ; les combats entre les Serbes et les républiques sécessionnistes s'intensifient. ○ *Août* : confirmation dans la zone serbe d'existence de camps où sont internés les Bosniaques musulmans.
● Italie : assassinat à Palerme du juge antimafia Giovanni Falcone.
● États-Unis : l'armée débarque en Somalie pour permettre le déploiement de l'aide humanitaire. ○ Bill Clinton (démocrate) élu président.

1993

● France : *21 et 28 mars*, défaite de la majorité socialiste et large victoire RPR et UDF aux législatives ; démission du Premier ministre Pierre Bérégovoy (29 mars) ; Édouard Balladur lui succède à la tête du gouvernement : seconde cohabitation. ❍ *1er mai* : l'ancien Premier ministre Pierre Bérégovoy se suicide. Peu après, l'ancien ministre Bernard Tapie, patron de l'équipe de football de Marseille, est accusé d'avoir acheté son match contre Valenciennes. ❍ *8 juin* : René Bousquet, responsable de la police sous le régime de Vichy, est assassiné. ❍ *8 juillet* : adoption de la loi sur les privatisations (banques et groupes industriels) mise en application en octobre. ❍ *Juillet*, réforme du statut de la Banque de France. ❍ *24 septembre* : adoption du nouveau Code de la nationalité. ❍ *15 décembre* : de nouvelles dispositions sur le financement de l'enseignement privé sont adoptées malgré l'opposition des milieux enseignants et les réserves du Conseil constitutionnel.

● Europe : *1er novembre*, entrée en vigueur du traité de Maastricht ; début du marché unique ; la CEE devient l'Union européenne.

● La Tchécoslovaquie se scinde en Slovaquie et Tchèquie (1er janvier).

● Israël : négociations secrètes avec l'OLP les Palestiniens prendront le contrôle de la bande de Gaza et de Jéricho, après le retrait progressif des Israéliens.

● États-Unis : *6 février*, attentat islamiste dans un centre commercial de New York (6 morts, des centaines de blessés). ❍ *Avril* : un assaut de la police, après deux mois de siège, dans une propriété où s'est barricadée une secte, fait 78 morts.

● Afrique du Sud : *novembre*, Nelson Mandela et le président de Klerk ratifient la nouvelle constitution. ❍ Émeutes dans les quartiers noirs.

1994

● France : *25 février*, assassinat de Yann Piat, députée du Var.
❍ *17 mars/20 avril* : procès de Paul Touvier, ancien chef de la Milice lyonnaise poursuivi pour complicité de crimes contre l'humanité (condamné à la réclusion à perpétuité, il mourra le 17 juillet 1996).
❍ *6 mai* : la reine Élisabeth et le président Mitterrand inaugurent le tunnel sous la Manche. ❍ *7 mai* : le porte-avions nucléaire *Charles de Gaulle* est lancé à Brest. ❍ *13 décembre* : mort, à l'âge de 103 ans, d'Antoine Pinay, homme politique de la IVe et de la Ve République.

● Europe : *12 juin*, quatrième élection du Parlement européen.

● Irlande : *août*, l'IRA et les loyalistes protestants annoncent un cessez-le-feu en Irlande du Nord. ❍ *Décembre* : début des négociations avec le gouvernement britannique.
● Suisse : *5 octobre* : 53 membres de la secte du Temple solaire se donnent la mort.
● Israël : accord de paix avec la Jordanie.
● Bosnie : Sarajevo, bombardée par les forces serbes, est placée sous la protection des casques bleus de l'ONU.
● Russie : intervention militaire des troupes russes en Tchéchénie, république sécessionniste du Caucase, à population musulmane.
❍ Visite officielle de la reine Élisabeth II.
● Rwanda : les massacres ethniques de Tutsis par les Hutus font un million de morts, et plus de deux millions de réfugiés.
● Afrique du Sud : Nelson Mandela élu président de la République.
● Haïti : intervention américaine contre le gouvernement militaire.
● Corée du Nord : *juillet,* mort du dictateur communiste Kim Il Sung. Son fils Kim Il Jong lui succède.

1995

● France : Découverte de la grotte (préhistorique) Chauvet en Ardèche.
❍ *20 avril* : transfert des cendres de Pierre et Marie Curie au Panthéon.
❍ *7 mai* : victoire au second tour de l'élection présidentielle de Jacques Chirac, qui devance Lionel Jospin, candidat socialiste. ❍ *11 mai* : avec 177 autres États, la France signe le traité de non-prolifération nucléaire (élaboré en 1970). ❍ *17 mai* : Jacques Chirac, président de la République, nomme Alain Juppé Premier ministre. ❍ *13 juin* : Jacques Chirac annonce que la France va reprendre ses essais nucléaires (arrêtés en avril 1992) ; nombreuses protestations internationales (les essais ont lieu entre le 5 septembre 1995 et le 27 janvier 1996). ❍ *Juin* : participation de la France à la Force créée par l'ONU afin de mettre fin à la guerre en Bosnie-Herzégovine. ❍ *25 juillet/octobre* : attentats islamistes terroristes à Paris et dans la région lyonnaise. ❍ *Octobre/décembre* : les mesures de rigueur économique et la réforme de la sécurité sociale annoncées par Alain Juppé provoquent des mouvements de grève dans le secteur public et celui des transports ; la France est paralysée. ❍ *21 décembre* : sommet social de Matignon : accord entre les syndicats et le gouvernement, qui capitule. ❍ Mort, à Los Angeles, du metteur en scène français Louis Malle, 63 ans.

● Europe : *janvier*, avec l'adhésion des Suède, Finlande et Autriche, la CEE compte quinze membres. ❍ *26 mars* : avec la convention de Schengen, le contrôle d'identité aux frontières disparaît pour les Européens.
● Vatican : l'encyclique *Evangelicum vitae* condamne l'avortement.
● Israël : *4 novembre*, assassinat du Premier ministre Isaac Rabin par un extrémiste juif.
● Ex-Yougoslavie : *21 novembre*, accord de paix entre Serbes, Croates et Bosniaques à Dayton (Ohio, États-Unis) ; partage de la Bosnie-Herzégovine en République serbe de Bosnie et Fédération croato-bosniaque.
● États-Unis, Oklahoma : un attentat à la bombe par des extrémistes de droite dans un immeuble de l'administration fédérale fait 158 morts.
● Japon : *janvier*, 5000 morts, 15000 blessés à Kobe, lors d'un tremblement de terre. ❍ *mars/avril* : une secte répand dans le métro de Tokyo du gaz toxique (dix morts, une centaine de blessés) ; arrestation de son gourou et démantèlement de la secte (mai).

1996

● France : *8 janvier*, mort de François Mitterrand, ancien président de la République (1981-1995). ❍ *Janvier* : arrêt du surgénérateur nucléaire de Creys-Malville ; la filière nucléaire de production d'électricité est remise en cause par les écologistes. ❍ *13 mai* : le constructeur automobile Renault est partiellement privatisé. ❍ Annonce de la suppression du service militaire à partir de 1997. ❍ *19/20 septembre* : le pape Jean-Paul II en France pour le 1500e anniversaire de la conversion de Clovis. ❍ Violences en Corse entre nationalistes. ❍ *Novembre* : un attentat terroriste dans une rame du RER à Paris fait quatre morts.
● Belgique : *Juillet*, "affaire Dutroux", un tueur de jeunes filles, met en évidence les carences de la police et de la justice.
● Algérie : les assassinats des islamistes armés du GIA font des centaines de morts dans la population civile.
● Israël : *29 mai*, Benjamin Netanyahou est élu au suffrage universel direct Premier ministre du pays.
● États-Unis : *Juin* : Jeux olympiques d'été à Atlanta. ❍ *5 novembre* : réélection de Bill Clinton à la présidence.
● Russie : *31 mai*, cessez-le-feu en Tchéchénie. ❍ *3 juillet* : Boris Eltsine réélu au suffrage universel président de la République russe.
● Afganistan : les *Talibans*, extrémistes musulmans, imposent sur le pays une stricte application des lois coraniques.

1997

● France : *21 avril*, le président Chirac dissout l'Assemblée nationale. ❍ *25 mai/1er juin* : victoire de la gauche aux élections législatives. ❍ Démission du Premier ministre Alain Juppé (2 juin). Lionel Jospin lui succède et forme un gouvernement où se côtoient socialistes, écologistes et communistes ; début de la troisième cohabitation. ❍ *8 octobre* : ouverture du procès de Maurice Papon, responsable sous le régime de Vichy de la déportation de Juifs, et ancien ministre, pour complicité de crimes contre l'humanité ; condamné en avril 1998 à dix ans de prison.
● Turquie : répression du mouvement autonomiste kurde (1 000 morts).
● Chine : *19 février* : mort du Premier ministre Deng Xiaoping.
● Zaïre-Congo : *mars/avril* ; un dictateur chasse l'autre : le président Mobutu est évincé du pouvoir par Laurent-Désiré Kabila qui rebaptise le Zaïre république du Congo.

1998

● France : *janvier*, manifestations des sans-emploi. ❍ *6 février* : le préfet de Corse Claude Érignac est abattu par des autonomistes. ❍ *Juillet* : la France organise et gagne le "Mondial" de football (coupe du monde). ❍ *Décembre* : les députés adoptent le PACS (pacte Civil de Solidarité) qui permet l'accès à des avantages sociaux pour les couples homo ou hétérosexuels. ❍ Mort du vulcanologue Haroun Tazieff, à 84 ans. ❍ Mort en mer du navigateur français Eric Tabarly, à 67 ans
● Irlande du Nord : *10 avril*, signature d'un accord de paix entre catholiques et protestants irlandais (qui auront désormais un droit de regard sur l'Ulster) et gouvernement anglais.
● Serbie : *juillet/octobre*, la minorité musulmane albanaise du Kosovo est pourchassée par les milices serbes. L'OTAN menace la Serbie de frappes aériennes.
● Irak : *janvier*, Sadam Hussein refuse d'ouvrir les sites stratégiques aux experts de l'ONU. ❍ *Décembre* : les aviations américaine et britannique bombardent des sites irakiens.
● Cuba : *janvier* : le pape Jean-Paul II reçu par Fidel Castro.
● Amérique centrale : *octobre*, l'ouragan *Mitch* fait neuf mille morts.
● Cambodge : *15 avril*, mort d'une crise cardiaque de Pol Pot, chef des Khmers rouges, responsable d'un génocide qui a causé la mort de deux millions de Cambodgiens.
● Pakistan/Inde : les deux États ennemis font des essais nucléaires.

1999

● France : négociations patronat-syndicats pour l'application de la loi sur les 35 heures de travail hebdomadaire. ❍ *Décembre* : une tempête provoque des dégâts dans le nord et le centre. Le naufrage d'un pétrolier au large de Belle Île provoque une pollution en Bretagne-sud et en Vendée.
● Adhésion de la Hongrie, de la Pologne et de la Tchèquie à l'OTAN.
● L'Union européenne met en place le système de l'*euro*, monnaie unique en 2002.
● Sommet à Cologne des pays les plus industrialisés : annulation des dettes pour les 40 pays les plus pauvres de la planète. ❍ Sommet de Seattle : échec des négociations commerciales entre l'Europe et les États-Unis ; mobilisation contre l'utilisation des OGM (Organismes Génétiquement Modifiés) dans l'industrie agroalimentaire.
● Serbie : le président Milosevic persévérant dans son nettoyage ethnique des Albanais du Kosovo, l'OTAN intervient dans le conflit et bombardent des sites stratégiques ou industriels en Serbie. Les troupes yougoslaves évacuent le Kosovo, placé sous la protection de l'ONU ; le secrétaire d'État Bernard. Kouchner y est nommé administrateur.
● Russie : le président Boris Eltsine, malade, démissionne et nomme Vladimir Poutine président par Intérim (élu en 2000). ❍ *Septembre* : reprise des combats en Tchéchénie.
● Jordanie : mort du roi Hussein, et avènement de son fils.
● Maroc : mort du roi Hassan II et avènement de son fils, qui affiche sa volonté de libéraliser le régime.
● Tremblement de terre en Turquie : 15 000 morts.
● États-Unis : le président Clinton, accusé de mensonge par la droite américaine à la suite d'une liaison amoureuse est acquitté et ne sera donc pas destitué ; l'affaire a mobilisé pendant dix-huit mois la presse et l'opinion publique, tout en bloquant en partie le pouvoir présidentiel.
● Macao, colonie portugaise, est rétrocédée à la Chine.

2000

● France : baisse du chômage, qui passe sous la barre des 10 % (mai). ❍ *Juillet* : organisatrice de l'Euro 2000, la France est championne d'Europe de football ❍ *Juillet* : le crash d'un Concorde à Roissy fait 113 morts. ❍ *Août* : en raison de la maladie de la vache folle, 13 000 bovins appartenant à des troupeaux contaminés sont abattus.
❍ *Septembre* : par référendum, la durée du mandat présidentiel passe de sept à cinq ans (70 % de taux d'abstention). ❍ *22 novembre* : mort du géologue et philosphe Théodore Monod, 98 ans.
● Europe : chute, sur les marchés boursiers, des actions des nouvelles technologies (avril). ❍ *Septembre* : la hausse du prix du pétrole provoque des manifestations de routiers. ❍ *Décembre* : la crise de la vache folle provoque des embargos sur la viande de bœuf. Les farines animales sont interdites dans toute l'Europe.
● Chine : un moine de 14 ans, troisième dignitaire du bouddhisme tibétain, parvient à échapper à ses geôliers chinois et à rejoindre en Inde le dalaï-lama, mettant ainsi en évidence l'échec de la politique d'annexion du Tibet par le régime chinois (janvier).
● Israël : *28 septembre*, la présence, sur l'esplanade des mosquées, à Jérusalem, du leader de la droite israélienne Ariel Sharon provoque une nouvelle *intifada* (guerre des pierres) meurtrière ; les pourparlers de paix, sous la présidence de Bill Clinton, échoueront et la crise provoquera le retour au pouvoir de la droite israélienne.
● Syrie : mort du président Hafez el Assad, à 69 an ; son fils Bachar lui succède.
● Serbie : Vojislav Kostunica nouveau président ; il détrône Milosevic qui doit reconnaître sa défaite après des manifestations de masse.
● Corée : *du 13 au 15 juin*, la rencontre des dirigeants de la Corée du Sud et de la Corée du Nord met fin à un demi-siècle de guerre.
● Algérie : recrudescence des massacres de civils ; 80 personnes assassinées en trois jours (décembre).
● États-Unis : le républicain George W. Bush, fils d'un précédent président, est élu président. ❍ *Avril* : le décryptage du génome humain provoque une polémique dans les milieux scientifiques internationaux sur le clonage et ses conséquences.

IMPRIMÉ EN UNION EUROPÉENNE
le 26-07-2001
N° d'impression : 8044
005/01 – Dépôt légal, juillet 2001